JN032750

21世紀未来圏

日本再生の構想

寺島実郎
Terashima Jitsuro

21世紀未来圏 日本再生の構想

全体知と時代認識

岩波書店

はじめに　二一世紀システムを生きる日本——全体知の中での構想

「外は広く　内は深い」——鈴木大拙が語り続けた言葉である。広く深く「全体知」を求める努力なしに、時代の本質は見えてこない。二一世紀に入って二三年間、私は雑誌『世界』に「脳力のレッスン——本質を見抜く眼識で新たな時代を切拓く」を連載してきた。論稿を重ねる過程で自分が生きている時代の意味を考察し、進むべき道筋を探ってきたといえる。

そもそも、「世界」という言葉は仏教語であり、「衆生の住むところ」という意味だという。サンスクリット語のローカ・ダートゥ（loka-dhātu）の中国語訳であり、loka が「世」、dhātu が「界」で、三千大千世界によって全宇宙が構成されるという壮大な仏教的視界を投影したものである。「世」は時間概念で、過去、現在、未来を見渡す視座であり、「界」は空間概念で、四方（東西南北）と四維（東南、西南、西北、東北）と上下の十方を意味する。「世界」に向き合うということはそういうことである。歴史における個人の役割など「大河の一滴」にすぎないことを思い知らされつつ、「それでも」と顔を上げ、より広く深い視座で「あるべき進路」を求めて、時代と並走するのが人間の生き方だと考える。

二〇二〇年代に入っての四年間、世界は次元の異なる試練に直面した。コロナ・パンデミックとロシアのウクライナ侵攻、そしてイスラエル・ガザでの戦争の勃発である。それは、我々に改めて「国家」の意味を思い起こさせた。誰もが自分が帰属している国家という枠組みを意識せざるを得なかった。つまり、国境を越えたヒト、モノ、カネ、情報の自由な移動を志向した「グローバル化」といわれた冷戦後の思潮が壁にぶつかったのである。コロナ禍は地球レベルの移動と交流がもたらした災禍であり、ロシアの軍事行動は、ナショナリズムに駆り立てられて国連憲章を無視して主権国家を侵犯するもので、グローバル秩序の脆さを露呈させた。また、イスラエルでの戦闘は前世紀の「大国の横暴」がもたらした矛盾の帰結ともいえる中東の地殻変動を再認識させた。そして、この世界秩序の融解の背景には、冷戦終焉後のグローバリズムの主導者だった米国の可制御力の後退があることを確認せざるを得ない。

「二〇世紀システム」のサブシステムとしての日本

今、世界はグローバリズムとナショナリズムの交錯の中で苦闘しているといえる。グローバリズムは「二〇世紀システム」の到達点ともいえる時代思潮であった。「二〇世紀はアメリカの世紀」という言い方があるが、正確にいえば、英国から米国へと主役の交代はあったものの、米英によるアングロサクソン同盟によって世界秩序の主軸が形成されてきたのが「二〇世紀システム」である。ビクトリア期の大英帝国の栄光に陰りが見えた一九世紀末から二〇世紀の初頭、米国が世界史の中心に登場してくる。第一次世界大戦に参戦し、ベルサイユ講和会議に登場した米大統領ウッドロー・ウィルソンは「国際連盟」創設を提案し、国際主義に基づく秩序形成を主唱したが、米議会の反対により米国自身の参加は実現せず、やがて日独伊も脱退して国際連盟は空洞化、第二次大戦を防ぐことはできなかった。それでも、大戦期の米国を率いたフランクリン・ルーズベルトの「大西洋憲章」「国際連合」構想という新たな国際主義が、二〇世紀後半の世界秩序をリードしていった。

政治における国際主義とともに、二〇世紀をリードした米国の経済思潮となったのが、一九〇八年に「大量生産・大量消費」の象徴となったT型フォードを生み出したヘンリー・フォードの「フォーディズム」に代表される産業主義であった。ロシア革命など社会主義の挑戦に対する米国流資本主義からの回答ともいえ、敗戦後の日本の産業人を代表する松下幸之助が主張したPHP(繁栄を通じた平和と幸福)の思想の原型でもあった。

この二〇世紀システムの中で日本はどう生きたかを再考するならば、日本はその恩恵の享受者であり、同時にその中に埋没したことに気づく。日本は二〇世紀に入ってから今日までの一二三年間のうち、実に九四年もの間、アングロサクソンの国との二国間同盟(一九〇二~一九二三年「日英同盟」、一九五一~二〇二四年「日米同盟」)で生きている特異な存在である。しかも、間に挟まった約三〇年間が「戦争、敗戦」に迷走した悲惨な時代であったため、日本人の多くが「アングロサクソン同盟は成功体験」と認識し、その安定的継続を期待し続けているといえる。

二〇世紀の初頭、世界GDP(国内総生産)に占める日本の比重は三%程度だった。一九四五年の敗戦後の日本の同比重も三%だった。その後、「工業生産力モデル」の優等生として復興・成長を駆け抜けた日本は、一九九四年には世界GDPの一八%を占めたものの、二〇二四年は再び三%台に比重を落とそうとしている。GDPは国の創出付加価値の総和であり、マクロ統計にすぎない。だが、「経済的豊かさ」を唯一の国民合意目標としてきた戦後日本にとって、この埋没の持つ意味は重い。二〇一〇年にGDPで中国に抜かれたあたりから、日本全体の情緒不安定が始まり、東日本大震災の衝撃も加わって、「日本を、取り戻す。」を掲げて「調整インフレ政策」たるアベノミクスを進める安倍政治に国民が吸い寄せられていった構図に投影されている。

この埋没をもたらした構造についての深い考察が求められる。経済の埋没は政治指導力の貧困と相関し、さらには日本を支える人材の劣弱さによるとも思えるからである。二〇世紀システムへの固定観念と過剰同調で二一世紀を生き抜くことはできない。

「二一世紀システム」への創造的参画者として

米国の中枢を襲った「9・11同時多発テロ」という衝撃でスタートした二一世紀だが、二十数年を経て「二一世紀システム」の輪郭が見え始めている。冷戦後の「米国の一極支配」といわれる状況で二一世紀を迎えた米国は、9・11に逆上してアフガニスタン、イラクへと侵攻したが、失敗を重ね、世界に関与・制御する力を失い、自国利害中心主義に後退しつつある。ロシアも二〇〇〇年に登場したプーチンの長期政権の下で「大ロシア主義」に回帰し、自己過信の中でウクライナに侵攻したが、制裁と孤立の中で消耗、長期的衰退に陥った。中国も、二〇〇〇年に四%にすぎなかった世界GDP比重を一七%(二〇二三年)にまで高めたが、第三期に入った習近平政権の強権化と戦狼外交によって、世界に警戒心と嫌悪感を高め、「一帯一路」構想も停滞、これまで中国の成長を支えてきた在外華人・華僑(約八〇〇〇万人)も本土の政権に失望、資本流出が経済を停滞させ始めている。つまり、米露中という二〇世紀をリードした大国は、世界での求心力をもたらす力、「正当性」を失っているのである。

「世界は分断の危機にある」というのが、メディアが流布している世界認識である。確かに「米中対立」や「権威主義陣営対民主主義陣営の緊張」という認識は間違いではない。だが、分断はそれを利益とする存在による単純化であり、静かに世界潮流の深層に目を凝らすならば、世界は一極支配でも二極分断でもなく、全員参加型の多次元秩序に向かっているというべきであろう。グローバル・サウスといわれるアジア、アフリカ、中南米の新興国群は、「世界を分断してはならない」という意思を示しており、国際社会を動かす主体と要素も多様化・多次元化している。国の大小にかかわらずそれぞれが主体的に主張し始めており、データリズムの基盤を握るビッグ・テックといわれる巨大DX企業などの多国籍企業群の動き、さらには9・11テロを起こしたアルカイダやイスラム国（IS）、ハマスなどの多国籍ゲリラが「国家」とは異なる次元で世界秩序を突き動かす要素となっており、話は単純ではない。

全員参加型の多次元秩序に向かう二一世紀の世界における日本の役割を熟慮するならば、日本は安直に分断に与する側に立ってはならない。迷走する大国の横暴に与することになるからである。日本の主体的国家構想が求められるが、それは容易ではない。あまりにも受け身で二〇世紀システムを生き、今日に至るからである。とくに、冷戦後のグローバリズムの潮流の中で、グローバル・スタンダードに準拠して生きることが国家政策の基軸とされ、国家構想は忘却の彼方に後退してしまった。外交・安保政策を通じた国際秩序への関与、経済産業創生を通じた経済活力の再生、政治改革を通じん民主主義の成熟など、これからの世界にとって刮目されるような創造的な国づくりをすることが肝要である。

本書「針路　第3章の4」では、日本近代史における先人たちの国家構想、たとえば福沢諭吉の「脱亜論」、石橋湛山の「小日本主義」、そして戦後の高坂正堯の「海洋国家日本の構想」を取り上げている。それぞれが、世界史的潮流の中での日本の構想を考える苦闘であった。そして今、二一世紀の未来圏を見据えた国家構想が議論されるべきである。戦後日本と並走した同世代人であった評論家、加藤典洋は『もうすぐやってくる尊皇攘夷思想のために』（幻戯書房、二〇一七年、増補版・岩波現代文庫、二〇二三年）において、鋭い歴史感覚から、再び訪れるであろうナショナリズムの潮流を予見し、それに正対する視座を示唆していた。まさに、その脈絡において我々は民主主義を守り、錬磨していかねばならない。そして、その根底には、「武力を紛争解決の手段としないこと」を誇りとする非核・平和主義という価値基軸を置かねばならないと思う。

日本近現代史を省察し、戦後日本が経済成長に邁進してきたために真剣に考えることを軽んじてきたこと、つまり「資本主義と民主主義の関係性とあるべき姿」といったテーマを真摯に探究する必要がある。とくに、経済の金融化というべき潮流（金融の多様化と肥大化）とデジタルという情報技術革新によって、資本主義が大きく変容しつつある現在、国家構想においても人間社会の未来価値を創造する新たな「全体知」（専門知、総合知を超えた統合された叡智）が求められているのだと思う。

目次

はじめに　二一世紀システムを生きる日本――全体知の中での構想

針路　日本再生の構想――進むべき道筋

第1章　二一世紀日本再生の構想――三つの柱……3

1　構想の前提となる内外の潮流への基本認識……3
2　第一の柱　日米同盟の再設計と柔軟な多次元外交の創造……13
3　第二の柱　アベノミクスとの決別とレジリエンス強化の産業創生……22
4　第三の柱　戦後民主主義の錬磨――新しい政治改革と高齢者革命の可能性……31

第2章　前提となる時代認識――歴史的転換点に立つ日本……41

1　近現代史の折り返し点に立つ日本……41
2　四つの帝国の解体と二つの理念の登場――一〇〇年前の世界……49

3 二〇世紀世界システムにおける日本——戦後日本の繁栄とは何だったのか …… 60

第3章 二一世紀システムの輪郭 …… 70

1 二一世紀システムの宿痾としての金融不安 …… 70
2 ロシア・中国の衰退とその意味 …… 78
3 米国の衰退とその本質 …… 88
4 三人の先人の構想——福沢諭吉、石橋湛山、そして高坂正堯 …… 96
5 国家構想なき日本を超えて …… 106

道筋 全体知に立つ——構想に至る思索のプロセス

考察1 時代認識との格闘——パンデミック、国際関係

第1章 コロナと並走して …… 119

1 新型コロナ危機の本質 …… 119
2 コロナ危機の中間総括 …… 129

第2章 ウクライノ危機とロシアを見つめる眼 …… 140

1 プーチンの誤算 …… 140

2　ロシア正教の意味……148
3　近代史におけるロシアと日本……157

第3章　対米関係再検討への基軸……167
1　バイデンの米国と正対する日本外交の構想力……167
2　尖閣問題の本質と外交的解決策の模索……178

考察2　民主主義と資本主義の相関性

第1章　民主主義の歴史を考える……193
1　中国・国家資本主義という擬制……193
2　古代アテネの民主制の基盤……202
3　近代民主主義の成立要件と二一世紀における模索……209

第2章　戦後民主主義を守り抜く覚悟……217
1　「与えられた民主主義」を超えて……217
2　戦後日本の大衆民主主義　都市新中間層の今……221
3　戦後民主主義と安倍政治……229

考察3　経済・産業再生への進路

第1章　これからの経済を考え抜く……239

1　日本経済・産業再生への道筋……239

2　「脱成長」という視界から新たな産業論へ……260

第2章　「新しい資本主義」か「あるべき資本主義」か……272

1　「新しい資本主義」への視界……272

2　公正な分配とは何か……282

3　新次元のルール形成へ……293

おわりに　一九九四シンドロームを超えて……303

針路

日本再生の構想——進むべき道筋

第1章　二一世紀日本再生の構想──三つの柱

1　構想の前提となる内外の潮流への基本認識

　これまで積み上げてきた議論・考察を集約し、二一世紀日本の構想を提起したい。それは、二〇世紀の世界システムと日本のありかたを再考察し、それとの対照において二一世紀システムの本質を見抜き、二一世紀のこれからの未来圏たる七七年を構想することである。

　明治維新を迎えた頃、日本のGDPの世界に占める比重は三％程度だったと推定される。その七七年後、一九四五年の敗戦という形で明治期の挫折を迎えた直後(一九五〇年)の日本のGDPの世界比重はやはり三％であった。敗戦を「物量の敗北」と受け止めた日本人は、もっぱら経済における復興と成長を目指し、産業力で外貨を稼ぐ「工業生産力モデル」の優等生となり、一九九四年には世界GDPの約一八％を占める経済国家を実現し、相対的経済力のピークを迎えた。そして「戦後期」の七七年を経た今、皮肉にも二〇二四年の日本のGDPの世界比重は三％台に落ち込もうとしている。不思議なことに、再び世界比重三%程度で歴史の節目を迎えたのである。

ＧＤＰはマクロの経済指標にすぎないが、創出付加価値の総和であり、通貨円の国際的信認の下落とともに日本経済が埋没していることは否定できない。何故こうした事態を迎えたのか、深い洞察と健全な危機感こそ再生の起点である。まず、日本の未来構想の前提・基盤とすべき「外なる世界潮流と内なる日本の社会構造」に関する認識をしっかりと再確認しておきたい。

外なる世界秩序の流動化――「全員参加型秩序」における日本の役割

二一世紀の未来圏を生きる我々にとって基盤となる世界認識を確認しておきたい。「二一世紀システムの輪郭」については針路 第3章にて詳述するが、二〇世紀の世界秩序において重きをなしてきた「三つの帝国」たる米国、中国、ロシアが二一世紀において、それぞれが自国利害中心主義に傾斜し、世界を束ねる大国としての正当性(legitimacy)を失いつつあることを注視したい。

メディアは「権威主義陣営対民主主義陣営」という二極対立の時代として描きがちだが、現実の世界を見渡せば、極を形成する求心力は消失しつつあり、「世界を極構造に分断してはならない」という意識が世界の底流となりつつある。世界秩序は急速に流動化している。権威主義陣営とされるプーチンや習近平の専制体制も、急速に揺らぎつつある。孤立と制裁の中で、ロシア経済が長期衰退に向かい、大ロシア主義も周辺国を束ねる力を失っている。習近平の中国も「戦狼外交」によってむしろ敵対者を増やし、「一帯一路」を重苦しいものにしてしまい、改革開放路線を放棄した経済の低迷が政治不安を誘発する局面に入っている。「中露蜜月」を演じているが、閉塞感の中での寄り添いであり、中国優位の中露関係への傾斜は仮そめの連携にすぎない。

欧州もロシアの衰退とブレグジット後の英国の「グローバル・ブリテン」(TPP(環太平洋パートナーシップ協定)加盟、アジア回帰)の成否を見つめ、「欧州のかたち」(EU加盟国の結束)も流動化していくであろう。米国は「分断」を深め、議会の混乱が示すごとく、世界秩序をリードする力を失っていくであろう。それは、建国以来の米国史の主役だった白人プロテスタントの焦燥を増幅し、分断の影を一段と色濃くさせると思われる。

グローバル・サウスの存在感

注目すべきは、グローバル・サウスの動向である。象徴的なのがBRICSの拡大だ。二〇二三年八月二四日、BRICSに新たに六カ国が参加することが発表された。サウジアラビア、UAE、イラン、エジプト、エチオピア、アルゼンチンである。そもそもBRICSは、投資銀行ゴールドマン・サックスの「語呂合わせ」から始まった。冷戦後の有望な新興国という意味で、ブラジル、ロシア、インド、中国の四カ国の頭文字を並べ、その後、最後のSが複数のSではなく、サウスアフリカのSとなり、さらに六カ国が加わるというのである。これにより、拡大BRICSはGDPの規模で世界の二九・二%、人口で四五・六%を占める規模となる(二〇二二年)。ただBRICSはあくまで多国間協議機関であり、参加各国にそれぞれの思惑があり、中核となるリーダーも不在で、その役割を過大視することはできない。しかし、拡大BRICSの共通意思は「脱米」であり、世界の一極支配や分断の拒否と認識すべきである。とくに基軸通貨としての米ドル体制に対して、ＢＲＩＣＳ共通通貨を模索する動きもある。実現のハードルは高いが、ＢＲＩＣＳ間の決済システムが実現され、ドル基軸の相対化が進む可能性はある。

グローバル・サウスの主役とはいえないが、インドの不思議な存在感の高まりが世界の「流動化」の象徴であろう。インドは、中国主導の上海協力機構にも入り、米国主導の中国封じ込めのクアッド（米、豪、日、印四カ国の連携）にも参加、ＢＲＩＣＳでも牽引役を演じる。インドのモディ政権の外務大臣スブラマニヤム・ジャイシャンカルの『インド外交の流儀——先行き不透明な世界に向けた戦略』（原題 THE INDIA WAY: Strategies for an Uncertain World、邦訳・白水社、二〇二二年）は、「マンダラ外交」とよばれる「非同盟を基軸に、敵対国、中間国、中立国との関係を多次元に組み合わせ、インドの国際社会における影響力を最大化する外交戦略」の真髄を語る。傍観者ではなく、形成者、決定者として世界秩序に関与する意思を受け止めるべきであろう。

グローバル・サウスの存在感が高まるということだけではない。二〇二三年一〇月のＩＭＦ（国際通貨基金）・世界銀行総会で、途上国の債務が九兆ドルを超し（二〇二一年末）、既に一〇カ国が債務超過に陥り、二六カ国が債務超過のリスクに直面しているという報告がなされたが、こうした課題を解決するルール形成や制度設計に関して根底から新たな「構想」が求められている。

世界全体の実体経済の規模（実質ＧＤＰの総和）は、二〇〇〇年の三四兆ドルから二〇二二年には一〇〇兆ドルへ、二一世紀の二二年間で約三倍に増大した。世界総体としては、生産量で見る限り豊かになっているのである。ただし格差と貧困は一段と深刻になっており、不条理を正視して「公正な分配」「地球全体の共生」を図る制度設計への構想力が問われるのである。

こうした世界の状況変化が日本に突きつける課題は、日本人の世界認識が二〇世紀システムの残影たる「極構造」に固定化していることである。基本的に、米国主導の二〇世紀システムの受容者として生きてきたためである。日本の二〇世紀をあらためて約言するならば、初頭は日英同盟(一九〇二〜一九二三年)を軸に日露戦争から第一次大戦期を「戦勝国」として生き、第一次大戦後は、米国が主導する世界秩序の再編(ウィルソンの国際連盟からベルサイユ・ワシントン体制へ)に新手の植民地帝国として反発して戦争に突入、敗戦後は米国主導の世界秩序(ルーズベルトの国際連合、IMF・世界銀行体制)に参画し、米国との「同盟外交」を基軸とする軽武装経済国家として「戦後復興と高度成長」を実現してきた。

さらに、冷戦終焉後の一九九〇年代以降は、国境を越えたヒト、モノ、カネ、情報の自由な移動を促す「グローバル化」が主潮となり、日本はこれを与件として生きてきた。この時代のグローバル化の本質は「新自由主義」に立つ米国流の金融資本主義の世界化の流れともいえるが、その潮流の中で日本が主体的国家構想を見失い、「埋没」を加速させたことは繰り返し論じてきた。

経済の埋没と政治の埋没は相関している。たとえば、国連における日本の立場である。国連加盟後六八年が経過し、日本は「常任理事国」入りを目指して「国連改革」を主張し続けているが、日本の国連分担金の比重は二〇〇〇年の二一%から二〇二三年の八%へと落ち込んでいる。基本的に経済規模が投影されるからであり、この間、中国の分担率は一%から一五%に増えた。国連は株式会社ではなく、分担金が発言力に直接リンクしているわけではないが、暗黙の了解として、国連活動を取り巻く「空気」に微妙に影響していることを感じる。カネを拠出すること以外に、国連をリードする創造的政策力でもない限り、存在感は後退するのである。

極構造に収斂しきれなくなった世界とどう向き合うのか。冷静に再考するならば、こうした状況こそ本当の意味での「グローバル化」の始まりというべきであろう。参加者全員が多次元での自己主張をする中で、新たな秩序形成が求められる局面である。より公正な分配と多様な参画が求められる時代であり、日米同盟の強化だけで日本の未来が拓かれる時代ではない。多様な参画者を納得させる筋道の通った理念と構想が求められるのである。とりわけ、日本の埋没が「アジア・ダイナミズム」の突き上げで進行していることを直視するならば、アジアを正視し、次なる世界秩序を巡る創造的議論をすることが日本の未来を決めると思われる。

日本の内なる社会構造の変化――「異次元の高齢化」の先行モデルとして

埋没と閉塞感漂う日本であるが、日本の変革と再生をもたらす潜在要素があるとすれば、それは人口構造の成熟化、とりわけ異次元の高齢化であろう。日本政府は「異次元の少子化」を重要課題としているが、異次元の少子化は、異次元の高齢化との相関において論じられるべきで、この議論が日本の未来構想において不可欠である。

日本の人口が一億人を超えたのは一九六六年であり、二〇〇八年に一億二八〇〇万人でピークを迎え、二〇二三年には一億二四〇〇万人と、既に四〇〇万人近く人口が減少した。二〇五〇年前後には一億人を割ると予想される。「一億人に戻る」と考えがちだが、内部構造が違う。一九六六年の一億人のうち、八五歳以上は六六〇万人(六・六%)にすぎなかったが、二〇五〇年では三九〇〇万人（約三七％）が六五歳以上になると予想されるのである。

既に、日本の六五歳以上人口比重は二九・一％（二〇二三年）と、米国一七・六％、英国一九・五％、ドイツ二二・七％、フランス二一・〇％と比べても異次元の高齢化社会となっており、英国のジャーナリストであるヘイミシュ・マクレイも、日本について「地球上で最も高齢化した社会」であり「高齢化社会のフロンティア」と論じている（『二〇五〇年の世界――見えない未来の考え方』日本経済新聞出版、二〇二三年、原著二〇二二年）。また、中国、インド、韓国なども今後急速に高齢化が進むと予想されており、日本が異次元の高齢化に如何に立ち向かうかは、世界の先行モデルとなるのである。

日本の人口の四割が高齢者となる時代が迫っているということは、選挙での有権者人口の五割が高齢者になることを意味する。さらに、高齢者の投票率は高く、若者の投票率は低い（二〇歳代は六〇歳代の約半分）という傾向が続けば、有効投票の六割は高齢者が占めることになる。この構造を「老人の老人による老人のための政治」にしないための構想が求められるのである。

「都市新中間層」の高齢化という特質

まず認識すべきは、日本の高齢化は単なる人口構造の高齢化ではなく、戦後日本の産業構造変化を背景に台頭した「都市新中間層」の高齢化という特質を有することである。工業生産力モデルを突き進んだ戦後日本は、産業と人口を大都市圏に集中させ、大量の都市新中間層（企業に帰属したサラリーマン層）を生み出した。日本が直面しているのはこの層の高齢化であり、農耕社会の高齢化ではない。

日本の高齢者の多くが都市新中間層ということは、定年退職後に帰属組織を失うと個々人がバラバラになり、結節点を持たない存在になることを意味する。多くはかつて帰属していた組織にアイデンティティを持ち続ける組織人間である。もし仮に、四〇〇〇万人に迫る高齢者の四分の一でも組織化できれば、その政治的・社会的影響ははかり知れない。高齢者エゴに傾斜して、「年金、保険、医療、雇用」などで自分に都合の良い方向に社会的意思決定を引き寄せるのか、あるいは年長者としての知見と責任を自覚して、次世代のためにあるべき社会を残す基盤となるのかが問われるのである。バラバラとなった個は、体系的情報の入手が難しく、目先の利害に左右される行動選択をしがらとなる。

米国には「ワシントン最大の圧力団体」といわれるＡＡＲＰ(全米退職者協会)が存在する。一九五八年に設立され、ホワイトハウスから数ブロックの所に本部ビルを有し、五〇歳以上の会員三六〇〇万人を有する。これだけの組織力が社会政策に大きな影響を与えている。何故これだけの数を組織化できているのか、足を運んで議論したことがあるが、二つ、日本と事情が違うことに気づかされた。一つは宗教であり、特定の宗教・宗派というわけではないが、日曜日に教会に行く人たちの日常を結節点としていることを感じる。もう一つは社会保障制度の違いであり、六〇〇〇万人ともいわれる健康保険にさえ入れない米国の現実を背景に、ＡＡＲＰの会員証があれば、薬局で薬が割引されるなどの特典が付与されるために、年会費(平均五〇ドル前後)を払ってでも会員になる人が多いということだと思われる。

日本にも「日本退職者連合」などの高齢者組織があり、労働組合運動のOBを中心に約七〇万人(公称)を組織化しているといわれるが、日本において高齢者を大きく組織化することは容易ではない。結節点を見つけ出しにくいからである。だからこそ、ジェロントロジー(Gerontology、「高齢化社会工学」)という視界が必要なのである。私は、『シルバー・デモクラシー――戦後世代の覚悟と責任』(岩波新書、二〇一七年)、『ジェロントロジー宣言』(NHK出版、二〇一八年)と、高齢者の社会参画を模索し、高齢化社会についての社会的通念の転換の必要を主張してきた。

課題解決のポテンシャルとしての高齢者

一般に、高齢化は医療費、年金などの負担増という意味で、社会的コストの増大と捉えられ、「衰退の兆候」とされがちであるが、それは正しくない。むしろ、高齢者を社会的課題の解決を支えるポテンシャルと考え、参画と活用を考えるべきなのである。そのために必要な視座がジェロントロジー(「高齢化社会工学」)であり、高齢者を社会参画させ、生かし切る社会システムの制度設計が求められる。六五歳以上の就業者数は九一四万人(二〇二三年)とされるが、就業だけでなく、子育て、教育、文化活動、NPOなど、社会を支える活動への高齢者の参画が、社会の安定、民主主義の成熟にとって重要な意味を持つのである。「人手不足」も、意欲のある高齢者の活用によって補われる面もある。

だが、現実に高齢者の責任ある社会参画を実現することは容易ではない。新中間層高齢者の社会心理は複雑で、労働者だったという「階級意識」は希薄で、八割以上が「自分は中間層」という階層意識を共有している。帰属してきた組織から恩恵(給与、保険、年金)を受けたと思う一方で、「貢献の割には満たされなかった」という不満を潜在させている。定年退職後、一定の蓄財もあり、「生活保守主義」というべき安定志向の心理を有しながら、一方で、戦後民主主義の洗礼を受け、学生運動や労働組合運動を通じて「市民主義」と「社会主義」に共鳴した想いを潜在させてもいる。

戦後日本において、先頭を切って都市新中間層となった世代たる「団塊の世代」(一九四七〜一九四九年生まれ)も七五歳を超え、後期高齢者となった。一九五九年生まれの世代が高齢者になるわけで、戦後の右肩上がり時代に青年期を送った世代が高齢化しているということである。これらの層は、「民主教育」を通じて「滅私奉公」を嫌い、個人の価値を重視することを身につけてきた。「他人に干渉したくもされたくもない」という私生活主義を生きてきた人たちであり、社会人としては自己主張の強い人たちでもある。「イマ、ココ、ワタシ」を優先する傾向が強く、主体的に社会的課題などに目を向けることは期待できない。

それでも、日本の進路にとって高齢者層の役割、責任ある政治参画と社会参画がどうなるかが重要なのである。社会変革の構想には、それを担う主体をどう想定するかが不可欠であり、かつて一九六〇年代末の学生の反乱期には、マルクスが想定した「労働者階級」ではなく、社会的拘束から比較的自由な学生が変革の主体となると主張する議論もあった。私は、これからの日本の変革主体になりうるポテンシャルは、結節点なく個に生きる高齢者にあると思う。戦後日本の行き詰まりが明らかになっていることへの危機感をバネに、「一〇〇歳人生」を安易に生きてはいられないという表情に変わりつつある。それが、戦後期を生きてきた者が次世代に残すための役割だということに気づく臨界点が近づきつつある。

（２０２３・12）

2　第一の柱　日米同盟の再設計と柔軟な多次元外交の創造

二〇二〇年春、コロナ禍に突入した頃、私は『日本再生の基軸――平成の晩鐘と令和の本質的課題』（岩波書店）を上梓した。前年に「平成」という時代が終わった。平成という時代は、世界史的には冷戦終焉後の三〇年と並走したことになる。そして、この時代の通奏低音が「新自由主義」に立つ「グローバル化」であった。この本（『再生の基軸』）は、平成期の日本を総括し、令和の課題を抽出する試みであり、現時点においても基本認識に変更はない。その後の四年間、パンデミックとウクライナ戦争に直面し、抱えていた課題がより鮮明に炙り出されたといえる。

この四年間に確認してきたことを基盤に、日本再生の構想を五つの柱に集約したい。第一の柱は「全員参加型秩序」を生きる国際関係の構築であり、具体的には「日米同盟」の再設計と柔軟な多次元外交の創造である。

冷戦後の日本外交は、「経綸の貧困」を露呈してきた。９・11後の不毛なアフガン、イラク戦争への空しい支援や沖縄の米軍基地問題に凝縮される対米外交の硬直、「北方領土」でプーチンに翻弄され続けた対露外交の蹉跌、中国・韓国・北朝鮮と正対できない近隣外交の迷走、これらを冷静に省察し、覚醒すべき時である。

日米同盟の再設計という重い課題への挑戦——現代の「条約改正」として

「反米」でも「嫌米」でもなく、米国との関係を再構築することが、二一世紀日本の進路にとって基点となる。何故ならば、戦後期の七七年間、日本はあまりにも米国の影響を受け、過剰依存と期待の中を歩んだため、主体的な国際関係の構築を見失ってきたからである。二一世紀の日米関係を創造するために必要なことを整理したい。

① 在日米軍基地・施設の段階的縮小と地位協定の改定

世界に展開している大規模米軍基地は五つ存在するが、そのうち四つ、横須賀、嘉手納、三沢、横田は日本に存在し、その駐留経費の七割は日本側が負担している。敗戦後の一定期間に外国の軍隊が駐留する事例は多いが、国際常識に還って、敗戦後八〇年が経過しても外国の軍隊を受け入れ続けている国を「独立国」とはいわない。「保護領」(protectorate)というのである。

私は『問いかけとしての戦後日本と日米同盟 脳力のレッスンⅢ』(岩波書店、二〇一〇年)において、日米同盟および駐留米軍基地のありかたを模索したが、その後の経年変化を踏まえ、米軍基地の総体を再検証することを提起したい。これは明治期の先人が苦闘した「条約改正」に比すべき重い課題である。

普天間、辺野古といった個々の基地をどうするかの「個別解」を求めるのではなく、北は青森の三沢から沖縄までのすべての米軍基地・施設を日米協議のテーブルに載せ、東アジアの安全保障にとっての重要性(抑止力)を精査して基地を選別するという「全体解」を求める過程で、米軍基地・施設を段階的に縮小する手続きに入るべきである。何故、首都圏に二つの米軍専用ゴルフ場が存在するのかも含め、日本における米軍基地・施設の実態が明確になるはずである。たとえば、辺野古は米軍にとってもっぱら海兵隊の基地であり、米ペンタゴンの四軍(陸海空と海兵隊)全体での優先度の調整を促す機会にもなり、占領軍下の「行政協定」に準ずる地位協定を改定する転機が生まれるであろう。

また、米軍基地の段階的縮小とともに、日本に存続し続ける米軍基地についても、日本側が主体的に制御しうる「自衛隊との共同管理」へと順次移行させるべきである。日本が米国の「保護領」でも「周辺国」でもなく、意思を持つ独立国であることが、中国およびアジアの国々との外交を拓く前提である。

② 尖閣諸島の領有権の米国への再確認——日米中関係の基本課題の解決

日本の領土問題の最大の課題たる尖閣諸島は、中国との間の問題であるだけではなく、実は日米間の問題でもある。何故なら、米国は中国、台湾に配慮して尖閣への日本の領有権を認めていないからである(考察1　第3章の1、2参照)。

一九七二年の沖縄返還協定を精査して「返還される領域」を地図に明示すれば、尖閣諸島はサンフランシスコ講和条約以降の二〇年間、米国が自らの施政権下に置いてきた領域に含まれる。にもかかわらず、米ニクソン政権は「米中国交回復」と沖縄返還が同時進行したことにより、中国が尖閣(釣魚島)の領有を主張し始めたことに配慮して、領有権については「あいまい作戦」をとった。また、それまで国連において中国を代表する政権であった台湾の蔣介石総統が健在で、戦後処理を巡り「琉球の領有」を放棄して、沖縄が米国の「信託統治」下に置かれることを容認した彼に配慮したという要素も確認できる。

今日に至るまで、米国は繰り返し「尖閣は日米安保の対象に入る」と発言するが、領有権を認めていない地域紛争に対して米国が軍事介入することが現実的か否か、冷静に考えるべきである。米国が尖閣の領有権を日中に認めれば、この問題の本質が変わる。中国のみならず、同じく領有権を主張する台湾の判断を制約するからであり、日本は筋道を通して米国の責任ある対応を求めるべきなのである。

「北方領土」と「尖閣」という問題は繫がっている。第二次大戦後の世界秩序の基本原則は、一九四一年の米英主導の「大西洋憲章」における「戦争による領土不拡大」である。これが連合国共同宣言の基軸となり、国連憲章の柱でもある。それをサンフランシスコ講和条約で受け入れて日本は国際社会に復帰したのであり、領土問題における日本の主張の基盤である。この筋道を貫いて、米国・ロシアに向き合わねばならないのである。

③ 経済における日米同盟の深化——包括的経済協定の実現

戦後の日本が、米国の主導する「IMF・世界銀行体制」、さらには「GATT（関税及び貿易に関する一般協定）からWTO（世界貿易機関）に至る世界貿易の枠組み」に参画し、国際協調体制の恩恵を受けてきたことは確かである。だが、不思議なことに日米間に「自由貿易協定」はない。日米同盟は軍事に傾斜しており、経済における日米関係を深化させる二国間の仕組みは希薄である。

米国が最初の自由貿易協定を実現した国はイスラエルであり、一九八五年であった。その後、一九九四年にはカナダ、メキシコとのNAFTA(北米自由貿易協定)ができ、日米間にも同様の経済協定をという動きもあったが(例:一九八七年にマンスフィールド駐日大使が提案)、「日米貿易摩擦」を投影して実現せず、一九九五年に設立されたWTOによる多国間の貿易自由化の方向に向かった。

二〇〇六年にはTPPがスタート、米国・日本も参加したが、米国は二〇一七年に離脱、米国なきTPPとなった。バイデン政権になっても米国はTPPには戻らず、IPEF(インド太平洋経済枠組み)など、自由貿易拡充とは次元の異なる「中国封じ込め」の仕組み(一四カ国参加)を主導しているが、二〇二三年一一月の総会でも「貿易」分野での合意形成ができなかったごとく実効は限定的である。日米間には「日米貿易協定」があり、「日米経済政策協議委員会」などの利害調整の仕組みもあるが、二〇の国・地域と実現してきたEPA(包括的経済連携協定)とは異なり、関税や輸入枠などにさまざまな制約を残しており、日本としては自国利害に傾斜する米国を開放・自由化の仕組みに招き入れる役割を果たすべきである。

全員参加型秩序への創造的参画——求められる多次元外交の基盤構築

『岩波講座 世界歴史』(全二四巻、岩波書店、二〇二一〜二〇二三年)が完結した。第一巻の『世界史とは何か』に始まり、歴史総合(グローバル・ヒストリー)というアプローチに立ち、歴史学会の研究者を集結した講座の最終巻は『二一世紀の国際秩序』であった。二一世紀の世界秩序に関して、如何なる展望をしているのかが注目されたが、冷戦後の「グローバリゼーションの曲折」がもたらした「多面的な危機と地球社会」という視界で二一世紀を捉えており、問題群として「リベラルな国際秩序の拡散・終焉とグローバル・サウス」と「民主主義とポピュリズム――「二〇世紀型政治」の衰退」を提示している。こうした論点は、連載「脳力のレッスン」において私が論究してきた視座と齟齬はないと感じる。重要なのは、それが日本の進路に何を求めるかであり、日本人には固定観念を脱して自らの運命を拓く構想が求められると考える。

私は二一世紀の世界秩序が、大国主導の極構造ではなく、「全員参加型」というべき秩序に向かうことを論じてきたが、それは「同盟外交」への依存を前提としてきた日本外交を、「多面的危機」を視界に入れた多次元外交に進化させねばならないことを意味する。「米中対立」や「権威主義陣営対民主主義陣営」などといった単純な二極分断に与しないことが重要であり、一次元高い外交が求められるのである。宿命的に米中の狭間に立つ日本としては、米国をアジアから孤立させず、中国を国際社会の健全な参画者にするという役割を担い、進路を模索すべきである。

①　求められる高い理念性――「非核平和主義」に徹する第一歩

同盟外交とは異なり、多次元外交に求められるのは理念性の高さである。二国間同盟外交は、向き合う相手が限定され、交渉を重ねるうちに「落としどころ」が見えてくるが、多くの参加者が大きな丸テーブルを囲む外交においては、主張の正当性、理念性が必要となる。

日本国憲法は、その前文で「われらは、平和を維持し、専制と隷従、圧迫と偏狭を地上から永遠に除去しようと努めている国際社会において、名誉ある地位を占めたいと思う」と書く。世界の現実を直視すれば、空疎な言葉と感じるが、ここから戦後日本が始まったのである。敗戦の苦渋の中で、多くの日本人が「国際社会における名誉ある地位」を真剣に希求していたことを忘れてはならない。

日本人が歴史の教訓として大切にすべきは、敗戦国・被爆国としての特殊な体験へのこだわりである。つまり、平和に対して敏感であり続け、「非核平和主義」を貫くことである。そのために日本がとるべき行動は、国連の核兵器禁止条約に日本も参加することである。既に核兵器禁止条約には九三カ国・地域が署名、七〇カ国・地域が批准している（二〇二四年一月時点）。日本は「米国の核の傘」の下にあるという理由で、米国に配慮して参加を拒んでいるが、冷静に条文を読めば、大国の核の傘に守られていることが参加の障害になるものではないことは確かである。まず、オブザーバー参加して核廃絶の動きに協力できることを探り、たとえば、核兵器禁止条約第六条（被害者への援助と環境の修復）に関して、被爆者、被爆地への協力を表明することは困難ではない。被爆国日本の姿勢を世界が注視している。とくに、ASEAN（東南アジア諸国連合）一〇カ国のうち九カ国が核兵器禁止条約に参画していることは、アジア外交を推進する上で重要である。また、この条約を発展させて、「核保有国は非核保有国を核攻撃してはならない」という国際ルールを形成することは、「核の無力化」に大きな意味を持つであろう。

② 柔軟な多国間安全保障の枠組みの実現

日米二国間同盟を安全保障の柱とする時代は確実に終わりつつある。米国にそれを維持する力も意思もなく、世界潮流が多次元化しているからである。ただし、日本が自主防衛の強化（防衛費の増強）に舵を切ることにも疑問が残る。防衛費の増強といっても実体的には「米国からの防衛装備品購入拡大」を意味することに気づくし、「国を守る」基盤ともいうべき防衛の現場を支える人材の質や実効あるシビリアン・コントロールが憂慮すべき状況にあるからである。

それ故に、安全保障を図る外交力が重要になるのである。そして、吉田茂がこだわっていたごとく、「外交は技術ではなく経綸」であり、真の意味での「グローバル化」の始まりの時代に向けて、多国間安全保障の仕組みへの構想力が求められる。とくに、日本にとっては近隣外交(中国、韓国、ロシア)を安定的に維持するとともに、米中力学の相対化のためにもASEAN、インドとの関係が重要である。ASEANは、その構成国一〇カ国に日本、中国、米国、インド、ロシア、韓国、豪州、ニュージーランドの八カ国を加えた東アジアサミット(EAS)を地域安保の仕組みとして発展させ、ASEANインド太平洋構想(AOIP)として機能させることを意図しており、こうしたプラットフォームを地域安保の基盤とすることに積極的に参画すべきであろう。

日本としてはそうした方向への努力の一環として、沖縄に国連機関を誘致する構想を探究すべきである。沖縄は「万国津梁の鐘」の精神に立ち、ハワイの東西センターをモデルとする「アジア太平洋多文化協働センター」(APMC)の設立活動などを続けており、賛同するものだが、一歩踏み込んで新しい世界秩序形成にも意味を持たせるべく、日本主導での国連機関の創設・誘致を提案したい。具体的には「軍縮・非核平和を推進する国連アジア太平洋本部の実現である。「国連の空洞化」が指摘され、五大国主義に立つ安全保障理事会は拒否権の乱発で意味を失いつつあるが、全員参加型の国連総会は、「国際社会の意思表示」として意味を増しつつある。ニューヨークの国連本部に加え、アジア太平洋の時代を象徴するものとして、たとえば「軍縮と非核平和の推進」や「地球環境問題への取り組み」を主眼とするアジア太平洋本部の設立を訴え、グローバル・サウスの国々との連携で沖縄での実現を目指すのは如何であろうか。沖縄に国際機関を実現することは究極の安全保障戦略でもある。「米軍基地の島」から脱し、「万国津梁の磁場」を実装する一歩であり、ここに二一世紀の世界史における日本の役割を示すべきである。

③　グローバル・アジェンダとしての新次元のルール形成への参画

全員参加型の世界秩序に向けて、グローバル・サウスを睨んだ「分配の公正」のためのルール形成が必要となる。米国が主導するルール形成の議論は、ともすると中国封じ込めのための経済安保のためのルールに傾きがちだが、世界を分断するのではなく、地球全体が抱える課題解決のための公正なルール形成が求められるのである。

私は、「格差と貧困」の主因ともいえる肥大化する金融資本主義を制御するためのグローバル・アジェンダとして「国際連帯税」や「金融取引税」の導入を主張してきた(考察3 第2章の3、針路 第3章の1参照)。つまり、国境を越えたマネーゲーム(たとえば為替の取引)に対して広く薄く課税をし、地球環境問題やパンデミックに対応する財源とする構想である。欧州が主導する形で「デジタル課税」も実現段階を迎えつつあり、日本の主体的参画が問われるのである。

さらに、もう一つの新次元のルール形成として、ＳＤＲ(特別引出権)の活用について触れておきたい。ＩＭＦは出資比率に応じてＳＤＲを配分しているが、これをパンデミック、気候変動、経済危機などの複合的危機に対応するため、とりわけ危機対応力の弱い途上国に融資し、安定化に活用する構想である。ＩＭＦは、二〇二一年にコロナ禍対応を主眼に六五〇〇億ドル規模のＳ

DR配分を実施したが、ほぼ六割が先進国に配分され、先進国から低所得国への融通率を引き上げる改革が求められている。大きな流れとして、国際金融の構造改革が求められており、その潮流を主導する日本の構想と役割が求められるのである。

（２０２４・１）

3　第二の杜　アベノミクスとの決別とレジリエンス強化の産業創生

冷戦後の三〇年が過ぎ、世界は大きな転換期を迎えている。冷戦の「勝利者」となった米国の一極支配といわれた構図が、二一世紀に入って急速に色褪せてきた。米国流金融資本主義の世界化を「グローバル化」として受容してきたが、我々はその結末を見る思いで「格差と貧困」により荒廃した世界と、パンデミックと戦争による途方もない数の墓標を見つめている。新たな世界秩序を主導する主体も基軸となる思想も見えない「混迷」の中にある。

「強欲な資本主義」という言葉が囁かれるが、本来、資本主義は欲望だけを探求する「卑しい経済社会システム」ではなかった。二〇世紀の資本主義が社会主義の挑戦を退けて生き残った理由は、資本主義がパトス（利潤、欲望、自由の探求）とエトス（改革、改善、克己・研鑽）という双方のポテンシャルを内在させてきたことに加え、ロゴス（合理主義に立つ技術革新・生産性の探求）によって支えられており、社会システムとして逞しかったことにあると思われる。マックス・ウェーバーの

『プロテスタンティズムの倫理と資本主義の精神』(一九〇五年)や日本資本主義の父といわれる渋沢栄一の『論語と算盤』(一九一六年)を思い起こしても、資本主義の基底には「欲望の探求」とは違う次元での「倫理性・規範性」(企業経営の社会的責任の自覚、競争を通じた切磋琢磨)と合理性を貫く意思が存在してきたことを忘れてはならない。

日本再生の第二の柱は、あるべき資本主義を探究する経済社会の構想であり、アベノミクスの隘路に迷い込んだ日本経済・産業を二一世紀にふさわしい活力あるものにする産業創生の筋道である。私は「資本主義と民主主義の歴史的相関性」を考察し(考察2 第1章参照)、安定的な経済産業基盤に立つ民衆の主体的な思考と行動が、経済社会の発展の基盤であること、そして民主主義が経済における資本主義の有効性を支えることを確認しているが、日本人は今、原点に立ち返って未来を創造すべきである。

アベノミクスという安易なリフレ経済学からの脱却

岸田政権が掲げた「新しい資本主義」が如何なる政策論に繋がるのかが注目されたが、既に失望に変わりつつある。「欲望の資本主義」を「公益資本主義」の方向に制御していく問題意識かと思われたが、「異次元金融緩和と財政出動」というアベノミクスの基本枠を変更する意思はなく、税収増の「還元」のための減税、「賃上げ」への政府の介入、「貯蓄から投資へ」という証券会社の役割への政府の参入といった矮小な政策論が目立ち、本質的な意味で資本主義社会のありかたを正す問題意識は希薄である。

日本に求められるのは「アベノミクスの真摯な総括」である。アベノミクスは「デフレからの脱却」を目指す政策で、三本の矢から成り立つと説明された。

第一の矢が「異次元金融緩和」であり、政策金利をマイナス金利にまでもっていき、マネタリーベースを二〇一二年平均の一二一兆円から六七二兆円（二〇二三年一一月末）にまで、五・五倍も膨張させた。だが、銀行の貸出残高は三九七兆円から五三二兆円へと、三割しか増えなかった。産業現場の資金需要が増えなかったからである。第二の矢は「財政出動」であり、政府予算（一般会計＋特別会計）を二〇一二年度の四八八兆円から二〇二二年度の六〇七兆円へと増大させた。赤字国債を日銀に引き受けさせる形での財政拡大であり、公的債務（借金）はＧＤＰの二・六倍と、世界でも際立って財政規律の弛緩した国となった。第三の矢は「国民経済の浮揚」であったが、目標とした二〇二〇年度の名目ＧＤＰ六〇〇兆円は五三九兆円に終わり、可処分所得や実質賃金を見ても、国民に恩恵はなかった。

アベノミクスの恩恵を受けたのは企業セクター、とくに上場企業と輸出産業であった。法人企業統計における経常利益総額は、二〇一二年度の四八・五兆円から二〇二二年度の九五・三兆円に増大した。膨れ上がった企業は株価を引き上げ、日経平均は同期間に九一〇八円から二万七二五八円に跳ね上がった。二〇一二年平均で七九・八円だった円レートは、二〇二三年には一三一・八円と輸出のハードルを下げた。そして、この円安が食料・資源の輸入インフレを加速させ、物価高を招いて国民生活を窮乏化させているのである〔追記：株高・円安の傾向は続き、日経平均が三万七一六円、円レートが一四〇・五円となった（二〇二三年平均）〕。

アベノミクスの本質は、金融主導のインフレ誘導策であり、マイナス金利と金融緩和の常態化の中で、実体経済を支えるべき企業群は市場競争を通じた研鑽を見失い、長期的視点で技術や産業力を高める努力を抑制して、短期業績に追われて株主価値最大化を目指す経営へと変質してしまった。さらに、日銀のＥＴＦ（上場投資信託）買い（二〇一二年からの購入累計三六・四兆円）と年金基金によるＧＰＩＦ（年金積立金管理運用独立行政法人）の株式市場投入（二〇二一年度末運用資産額二〇〇兆円）が株式市場を支えるという、例のない歪んだ官製資本主義の国にしてしまったのである。

この政治主導のマネーゲーム経済への埋没という潮流は、金融資本主義の総本山たるウォールストリートの論理を換骨奪胎して日本化したものだったともいえる。すなわち、「借金をしてでも景気を拡大させる」というのが、ウォールストリートの論理であり、それを受容して「金融を水膨れさせて表面を良く見せる」思考に傾いたのがアベノミクスだった。

経済界、メディアがアベノミクスを無批判に受け入れた深層心理には埋没する日本への焦燥があったといえる。二〇一〇年、日本のＧＤＰは中国に抜かれた。敗戦の屈辱から復興・成長を遂げ、ＧＤＰ世界二位の経済大国になったことが、戦後日本人の暗黙の誇りであった。経済を至上の価値として生きた日本人にとって、「中国に抜かれた」という心理的衝撃は大きく、安倍晋三政治が掲げた「日本を、取り戻す。」は複雑な意味を込めた言葉だが、政治主導で金融を膨張させ、円安で実体経済を水膨れさせる政策に誘惑を感じたのである。「一万円札の原価はわずか二十数円で、大いに刷ったらよい」という安易で愚かな論理を拒絶できなかった。さて、ＩＭＦは「二〇二三年に日本はドイツに名目ＧＤＰで抜かれ、世界四位になる」という予測を発表した。

二〇二六年にはインドに抜かれるという（追記：二〇二四年四月発表では、二〇二三年にドイツに抜かれたことが確定、インドには二〇二五年に抜かれる予測となった）。日本人の心理は平静でいられるであろうか。自らのポテンシャルを見つめ、虚構の経済政策論から脱却する時なのである。

一〇年以上にわたるアベノミクスの破綻を目撃した政府は「賃上げと物価高の好循環の実現」を政策目標に掲げ、「税収増を国民に還元するための所得税の一時的減税」や「貯蓄から投資への国民の金融資産の誘導」を図ろうとしているが、これではマネーゲームを肥大化させて生み出した「格差と貧困」などの構造矛盾を解決することにはならない。日本経済と産業の現実を正視し、アベノミクスの呪縛を断ち切るべきである。

まず政府がなすべきは、中央銀行（日銀）を政治利用することをやめ、中央銀行の主体性を再確立して本来の役割を果たさせることである。そして、緩みきった財政規律を取り戻すべく、「入るを量りて出ずるを制す」という原則に還って、長期的かつ現実的な財政再建計画を明示すべきである。また、企業セクターに対しては、長期的視界に立った研究開発と事業創生を促し、家計セクター（国民）には、日本経済が置かれている厳しい現実と再生の方向を真摯に説明し、目先の給付金、助成金や減税で利害誘導するポピュリズム的政治手法をやめ、それぞれの職域・職場での職能を磨き、創意工夫し参画で日本の経済基盤を再構築することを主導すべきである。

日本のイノベーションに欠けるものとは何か

戦後日本は、産業力で外貨を稼ぎ、日本を豊かな国にする道を突き進んだ。一九七〇年代に入る頃まで、日本経済には「国際収支の天井」という言葉が絡みついていた。「海外に売る物がないため買いたい物も買えない」という制約のことである。その後、日本は鉄鋼、エレクトロニクス、自動車、化学などの輸出産業を育て、一九九四年には世界GDPの一八%を占める経済大国となった。その頃、日本を除くアジア総計のGDPの世界比重は五%にすぎなかった。それから三〇年、アジアの急速な工業化・産業化により、二〇二三年における日本のGDPの世界比重は四%にまで圧縮し、除く日本のアジアの比重は二五%となった。パラダイムは変わったのである。

日本経済はどこに進むべきかについての議論を注視すると、経済・経営学者の語るキーワードは「イノベーション」に集約される。技術革新・研究開発への挑戦と創造によって「埋没の壁」を突き破ろうというもので、間違いとはいえない。ただ、何のイノベーションかを問い詰めると、大概は「DX」(デジタル・トランスフォーメーション)と「グリーン」(環境技術、脱炭素)に収斂する。確かに、日本経済の生産性を高め、高付加価値型の産業構造にもっていくために先端的なDX技術革新を重視してAIを活用することは重要である。また、地球環境を守るためのイノベーションにも真剣に向き合わねばならないが、ここでは、足元を見つめ、日本のイノベーションに欠けるものを直視しておきたい。

実は、コロナ禍を通じて、日本産業は象徴的な挫折を味わっており、それを避けてイノベーションを語ることは空疎である。それはコロナワクチンの国産化の遅滞とMRJ(小型国産ジェット旅客機)開発からの撤退である。挫折の理由を突き詰めるならば、「総合エンジニアリング力の欠如」という現実に気づく。優れた要素技術や部品部材を有することと、制約や壁を超えてプロジェクトを完結させることは違う。日本に欠けているのは、プロジェクトの優先事項を見極め、個別の要素を結集させて壁を突破する力である。これこそリーダーの胆力や全体知が試される瞬間であり、短期的利益を追う視界からは道は拓かれないのである。

産業構造のレジリエンス強化──国民経済の安全・安定のための産業創生

未来圏の日本経済への地平を拓くために必要なのは「ものづくり国家・日本」という固定観念を柔らかく見直すことである。戦後日本は「工業生産力モデルの優等生」として奇跡の復興・成長を遂げた。外貨を稼ぐ輸出産業を中核とし、「豊かさのための産業開発」に専心してきた。戦後日本の産業人は、「経営の神様」とまでいわれた松下幸之助が掲げる「PHPの思想」(Peace and Happiness through Prosperity)、つまり、産業力で「繁栄」を生み出せば「平和」と「幸福」は実現できるという考えに共鳴してきたといえる。だが、二一世紀の日本が目指すべきは「豊かさのための産業開発」ではなく、「国民の安全・安定のための産業創生」であろう。それは、東日本大震災とコロナ禍という二つの苦渋を体験し、今、能登半島地震に向き合い、ウクライナ戦争、イスラエル・ガザ戦争を見つめた我々として、社会のレジリエンス(耐久力)が如何に重要であるかを思い知らされたからである。

また、二一世紀に入って二二年間での日本の就業者構造の変化を注視したい。この間、製造業の就業者は二六六万人、建設業の就業者は一七〇万人減少している。つまり「ものづくり」分野から就業者が計四三六万人減少したのである。一方で、「サービス業」分野の就業者が八〇八万人増加しており、とくに医療・福祉分野(主に介護)での四八二万人増、運輸・郵便分野(主に宅配)での二七万人増が目立ち、就業人口の移動の実態がわかる。「サービス業」分野の平均年収は、製造業比で六五万円、建設業比で一〇五万円少なく、生活水準を劣化させる形での就業人口移動が進行した。つまり、異次元の高齢化の進展などを背景に就業現場の実態が既に変化しており、このニーズを視界に入れたレジリエンス強化のための資金と技術の投入による産業創生が求められる。

社会のレジリエンスを高めるため、日本の未来産業の基軸に据えるべきは、「医療・防災」と「食と農」であると考える。戦後の日本産業が蓄積してきた産業技術基盤を吸収・活用しながら、この二つの分野を育てるプロジェクト・エンジニアリングが求められていることを痛感する。私は公共政策志向のシンクタンクである一般財団法人日本総合研究所の会長を務めているが、「医療・防災産業創生協議会」と「都市型農業創生推進機構」のまとめ役として活動しており、狙いと課題について簡単に触れておきたい。

①「医療・防災」新次元の列島改造

医療・防災産業創生協議会では、全国の「道の駅」を防災拠点化し、防災力を高めるための高付加価値コンテンナ(「命のコンテナ」)の配備を進めようとしている。レジリエンスの基盤は「電気・水・食料・避難所(居住空間)」にあると考え、移動可能な大型コンテナの付加価値を高め、太陽光による創電・蓄電コンテナ、海水・泥水を飲料水化するコンテナ、食の備蓄・調理コンテナ、トイレ・シャワーの水回りコンテナ、医療・歯科医療用コンテナなどを地域のニーズに沿って配備するプロジェクトを進めるものである。国土交通省や地方行政の支援を受けながら、民主導で実装化の段階を迎えつつある。全国には医療・防災関連の技術を開発・蓄積している企業がたくさんあり、それらを集約し製品化したコンテナは世界各地にニーズが潜在しており、将来の輸出産業にさえなると確信している。また、情報ネットワークを整備して、こうしたコンテナ群を効率的に稼働させるシステムを創ることこそ「DX戦略」といえる。高度成長期とは異なる新次元の「列島改造」が要るのである。

②　「食と農」　都市住民の参画を深める

日本の食料自給率（カロリーベース）は三八％（二〇二二年度）で、米国の一一五％、ドイツの八四％、英国の五四％（二〇二〇年）に比べ極端に低い。戦後の日本は前述のごとく工業生産力モデルを探求し、国際分業論に立ち「食べものは海外に依存した方が効率的」という時代を築いてきた。しかし、現在の世界人口八〇億人が、二〇五〇年に九七億人になると予想（国連）される中で、ウクライナ戦争による穀物の供給不安と価格高騰を受け、日本の食の基盤の脆弱性を再認識せざるを得ない。とくに、東京都の食料自給率は〇％、大阪府は一％、神奈川県は二％と大都市圏はきわめて不安定である。戦後日本において大都市圏に集積した「都市新中間層」は、食は「金を出して買うもの」という生活を常態化させてきた。食は「生産、加工、流通、調理」というバリューチェーンを動く。この過程に都市住民をより深く参画させ、食の付加価値を高め、産業のファンダメンタルズを安定させることが重要となる。そうした方向への一歩としての「都市型農業創生推進機構」なのである。たとえば、太陽光発電と食の生産を組み合わせた営農型太陽光発電事業

（ソーラー・シェアリング）を首都圏で実装する活動を支援するものである。

製造業中心で思考してきた我々の視界を転換し、未来圏の産業基盤を志向する時である。「医療・防災」と「食と農」をその基盤として論じてきたが、もう一つ、日本人の叡智を深めるために「教育・文化」産業の重要性に触れざるを得ない。メディア状況を含め、知の劣化は目を覆うものがある。人類史に足跡を残した巨大文明も、国民が小成に埋没して易きに流れることで衰亡している。日本の未来は日本人の知が決する。戦後獲得した民主主義を成熟させ、未来を意思決定するのは我々自身である。

（2024・2）

4　第三の柱　戦後民主主義の錬磨

――新しい政治改革と高齢者革命の可能性――

安倍晋三元首相の暗殺から一年半が過ぎ、戦後日本政治の解剖図を見る思いで状況を見つめている。旧統一教会の問題の本質は、高額献金や宗教二世の悲劇といった「民事的問題」も重要だが、日本人の朝鮮半島への贖罪を教義とする「反日団体」が、「反共産主義」という点で日本の保守政治の中枢と結びついて影響力を高め、半世紀以上にわたり日本人の財産を毀損し続けたという構造にある。だが、一年半以上が経つのに、この国益を毀損する団体と戦後保守政治との関係が検証・報告される気配もない。

また、自民党派閥による政治資金と裏金問題の本質は、不透明な政治資金の動きもさることながら、議員に「キックバック」できるほどの資金が政権派閥に集まった構造にあり、安倍一強支配とアベノミクスにすり寄った存在を注視すれば、戦後民主主義の退嬰(権力への過剰同調)の構図が見えてくる。

保守政治だけが問題なのではない。国民にとっての不幸は、野党の政策論の貧困により、次に進むべき選択肢が見えないことである。さらに、メディアやアカデミズムを含め、進むべき進路についての前向きで体系的な議論がない。民主政治は、民衆による意思決定を支える「政策構想」の選択肢の質が成否を決める。そこで、議論を積み上げてきた日本再生への第三の柱として、「戦後民主主義の再構築」を求めて、新しい政治改革の地平を探っていきたい。

「日本はどうしてこうなのか」 久野収の呟き

戦後日本を生きた日本人は、どこまで真剣に民主主義と向き合ったであろうか。戦後民主主義のフロントに立った久野収の眼差しを確認しておきたい。久野は一九六〇年安保闘争の最中に、「市民主義の成立」(『思想の科学』一九六〇年七月号)を書き、「革命家ではない生活者としての市民、つまり職業を通じて生活をたてている市民」が組織化されて政治を動かす可能性を語っていたが、三六年後の一九九六年、「膨大なノンポリの大衆」を見つめながら、「日本はどうしてこうなのか」(『広告批評』一九九六年二月号)を書き、「経済成長が始まったとたん戦争に対する反省や、平和に対する考察は棚上げになって、それっ、平和だ、経済復興だと、戦争のときと変わらない、いけいけ、どんどんになってしまった」と呟いた。久野が感じた変容こそが戦後日本であった。

確かに、戦後日本にも丸山眞男（一九一四〜一九九六年）の「市民主義」とマルクスに遡る「社会主義・人民民主主義」が熱く議論された政治の季節があった。市民の主体的政治参加を訴える丸山の「市民主義」は六〇年安保闘争を盛り上げた。そして、その限界を嘲笑するごとく、一九六〇年代末のゲバルトの論理に立つ「全共闘・新左翼運動」が吹き荒れたが、一九七〇年代の日本は「高度成長」期に突入、さらに一九八〇年代末のバブル期を迎え、国民の関心は「経済」一色になっていった。過激な突出した革命運動は孤立して挫折、地道な市民運動や労働組合運動さえ沈滞していった。結局、日本には市民主義的変革も労働者革命も起こらなかったのである。

「与えられた民主主義」の限界

一九九〇年代、私は米国東海岸から日本を見つめていた。冷戦後のグローバリズムの奔流に巻き込まれながら、日本経済が最も存在感を放っていた状況の中で、すべてが「経済至上主義」にかき消されていくという様相であった。湾岸戦争で「多国籍軍支援」という名目での米軍協力で一・九兆円もの拠出をさせられても、主体的に日米関係を見直すこともなく、自らの平和と民主主義を「受け身」でしか考えようとしない日本に首を傾げながら、何故日本に民主主義は根付かないのか自問したものである。米国の民主主義を至近距離で体験しながら感じていたのは「与えられた民主主義」の限界であった。フランス革命や米国独立戦争のごとく勝ち取った民主主義ではなく、「マッカーサー民主主義」と揶揄されるごとく敗戦による上からの民主主義であるため、大切に成熟させる気持にはならないのでは、と考えていた。日本人の民俗学的な深層心理が、帰属する秩序枠に同調することを良しとする土壌を形成したことに由来しているのでは、とも感じていた。

民俗学の柳田国男は敗戦後の一九五二年に書いた「考えない文化」(『日本人とはなにか』所収、河出書房新社、二〇一五年)において、「表面は民主政治になっても、現実は寡頭政治であり、その原因は「国民の智慧の欠乏」「思考力の不足」である」と断じていた。つまり、考えることなく同調する日本人が多いことを民族的特質と示唆したのである。島国のムラ社会(前近代的な社会関係)で生き続けた時間で培われた「村八分にはなりたくない」心理と「鬼は外、福は内」という視界で、ひたすら祭囃子に合わせて踊り明かすような「ウチに過剰同調する心理」に傾斜する民族性が形成されてきたのでは、というその視界には納得感がある。

戦後民主主義は根付かないまま、一九九〇年代の「冷戦後」のグローバル化の潮流に飲み込まれ、二一世紀に入った。ムラ社会の呪縛は「産業化」と「都市化」の中で希薄化していったが、帰属社会に過剰同調する気質は「会社人間」となって残った。「ウチの会社」意識は、主体的に社会に関わる市民意識を阻むことの制約となった。

二一世紀に入っての戦後民主主義の変容については、「戦後日本の大衆民主主義　都市新中間層の今」(考察2　第2章の2)、「戦後民主主義と安倍政治」(同3)において論じている。敗戦後の一足飛びの大衆民主主義の移入、根付かぬうちの狂乱経済によって、民主主義への共感は薄れ、民主主義の影(マイナス面)を批判する論調が勢いを得てきた。「行き過ぎた自己主張の蔓延」「悪平等の進行」「公共心の喪失」が指摘され、「戦後民主主義は進駐軍によって米国の特異な民主主義を強制注入されたバチルス（病原菌）」とする見方さえ主張され始めた。教育勅語の副読本化が閣議決定（二〇一七年）されたのが安倍政治であり、安倍元首相の発言に「民主主義を大切にしよう」という言葉は皆無だった。その安倍一強政治の本質が炙り出されたのが政権派閥による裏金疑惑であり、今こそ「政治改革」が求められるのだが、日本社会にそれを実現する「民力」が存在するであろうか。

政治改革には途方もないエネルギーが要る。戦後日本の政治改革は一九九〇年代をピークとした。政治改革関連四法が成立したのは一九九四年だった。政治資金制度改革（政党助成金制度の導入と企業・団体からの献金の制限）と選挙制度改革（小選挙区比例代表並立制の導入）を柱とするものであった。一九九四年は、日本のＧＤＰの世界比重が一八％でピークを迎えた年であった。

国鉄分割民営化（一九八七年四月）に始まった「改革」の潮流は、政治改革を経て行政改革（二〇〇一年一月の中央省庁再編）、小泉構造改革（二〇〇七年一〇月の郵政民営化）と続く。この流れの背景を注視するならば、戦後日本の成長をリードした産業人が圧倒的な存在感を持っていたことに気づく。土光臨調（一九八一～一九八三年）を率いた土光敏夫の政治を睨み「改革」を促す気概は、今の日本の経済人にはない。

権力・権威の同調圧力を撥ね返し、政治に改革を迫る経済人は影を潜めた。この三〇年の日本経済の低迷・埋没を背景に経済人の「政府頼み、国頼み」傾向は加速し、この数年だけでたとえば基幹産業たる鉄鋼には製鉄プロセスでの水素活用技術開発に約四二〇〇億円、自動車にはＥＶ

蓄電池開発に約二〇〇〇億円、半導体にはＴＳＭＣとラピダスに約八〇〇〇億円の政府補助金・助成金が投入されることが決まった。明治期の「殖産興業」再び、といった感がある。政権党主流派閥の集金パーティの壇上で、経済界指導者が笑顔で乾杯に呼応している映像を凝視すべきである。

新しい政治改革への前進――代議者の削減と「日本再生国民会議」の創生

民主主義に完成形はない。我々には敗戦によって唐突に獲得した「戦後民主主義」と正対し、主体性を持って根付かせる努力が求められる。「政治の究極の目標は政治を極小化すること」という至言があるが、日本の代議制民主主義を進化させるための起爆剤として、私は「代議者（国会議員）の削減」を、一九九四年の政治改革四法制定の時以来、一貫して主張してきた（『新経済主義宣言』新潮社、一九九四年、石橋湛山賞）。また、連載「脳力のレッスン」でも「議会制民主主義の再生のために」（『世界』二〇二三年三月号）において、現在の日本の国会議員の定数（衆議院四六五、参議院二四八）を少なくとも三割削減（衆議院一一五議席、参議院一〇〇議席の削減）することを提案した。歳費と間接コストで国会議員一人当たり年間約二億円かかっており、削減により代議制のコストは五年間で二一五〇億円の節減となり、しかも、これにより意思決定の質が劣化するとは思えない。

日本の国会議員数は人口比で米国の三倍であり、「多すぎる」ことを指摘してきたが、一方で「英仏伊など欧州先進国に比べ少ない」という見方もある。だが、日本の議員歳費はフランスの倍、英国・イタリアに比べ約四割高い。しかも日本は二〇二三年、議員歳費を含む特別公務員の給与引き上げを決めた。一方、イタリアは二〇二〇年、国会議員定数の三割超の削減を決定した。民主主義を支える制度は各国の個性があってよいが、絶えず見直す柔軟さが求められる。

さて、政治資金の裏金問題を機に高まった政治改革論議だが、自民党内の派閥の解散、政治資金の透明化という「コップの中の嵐」の改革に終わらせてよいのであろうか。政治とは「価値の権威的配分」であり、「価値」をカネ、利権だと考える職業政治家(政治でメシを食う人)を制御するシステムを機能させねば、合従連衡と利害誘導は続くのである。

政治の自浄能力を期待しても、真に「身を切る改革」は期待できない。政治家による政治という上部構造を正さねば、民主政治における改革にはならない。既存の政党・政治家の枠組みを超えた改革、たとえば「日本再生国民会議」のような、民主主義を守ることを共通意思とする国民参画型の政策協議会を創り、超党派の政治家や参画を希望する多様な主体を加えた政策志向の運動体を形成し、民主主義の基盤を強化する必要があるのではないか。超党派の個人としての志ある政治家、専門職能代表(弁護士、会計士、税理士、医師、看護師、介護士など)、メディア(ジャーナリスト)、アカデミズム(専門家、有識者)、労働組合(非正規雇用者を含む)、ジェンダー・高齢者団体、宗教団体など、再生国民会議それ自体は政党ではないが、国民に選択肢を明示するための政策の結節点を創る試みを通じて代議者を育て、推薦候補を政治リーダーとして押し出していく仕組みが必要なのではないか。

民主主義を根付かせるためには、政治の上部構造たる「代議制」を主導するリーダー(代議者)を錬磨・育成する絶えざる改革が必要であるとともに、主体的に意思決定に参画する「市民」という基盤の構築が大切になる。西欧の近代民主主義は職能によるギルドを中核にする市民意識が支えたが、戦後日本の民主主義の今後を支える下部構造をどうするのか。私は、戦後民主主義を土壌として生きてきた高齢者、とりわけ大都市圏に集積した都市新中間層の果たすべき役割を注視したい。

高齢者革命の可能性——下部構造のマグマの行方

日本の未来圏への構想の前提となる「日本の内なる社会構造の変化」として、異次元の高齢化の進行とその構造については既に論及した(針路 第1章の1)。日本は世界でも断トツの高齢化社会(二〇二三年の六五歳以上人口比率二九・一%)を迎えており、二〇五〇年にはこの高齢者比重は三七・一%になると予想され、世界は日本が異次元の高齢化をどう方向付けるのかに注目している。

人口の約四割が高齢者によって占められることは、有権者人口の約五割、そして若者の投票率が低いまま推移したならば、有効投票の約六割を高齢者票が占めるということを意味し、「老人の老人による老人のための政治」が現実化しかねない状況が近づいている。この潮流を息苦しい退嬰、衰亡にしない知恵が日本に問われているのである。しかも、日本の高齢化は「農耕社会の高齢化」ではない。戦後日本の産業化を背景に、大都市圏に産業と人口を集積させた結果としての「都市新中間層」の高齢化なのである。

しかも、「一票の格差」を是正するための議席配分の見直しにより、次回の衆議院選挙から議席数は「一〇増一〇減」になることが決まっているが、実は一〇増のうち九つは東京首都圏、一つは愛知県での議席増であり、議席減少となるのは広島、岡山などである。つまり、この国の意思決定の比重が大都市圏に移りつつあるということであり、大都市圏の高齢化という構造変化と重ね合わせると、これからの日本の政治的意思決定を動かすマグマは、高齢化した都市新中間層に蓄積されていくことになる。

都市郊外に集積した高齢者、首都圏でいえば、国道一六号線沿いの団地、ニュータウン、マンション群に住む退職後の高齢者は、定年で会社を去れば、結節点なきバラバラの存在である。高齢化のマグマを結節点なきままに放置すると、私生活主義に埋没し、目先の利害に誘導される存在にとどまる。「社会とのつながり」が大切で、それをもたらす社会工学(ソーシャル・エンジニアリング)が求められるのである。

高齢者のうち就業者は九一四万人(二〇二三年)で、高齢者の約二五%が働いていることになる。就業を通じた高齢者の社会参画にはまだ拡大余地があり、少なくとも五〇〇万人は増やせると思われる。ただし、単純に「定年の延長」ということではなく、社会の活力を支える仕事の創造が必要である。若い頃の「稼ぎのための仕事」から、社会的に敬愛される「務めの仕事」へと重心を移すことが重要になる。たとえば、「異次元の少子化」対応との相関で、子育て、教育、地域コミュニティ活動に参画することや、「食と農」のサイクル(生産、加工、流通、調理)への参加など、高齢者となった都市新中間層には、会社人間を脱却して社会的課題の一端を担うことが期待される。社会との関わりを持つことで、次代への責任意識を深め、政治的意思決定のレベルを引き上げる視界を拓くべきである。これからの日本の民主主義の下部構造を形成する主役が都市新中間層の高齢者であり、その行動が日本の運命を決めることを自覚しなければならない。

高齢者の多様な参画のプラットフォームを創造し、参画を通じた高齢者の市民意識の醸成をはかるためには、政党、団体、労組、NPO・NGOなどの役割が重要であり、政策の選択肢を明確にし、結節点をリードすることが期待される。高齢者の意識を目先の利害に左右される「生活保守主義」に埋没させないためにも、高齢者を結節・組織化する存在が求められる。国民を取り巻く情報環境が急速に変化し、新聞・雑誌が発行部数を急減させ、スマホからの検索情報やSNSへの依存が深まる中で、体系的な情報提供基盤が大切になるわけで、高齢者に蓄積されている変革のマグマを吸収し、進むべき進路を描き出す力が問われるであろう。

もちろん若い世代の政治参画は重要であり、世界の不条理に鋭い問題意識を持った活動に期待しているが、若年層の活動を刺激、誘発するためにも戦後日本を生きてきた高齢者が民主主義への責任を自覚して動くべきなのである。基幹だった米国の民主主義が揺らぎ、世界的に民主主義の危機が語られる時代において、日本の民主主義を踏み固めるべき時である。（2024・3）

第2章　前提となる時代認識——歴史的転換点に立つ日本

1　近現代史の折り返し点に立つ日本

「歴史とは現在と過去のあいだの対話である」というのは、歴史家E・H・カーの名言であるが、より踏み込んで思索を深めるならば、「歴史は過去と現在と未来の相互対話で成り立つ」と思われる。その意味で、日本にとって二〇二三年は歴史的な節目の年である。明治維新からアジア太平洋戦争における敗戦までの「明治期」が七七年、その一九四五年の敗戦から二〇二二年までが七七年であった。明治期と戦後期がともに七七年という折り返し点を迎えたのである。

さらに、想像力を膨らませて、これからの七七年先を見据えるならば、七七年後は世紀末で、二二世紀を目前とする年ということになる。歴史意識を研ぎ澄まして、近現代史における我々の立ち位置を確認し、近未来の日本に突きつけられている課題を正視しなければならない。

明治維新の頃は三三八〇万人、敗戦直後は七二一五万人であった日本の人口は、二〇〇八年に一億二八〇〇万人でピークを迎え、二〇二二年は既に一億二四〇〇万人にまで減少し、二一〇〇年の人口は中位予測で約五九七二万人とされる。人口の半減が予想される時代と並走することになる。

もう一つ、視界に入れるべき数字として、世界GDPにおける日本の比重を確認しておきたい。統計ベースが異なるが、明治初期、世界GDPに占める日本の比重は三％前後と推計される。第一次大戦から第二次大戦の戦間期、日本の比重は五％前後まで高まったが、これが明治期におけるピークだったと推定される。敗戦後、一九五〇年の世界GDPにおける日本の比重は約三％であり、戦後期を通じてのピークを迎えたのは一九九四年の一八％であった。この数字が、二〇二二年ついに四％台となった。二一世紀直前の二〇〇〇年は一四％であったから、今世紀に入っての急速な埋没である。これからの七七年間で如何なる推移を辿るかはわからない。ただ、このままでは、二〇三五年までに三％を割り込む可能性が高い。

「GDPはGDPにすぎず、人間社会総体の価値を投影するものではなく、もはや「成長志向」の時代ではない」という議論も大切にしたい。だが、GDPは創出付加価値の総和であり、国民経済の活力を反映する指標とするならば、世界経済の中で日本が相対的に沈下していることは正しく認識すべきである。

こうした数字を視界に入れるだけで、気が遠くなる近未来と向き合っていかねばならないのだが、その前提として、我々は「明治期」「戦後期」とされる時代とは何だったのかについて真剣に考察し、未来圏への道標とせねばならない。

「歴史総合」導入の衝撃と苦闘

奇しくも、二〇二二年四月から日本の高等学校に「歴史総合」という必修科目が導入された。これまでの「世界史」「日本史」という分類での歴史教育ではなく、全高校生が「歴史総合」を学んだ後に、探究科目として「世界史探究」、「日本史探究」の履修が可能ということである。地球を一つの星として捉え、世界史と地域史の相関を視座とする「グローバル・ヒストリー」というアプローチは、世界における歴史研究の主潮であり、日本の教育現場にもこのアプローチが導入されたわけで、妥当な方向だと思う。

だが、話は単純ではなく、教育現場には静かな混乱が生じている。誰が教壇に立ち、何を教材としてどう教えるのかという問題が浮上してくるのである。「歴史総合」の導入の狙いについては、「①世界史と日本史を関連付けて教える、②古代からの通史ではなく、主に近代、現代を扱う、③現代に生きる私たちの社会の在り方や直面する課題を学ぶ」と説明されており、まさに戦後日本の歴史教育が忌避してきたことに正対する試みである。

戦後の歴史教育を受けてきた多くの日本人の知的欠陥は、「近代史への基本認識が欠落している」ことにある。日本史を高校で学んだ人も、多くは縄文弥生で始まった授業が幕末維新で時間切れとなり、近代史は自習してくれというのが常態であった。多くの人が、明治期の歴史には向き合うことなく社会人として生きてきたのである。私は一五年以上も日中韓の大学の単位互換協定たる「キャンパス・アジア構想」に関わってきたが、日本人がそれを「反日教育」と呼ぼうが、中国・韓国の学生は近代史だけは刷り込まれており、日本の学生との大きなギャップを感じる。

現在、書店には「歴史総合」を意識した書物が並ぶ。歴史教育の教壇に立つ教師は、教科書、副読本として何を使うかに頭を悩ませていると思う。『岩波講座 世界歴史』や『歴史の転換期』(全一一巻、山川出版社、二〇一八～二〇二三年)など、歴史学会の集合的努力によるグローバルな視界からの歴史認識を探る試みもなされている。また、『高校生のための「歴史総合」入門――世界の中の日本・近代史』(全三巻、藤原書店、二〇二二～二〇二三年)や岩波新書の『シリーズ歴史総合を学ぶ①②③』(二〇二二～二〇二三年)は、視界に入れるべき論点を探る手掛かりになるであろう。

ただし、明治期を的確に捉えることは容易ではない。「歴史総合」の教科書に一通り目を通したが、明治レジームの評価に関し、肝心なことに踏み込めないでいるという印象は拭えない。たとえば、明治維新から一九四五年の敗戦に至る体制の「どこに問題があって、あの無謀な戦争に至ったのか」という素朴な疑問に、どこまで的確に答えられるであろうか。

しかも、二〇一六年六月の改正公職選挙法施行により一八歳に選挙権年齢を引き下げたところであり、それは高校生が政治参画することを意味する。学びたての近現代史理解が投票行動の基底に影響を与えることは容易に想像できる。どの教科書、副読本で学ぶかが、意思決定に重い意味を持つ。それは天皇制のありかたを含め、憲法改正に繋がる現代日本の課題に対して重要な判断材料を提供することになるのである。

明治期レジームの評価という重い課題

歴史総合が近現代史に焦点を合わせるということは、「幕末・維新」から「敗戦」に至る時代をどう認識し、如何に評価するのかを正視することである。つまり、先述の明治維新からの七七年と正対することが歴史総合の焦点なのだが、それは勇気の要ることである。何故なら、それはこの時代の「国体」の本質を探ることであり、必然的にこの時代の天皇制に論及することになるからである。

私が『人間と宗教　あるいは日本人の心の基軸』(岩波書店、二〇二一年)を書き進める上で苦闘したのが、「戦後期」を生きてきた人間として、「明治期」と「戦後期」で一八〇度転換してしまった日本人の価値基軸を体系的に確認することであった。そして、明治期のレジームが微妙な二重構造になっていたことに気づき始めた。その構造こそが我々の近現代理解を難しくしているのである。

「尊王攘夷」を旗印に討幕を果たした明治維新は「天皇親政の神道国家」を目指すことで出発した。古道への回帰であり、「復古」であった。本居宣長(一七三〇〜一八〇一年)に代表される江戸期における国学は、文明文化において決定的な影響を受けてきた中国の「からごころ」から日本の「やまとごころ」を自立させる起点となった。水戸学の主柱たる会沢正志斎(一七八二〜一八六三年)は、「新論」で皇室を中心とする「国体」の優越性を語り、日本人全体が皇室を尊び、天皇を中心に大名、武士が結束して外国を排除する流れを形成する基点となった。

一八六七年に「王政復古の大号令」が出され、「諸事神武創業の始」に基づく祭政一致国家を目指す基本方針が示された。「天皇は神聖不可侵で、元首にして統治権を総攬する」という「国体」が重視され、一八七〇年には「大教宣布の詔」が出され、仏教さえ排除する「天皇親政の神道国家」を目指すというのが明治期の通奏低音だったのである。

それが、次第に「開国近代化」を推し進める方向へと変質していく。明治新政府は、岩倉使節団の米欧回覧(一八七一～一八七三年)などを通じて、列強に伍すためには近代国家体制の確立が不可欠であることを認識し、内閣制度導入(一八八五年)、大日本帝国(明治)憲法制定(一八八九年公布)、国会開設(一八九〇年)を進めていく。さらに「殖産興業」「富国強兵」を掲げて、日本型資本主義を展開していった。「復古」という下部構造の上に「開化」という上部構造を載せた二重構造が明治レジームの基本構造となるのである。

祭政一致を目指し、神祇官制を復活させて動き始めた明治政府が教部省体制に移行(一八七二年)、その下に置いた教院・教導職を廃止したのが一八八四年で、建前上は、国家的宗教制度は廃止された。だが、明治維新をもたらした「天皇親政の神道国家」を希求する意識は「密教」のごとく封印され、埋め込まれた。「復古」を内在させた「開化」、ここに明治期の評価の難しさがあり、明治レジームの危うさはこの構造に由来するといえる。

昭和期に入り、その危うさが露呈する。富国強兵で自信を深め、新興の帝国主義国の性格を強め始めた日本への欧米の圧力が強まり、日本の孤立と閉塞感が高まる(一九三三年の国際連盟脱退)と、埋め込まれていた下部構造(天皇親政の神道国家)が、近代国家という上部構造を突き上げて顕在化するのである。

「天皇は主権者ではなく、国家の最高機関」とする天皇機関説は、立憲君主制の常識といえるが、それを排除する国体明徴運動(一九三五年)が起こり、翌一九三六年には天皇親政国家を再興せんとする陸軍青年将校による「二・二六事件」が暴発した。そして「軍の統帥権は天皇にあり、内閣などの国務機関の意向を超越している」とする統帥権干犯問題が軍部の専横を招き、日本を戦争への道に追い込んでいった。

今日では遠景となった明治期への視界を拓く上で有効な教材が、戦前の『高等科国史』である。つまり、戦前の中学生が如何なる歴史教科書を学び、如何なる歴史認識を身につけていたのかを確認することである。『高等科国史』(昭和一九年版)は「神勅」から始まる。日本は神の国であり、「天照大神」がその子孫としての皇孫をこの国に降臨させたとする話から始まり、万世一系の天皇の下に「皇威の伸張、尊王思想、朝威の更張としての明治維新の大業」という歴史観が貫かれている。民族の神話と権威付けは如何なる国にも存在するが、自尊を突き抜けて排他的選民思想に転ずる時、害毒が生じるのである。

ほぼすべての明治期の国民が、この国定教科書の歴史観を強要されることで身につけた価値観を思うと戦慄を覚える。そして、自国を極端に美化する民族宗教(国家神道)と国家権力が一体になることがもたらした八〇年前の日本の狂気が、今まさにプーチンのロシアが「ロシア正教」という民族宗教で国民を戦争に駆り立てている構図と近似していることに気づく。羽賀祥二の『明治維新と宗教』(筑摩書房、一九九四年)は「敬神愛国」を軸とする国民教化による天皇神格化の過程を冷静に検証している。

明治という時代と天皇制

明治期について真剣に思索する機会も少なく、近代史を空白にしたまま戦後日本を生きた日本人の多くは、司馬遼太郎を通じて近代史に触れたともいえる。『竜馬がゆく』(一九六三年)『坂の上の雲』(一九六九年)『翔ぶが如く』(一九七五年)は、総計で五六〇〇万部(二〇二二年六月時点)も売り上げ、司馬遼太郎は国民作家といわれるほど読まれてきた。戦争に至る歴史への罪悪感を抱きつつ、ひたすら「経済の時代」を生きた戦後日本人にとって、司馬の描いた近代史は救いだった。司馬は明治という時代を支えた青年群像を描き、国家と帰属組織と個人の目標が一気通貫で「坂の上の雲」を見つめていた時代として伝えた。「国民戦争」として日露戦争を描いたのである。だが、不思議なほど司馬は、昭和の戦争に至った明治体制の矛盾、とくに国民を駆り立てた「国家神道」については言及しなかった。自分自身の戦争体験を通じた昭和の軍部には厳しい批判を繰り返したこともあり、日本人は「明るい明治と暗い昭和」という視界を共有していった。

「歴史総合」の検定済み教科書も、ほとんどは「西力東漸」の中で迎えた明治期を「日本の近代化の時代」と描いている。微妙に「国家神道」と「国体」がもたらした悲劇への言及を避けており、実はこのことが現代日本の選択に関する議論を曇らせてきたといえる。敗戦後の一九四五年一二月、GHQ(連合国軍最高司令官総司令部)は「神道指令」を出し、「国家神道、神社神道に対する政府の保証、支援、保全、監督並びに弘布の廃止」を指示し、翌四六年に天皇の「人間宣言」がなされ、それが象徴天皇制への導線ともなった。

占領下の指令により、日本人の心に浸透していた国家神道的価値観が唐突に消去された空白は、埋められないまま放置されてきたといえる。それ故に、国家神道の残影は今日も明治期に郷愁を抱く人たちの中に生き続けている。たとえば、二〇一七年三月、安倍政権は「教育勅語」の副読本化を閣議決定した。教育勅語の大半は人間社会における良識的徳目を示しており、今日でも尊重されるべしという考え方のようだが、教育勅語の本質が国家神道を支柱とする「主権在君」にあり、「一旦緩急あれば義勇公に奉じ以て天壌無窮の皇運を扶翼すべし」という価値に帰結していることを忘れてはならない。また、自民党の憲法改正案では「天皇を元首とする」となっており、明治期への省察は見られない。

「歴史総合」の導入を機に、日本人が再認識すべき柱の一つは「象徴天皇制」の意義である。権力というよりも権威として定着してきた日本の歴史における天皇制の意味を熟慮し、権力と一体化した明治期の絶対天皇制に対して、本来あるべき天皇制に近いものとして象徴天皇制を安定的に根付かせることが問われているのである。日本人に求められるのは、現代から過去への冷徹な問いかけであり、それを未来に繋ぐ真摯な視座の構築であろう。

（２０２３・３）

2　四つの帝国の解体と二つの理念の登場――一〇〇年前の世界

〝THE GREAT WAR〟といえば第一次世界大戦を意味する。一九一四年から一九一八年にかけて、欧州全土を巻き込み一〇〇〇万人を超す人が死に至る中で、世界史は大きな転機を迎えた。一九世紀をリードし、ユーラシアの地政学を動かした四つの帝国、ドイツ帝国、ロシア帝国、オーストリア・ハンガリー二重帝国（ハプスブルク）、オスマン帝国が消滅したのだ。この過程で二〇世紀を突き動かす二つの理念が登場した。理念の共和国アメリカであり、「社会主義」という理念を掲げたソ連邦であった。そして今、我々はその結末を目撃しているともいえ、第一次大戦はまさに「現代の起点」であった。

しかも、この大戦と並行して、米軍内から発生したスペイン風邪が流行し、世界で四〇〇〇万人以上が死ぬというパンデミックに襲われていた。戦争とパンデミックに苦闘する世界、そして世界の構造転換という構図は、一〇〇年後の現代世界が直面する事態に似ている。

「力こそ正義」——帝国主義時代の世界秩序のテーゼ

第一次大戦前の世界、「長い一九世紀」といわれる時代の主潮は帝国主義であった。その時代の価値基準は、「戦争は外交交渉で解決できない国際紛争の正当な解決手段」というもので、武力こそ不正・不当を正す合理的手段とするものであった。「力こそ正義」であり、合理的に正しい権利者として「帝国」は植民地を拡大し、収奪していった。

ウラジーミル・レーニン（一八七〇～一九二四年）が『帝国主義』を書いたのは一九一六年、亡命先のスイスにおいてであった。つまり、ロシア革命の前年であり、「帝国主義はプロレタリアートによる社会革命の前夜」とする認識は切迫したものであった。「帝国主義は腐敗し、死滅しつつある資本主義の最終段階」であり、世界を分割する形で増殖した資本主義が、プロレタリアートによって倒される臨界点に至る状況を象徴するものであった。資本主義列強が生産力を拡大させ、非欧州地域（アフリカ、アジア、中南米）を自国の植民地、勢力圏に組み入れる動態を帝国主義とするならば、まさに一九世紀は帝国主義の黄金時代であった。

ところで、ロシアのウクライナ侵攻から一年、プーチンという指導者の思考回路と価値観を注視するならば、この人物は一〇〇年前の「力こそ正義」の時代にタイムスリップしていることがわかる。彼はピョートル大帝やエカチェリーナ二世と自分を二重写しにする発言を繰り返している。つまり、二〇世紀の歴史に何も学ぼうとしていない。一方、一九一七年のロシア革命以降の社会主義体制下のソ連邦に一切の共鳴も示さない。彼はソ連邦の諜報員として青春を過ごした人物であるから不思議な話である。彼がロシアを束ねる理念は「ロシア正教」であり、「正教大国ロシアを目指す」というのがこの人物の価値基軸である。

ロシアは「ナチ」と戦っているという発言をプーチンは繰り返している。一方で、ラブロフ露外相が二〇二二年五月に「ヒトラーにもユダヤ人の血が流れていた」「ユダヤの敵はユダヤ」といった発言をして顰蹙を買ったが、ラブロフを更迭するでもない。この人物の思考回路において「ナチ」と「ユダヤ」と「社会主義」（ロシア革命）は、嫌悪・拒否すべき概念として混在しているようである（この認識の構造解析は、拙著『ダビデの星を見つめて――体験的ユダヤ・ネットワーク論』（NHK出版、二〇二二年）で詳しくおこなっている）。

だが、如何なる国もその国がコミットしてきた歴史に無責任ではいられない。プーチンのロシアが決定的に見失っているのは、ロシア自身がコミットした歴史認識であり、国際社会がロシア国民にただすべきことは、「ソ連は連合国の一翼を占める形で第二次大戦に参戦し、その延長で国際連合に加盟した事実」である。一九四一年八月にF・ルーズベルトによって提起された「大西洋憲章」にソ連は翌九月に参画、さらに一九四二年一月の「連合国共同宣言」(二六カ国)に参画した。この連合国(United Nations)こそ現在の国際連合の基点であり、「戦争による領土不拡大」が原則なのである。したがって、ウクライナ侵攻から日本の北方領土問題に至るまで、ロシアの国際社会への責任を問うボトムラインがここにある。

第一次大戦の歴史的意味——現代の起点として

冒頭で述べたように、第一次世界大戦は四つの帝国をユーラシア大陸から消滅させた。ドイツ帝国は敗戦によって解体されたというよりも、大戦中に帝政の求心力が弱体化、軍事独裁体制に移行して勝利を目指したが、軍内部の反乱、社会民主主義者等の反政府運動など国内の動揺により一九一八年一一月に共和国体制へ移行、ヴィルヘルム二世はオランダに亡命し、新共和国の下での休戦・降伏となった。ドイツ人の心に「敗戦は前線で敗れたのではなく、背後からの一撃で瓦解した」という認識が埋め込まれ、それが過酷な賠償を負わされた講和への反発と重なり、ヒトラー台頭の伏線となった。

ロシア帝国は一九一七年の二月革命により崩壊し、ロマノフ王朝は三〇〇年にわたる歴史を終えた。穏健社会主義者ケレンスキーによる臨時政府も、革命の急進化による十月革命で崩壊、「全権力をソビエトに」を掲げるレーニンの共産党の下に、一九二二年にソ連邦が成立した。最後の皇帝ニコライ二世は一九一八年七月、家族とともに処刑されたが、このニコライ二世と最後のドイツ皇帝ヴィルヘルム二世は、ともに英国のビクトリア女王の血縁で、当時の英国の国王ジョージ五世にとっては従兄弟であった。皇帝の亡命、処刑という展開は、敵国である英国にとっても衝撃であり、立憲君主制(君臨すれども統治せず)を根付かせる転機ともなった。欧州の君主制はこれを機に変質したといえる。

オーストリア・ハンガリー二重帝国は、一九一八年一一月には単独休戦に踏み切り、皇帝がスイスに亡命、「神聖ローマ帝国」の首座を担ったハプスブルク帝国は消滅し、民族国家へ分離・解体された。また、オスマン帝国では一九〇八年からエンベル・パシャ率いる青年トルコ革命が始まり、立憲共和制に移行していたが、一九一八年一〇月にはオスマン帝国は単独休戦に踏み切り、一二九九年の建国以来、中東秩序の岩盤だった帝国が解体された。一六、一七世紀と二度のウィーン包囲で欧州を震撼させたオスマン帝国は、第一次大戦を生き延びた欧州の帝国によって解体されたのである。

四つの帝国は消えたが、英国・フランスは植民地帝国の維持のために動いた。一九一六年五月、大戦中に英・仏にロシア帝国を加えた三国によるオスマン帝国解体後の領土分割の秘密協定(サイクス・ピコ協定)は、ベルサイユ講和会議で暴露され実現されなかったが、戦後に英国主導で人為的に引かれた中東の国境線(セーヴル条約)は、第二次大戦を超えて今日まで中東の地政学を危ういものとし続けている。

「理念の共和国」アメリカと「社会主義」

第一次大戦を機に、世界史の中心に米国が胎動した。建国以来の内向するアメリカ(モンロー主義)からの転換であった。一九一七年一月、「勝利なき平和」を語り始めたウッドロー・ウィルソン(一八五六〜一九二四年)は、同年四月に参戦を決断、一九一八年一月には民主主義・民族自決を骨格とする「一四カ条の平和原則」を発表、戦後世界秩序を主導する役割を担って、ベルサイユ講和会議に星条旗を翻した。

W・ウィルソンはプリンストン大学総長を務めた学者大統領であり、敬虔な長老派プロテスタント教徒の家庭に育った。その思想は理想主義的で観念的と思われがちだが、一九世紀末の改革ダーウィニズムの社会思潮(適者生存のプラグマティズム)の影響を受け、歴史の進歩への確信とそのための米国の役割を強く意識した人物だったといえる。ウィルソンの一四カ条は、欧州列強の自国利害によって歪められ、挫折したとされる。確かに、一九一九年一一月と一九二〇年三月、米国の上院はベルサイユ条約の批准を二回にわたり否決、米国自身が国際連盟に入らないという事態を招いた。しかし、彼の提起した理念は、戦間期の「危機の二〇年」を経て、一九四一年八月に出されたフランクリン・ルーズベルトの「大西洋憲章」の中で再び主張され、国連憲章となって復活し、実装化されていく。ルーズベルトはベルサイユ講和会議に随員として同行、講和会議の迷走を見つめた体験をしている。

「二〇世紀はアメリカの世紀」という言葉を登場させたのは、長老派プロテスタント教会の宣教師の子として中国で生まれ、タイム・ワーナーの創業者で「メディアの帝王」となったヘンリー・ルースであり、『ライフ』誌への寄稿「アメリカの世紀」(一九四一年二月一七日号)であった。その国際主義の旗印は、J・F・ケネディに受け継がれ、冷戦期の米国を支え、冷戦後も「世界の警察官」の役割を演じさせた。だが、二一世紀に入り、イラクの失敗と消耗、中国の台頭などによって覇権国家としての米国は後退を続け、世紀を超えて主導してきた理念は色褪せ、それを自ら否定するトランプのような指導者を登場させたのである。

第一次大戦期は人類史に次元の異なるもう一つの「理念」を登場させた。ソ連邦が掲げた「社会主義」(革命を通じた収奪と支配からの解放)である。ロシア革命は、資本主義の成熟がもたらす階級矛盾が臨界点に達して労働者主導の社会主義革命が達成されたというよりも、「ロシア帝国」という神権政治、すなわちロシア正教という民族宗教が政治権力(ツァーリ)と同軌した体制の後進性が内部崩壊をもたらしたというのが本質というべきだが、一九九一年のソ連崩壊まで、世界中の二〇世紀青年は「階級収奪を克服した社会主義体制の実現」という幻想に悩まされ続けた。

もしプーチンがウクライナ侵攻の理由に、たとえ虚構であれ「人民解放戦線」でも形成して、西側資本主義の犠牲となっているウクライナ人民の解放という旗を掲げたならば話は複雑で、「ロシアは悪でウクライナが正義」という国際世論の潮流は変わっていたかもしれない。もっとも、ロシアこそ資本主義経済にまみれている現実があり、この「正当化」は図れないわけだが、少なくとも一九七〇年代までは、「社会主義」は一定の理念性を保っていたといえる。

日本はロシア革命を無産革命の脅威として過敏に反応した、英仏による日米へのシベリアへの派兵要請(チェコ軍救済を目的とする)を受けて一九一八年に「シベリア出兵」に踏み切り、各国の批判を受けながらも一九二二年まで介入戦争を続けた。また関東大震災(一九二三年)を経て、一九二五年には「治安維持法」を制定、無産政党の取り締まりを強め、さらに一九三五年の天皇機関説排撃(国体明徴運動)と、国家による思想統制を強めていった。天皇親政の「国体」の危機としてのロシア革命という認識が誘発した展開であった。とくにニコライ二世一家の処刑は、ロシア正教に支えられた神権政治が無産革命によって無残に崩壊させられた事実として、国家神道に基づく「天皇親政」を志向する「国体」(神の国日本)への脅威と認識されたのである。あまり知られていないが、第一次大戦期、日本はロシア帝国との同盟条約を結んでいた。一九一六年七月三日付で調印され、ロシア革命が迫る直前の局面で、帝政の危機を感じたロシアは極東での利害調整と安定を望んでいた。帝政ロシアへの共鳴がこの時期の日本には潜在していたのである。

第一次大戦期の日本——遅れてきた植民地帝国の迷走

第一次大戦終結の直前、二七歳の近衛文麿(一八九一〜一九四五年)は、「英米本位の平和主義を排す」という論稿を『日本及日本人』誌(一九一八年一二月号)に寄せた。この戦争の終結に向けて、米国・英国が掲げる「民主主義、人道主義」が人間道徳の根本原理であることを認め、日本人としてこの原理が「国体」に反すると考えるのは偏狭であると断じながら、日本人の正当な生存権を守り、米英の不当不正な圧迫を排することが肝要と訴える内容であった。米英の主張を「現状維持を便利とするものの唱える事なかれ主義」とするものであった。近衛のこの論稿における葛藤が、そのまま彼の人生と日本の命運を迷わせたといえる。

第一次大戦期の日本外交を理解する上で、有効な資料が芦田均の『第一次世界大戦外交史』(原本『最近世界外交史』明治図書、一九三四年)であろう。この本は、日本にとっての第一次大戦の経過を外交官として目撃した貴重な記録である。日本が第一次大戦に参戦した理由は「日英同盟への情誼」、つまり現代でいう「集団的自衛権の発動」であるが、現実にはアジアにおける権益の拡大を図る日本の帝国主義的野心に対する中国、豪州などの警戒心を投影し、英国グレイ外相との間で複雑な綱引きがあったことがわかる。

確かに日本は、四つの帝国の消滅の空白を衝く「遅れてきた帝国」へと変貌し始めていた。自らが列強の植民地にされるかもしれない緊張の中で、幕末維新を迎え、富国強兵・殖産興業を追求して、日清戦争、日露戦争を乗り越え、一九一〇年には朝鮮半島併合を断行、大戦に参戦後の一九一五年には対華二十一箇条の要求を突き付け、中国への野心を剝き出しにした。

主体的構想力を持ち得なかった日本

日本にとって第一次大戦はあくまでも「欧州の戦争」であり、山東出兵等での戦死者は三〇〇人程度だった。欧州の憔悴を横目に、ほぼ無傷の戦勝国日本はベルサイユに日章旗を翻し、首席全権西園寺公望以下、正規の代表団員六四人に医師、運転手、板前などを加え総勢一〇六人という大使節団を送り込んだ。日本にとってベルサイユ講和会議は「大国の一翼を占める形での国際会議に参加する初舞台」であった。

ベルサイユで、日本は奇妙な変化球を投げた。ウィルソンが提案した国際連盟の規約に「人種差別撤廃」条項を加えることを要求したのである。日本の最優先事項は、東京とパリを行き交った公電の内容を見ても、ドイツの山東利権を奪い取ることであったが、「人種差別撤廃」を持ち出して、国際連盟に入らないと揺さぶりをかけ、山東利権を確保したのである。中国は憤激してベルサイユ条約に署名せず、それが反日運動(五・四運動)の導線になった。

大正デモクラシーの旗手、吉野作造は『中央公論』(一九一八年一二月号)に「何ぞ進んで世界改造の問題に参与せざる」を寄稿し、新世界秩序への日本の創造的参画を期待したが、失望に終わった。吉野は、報知新聞にベルサイユ講和会議を評して、次のように語った。「五大強国協議の際、西園寺侯が一言も発しなかったというのは、あながち臆したわけではなく、むしろ何を言ってよいか判らなかったのである……時代思潮に対する無理解が、人種差別撤廃問題にも山東問題にもことごとく裏付けられていて、……我国は事ごとに世界思潮の主潮から放り出される屈辱と孤立的不利に終わった」(一九一九年八月二一日)。また、随員としてベルサイユを目撃した近衛も「平常の調査足らず予備知識なきの結果忽ち措置に迷うて周章狼狽」(『戦後欧米見聞録』)と、書きとどめている。

「大東亜戦争の遠因」として、ベルサイユでの挫折を指摘する議論がある。「人種平等案を列強に否決された日本人の国民的憤慨」が潜在し、その不満に対して「軍部が動いたのを制御できなかった」という見方である。だが、これは正しくない。新手の帝国主義に踏み込んだ日本が、山東利権を確保するための交渉材料として「人種差別反対」を持ち出したのであり、世界秩序を変える主体的構想力は持っていなかった。ベルサイユ時点での日本外交の基軸は「日英同盟」であった。ベルサイユ後、日英同盟を「中国政策における障害」と警戒する米国の思惑で、日英同盟は解消に向かう。一九二一年のワシントン軍縮会議を機に形成された「ワシントン体制」(九カ国条約、四カ国条約)によりアジア太平洋地域の新秩序が決められ、日英同盟は解消された。多国間外交に向き合う力を試される局面に入り、日本は「戦争」へと迷走する。

一九二四年一一月、孫文は遺言ともいうべき「大アジア主義演説」を神戸でおこない、「日本は、世界の前途に対して、西洋の覇道の番犬(武力によるアジアの圧迫)となるのか、東洋の王道の干城(かんじょう)(道徳、仁義を重んずるアジア諸民族の連合)となるのか」と日本人に問いかけた。だが、日本にその問いかけに正対する指導者はおらず、列強模倣の道へと邁進した。

総じて一〇〇年前の日本は、世界の構造変化の本質が理解できず、旧秩序の枠組みの中で帝国主義列強の時代が続くと認識し、歴史を前に進める理念と条理に気づかなかった。その後、戦争に向かう時代において登場する世界秩序構想は、『世界最終戦論』(石原莞爾)や「大東亜共栄圏」のごとく軍靴の匂いのするものであった。では、今日の日本は新たな世界史的転換期において、構造変化の本質を理解し、新たな世界秩序に主体的に関与する構想を考えているであろうか。

(2023・4)

3　二〇世紀世界システムにおける日本
――戦後日本の繁栄とは何だったのか――

一〇〇年前の第一次世界大戦がもたらした世界秩序の構造転換期との対照において、今我々が直面する世界秩序の構造変化の考察を試みている。日本の新たな進路の模索に向けて、二〇世紀の世界秩序の基本枠とは何か、そしてその中での日本の位相をどのように認識するかを確認しておきたい。

「二〇世紀システム」を主導した米国――国際主義とフォーディズムという柱

第一次世界大戦を機に、世界史を突き動かす中心に「理念の共和国」たる米国が胎動してきたことと、ロシア帝国の崩壊後に次元の異なる「社会主義」という理念を掲げるソ連邦が登場してきたことを論じてきた。

ベルサイユ講和会議を経た一九二〇年代の米国は、共和党政権の時代となった。一九二〇年の大統領選挙は共和党のハーディングが勝利し、ベルサイユを主導したウィルソンの民主党政権とは異なる舵取りを始めた。米国大統領ウィルソンが提案した国際連盟に入ることを米国議会が拒否し、ウィルソンの国際主義と距離をとりつつも、資本主義陣営の新たなリーダーとして、社会主義革命に対抗して資本主義の再構築が迫られていた。

この頃の米国は、台頭する産業力を背景とする「産業人の時代」であった。そして、それを象徴する存在がヘンリー・フォード(一八六三〜一九四七年)であった。アイルランド系農民の子としてデトロイト郊外に生まれ、一九〇八年にT型フォードを生み出した彼こそ、大量生産・大量消費の大衆資本主義時代を拓いた人物であった。T型フォードは一九年間の累計で一五〇〇万台以上も生産され、ツーリングタイプは最初の価格八五〇ドルを二九〇ドル(一九二四年)にまで引き下げていった。T型フォードの登場によって、一九〇〇年にわずか八〇〇〇台だった米国の自動車登録台数は、一九二一年には一〇〇〇万台を超し、一九二五年には二〇〇〇万台を超した。車は農民や労働者でも買えるものになったのである。

T型フォードは生産工程と部品・工具類の標準化により大量生産方式(フォードシステム)を確立しただけでなく、ヒトとモノの大量移動という輸送革命を起こした。また、一日五ドル(年収換算一二〇〇ドル)という当時の平均賃金の倍の給与をフォード社は支払い、労働者の生活を豊かにし、それが車の購買力を高め、市場を拡大するという形で米国資本主義の好循環の基盤を創り出した。ローン販売という拡販システムは、フォードに対抗するために一九一六年にGM社が導入したものだったが、一九二四年には米国の新車販売の七五%はローン販売になっていた。

社会主義に対する産業的啓蒙主義の回答

フォードの経営思想を集約したものがフォーディズムであり、産業躍進時代の自信に満ちた産業人の哲学の象徴ともいえるものであった。フォードの自伝ともいうべき『我が一生と仕事』(一九二二年)で主張されているのは、「努力して生活を向上させる勤勉な労働こそ米国社会の基本的倫理」であり、「良質で安価な商品を国民に提供する奉仕こそが重要」で、資本家対労働者の対立をもたらす労働組合は不要であり、「自由な労働」によって労働者の生活レベルを上げ、「豊かさの下でのビジネスと国民の共同体」を創ることこそ「偉大なアメリカ」が目指すべき進路とした。この「フォーディズム」が米国資本主義の生産と分配における世界制覇の哲学であり、社会主義の挑戦に対する米国流の回答であった。

再考するならば、このフォーディズムこそ、英国に始まった産業革命以降の産業人の基本思想たる「産業的啓蒙主義」(Industrial Enlightenment)の米国版といえよう。科学技術への信頼と啓蒙主義に立ち、産業に科学イノベーションを持ち込み、産業が民衆を幸福にするという思い入れが込められており、世界のリーダーに躍り出たアメリカの産業人の自負が表出したものであった。

一九二〇年代の米国は、まさに大衆資本主義の潮流が渦巻く時代であった。大衆が豊かさを実感する装置として、セルフサービス式の大量安価販売の仕組みとして「スーパーマーケット」というチェーンストアが登場したのもこの時代である。「米国こそ骨の髄まで資本主義の国であり、欧州がユーロ社民主義やユーロコミュニズムへの誘惑に引き寄せられる歴史を繰り返してきたのと対照的に、社会主義政党が育ったこともない」という認識は、米国の特質を語る定番となってきた。それは、ロシア革命直後の一九二〇年代の米国において大衆資本主義への自信が埋め込まれたためだといえよう。

これまでの議論を整理するならば、米国が主導した二〇世紀システムは二つの柱から成り立ったことがわかる。一つはウィルソン流の国際主義であり、一九二〇年代に挫折したかに見えたが、F・ルーズベルト以降蘇って、第二次大戦後の国際連合創設、ブレトンウッズ体制の確立という形で世界秩序の骨格を形成した。そして、もう一つがフォーディズムに象徴される産業主義である。この二つの柱の交錯の中で「アメリカの世紀」が演じられてきたのである。

戦後日本の経済的成功の基本性格――二〇世紀システムのサブシステムとして

ところで、このフォーディズムを再考するならば、この思想は戦後日本の産業リーダーであり、「経営の神様」とまでいわれた松下幸之助のPHPの思想（繁栄を通じた平和と幸福）に通底していることに気づく。松下が語った「水道哲学」（誰もが豊かさを享受できる経済）も「労使協調」も、基本はフォーディズムを引き継ぐものである。米国の一九二〇年代が、戦争を経て日本に憑依したといえる。

そして、戦後復興から成長期の日本経済を凝視するならば、敗戦の屈辱の中から立ち上がった日本人の努力を否定するものではないが、日本が主体的に選択・創造しえた道程ではないことがわかる。戦勝国米国が主導したGHQによる日本に対する〝Nation-Building（国づくり）〟政策を通じて、米国が主導する「二〇世紀システム」に組み込まれたことが「奇跡の復興」に繋がったのである。戦後日本の経済的成功は「奇跡」ではなく、大きな歴史潮流のサブシステムであったといえる。

「アメリカの物量にねじ伏せられた」と敗戦を総括した日本は、ひたすら「物量の復活」（経済的豊かさ）を求めて大量生産・大量消費の大衆消費社会に突入した。一九五四年、敗戦後わずか九年で、家電の「三種の神器」（洗濯機、冷蔵庫、掃除機、のちに白黒テレビ）ブームを迎え、一九六六年には、「3C」ブーム（カラーテレビ、カー、クーラー）を迎えた。そして、一九七〇年の大阪万博は一八三日間で六四二〇万人以上が入場するという、戦後復興が一定の到達点に至った象徴となった。

その背景には、原材料資材の効率的調達と製品の国際市場への参入という「通商国家日本の構想」を可能にする国際環境が存在したといえる。一九五一年のサンフランシスコ講和会議で国際社会に復帰した日本は、一九五二年にはIMF・世界銀行への加盟、一九五五年にはGATT（関税及び貿易に関する一般協定）への加盟を実現、一九五六年にはソ連との国交回復を背景に国際連合に加盟と、国際主義プラットフォームに参入していった。一九六二年には、米国の日本への戦後援助は終了したが、日本は二〇世紀システム（開放経済と自由貿易体制）のメリットを享受して、復興・成長への道を走ったのである。

一九五五年、日本生産性本部が経済界、労働組合、学界の参加の下に設立され、米国の先端的経営技法の導入、先行事業の研究のための海外視察団が結成され、高度成長期を通じ年五〇回以上も渡航し、この「現代の遣唐使」といわれた米国への視察を通じて、スーパーマーケットなど新しいビジネスモデルが上陸してきた。一九七二年、「主婦の店ダイエー」としてスタートしたダイエーが、売上高で百貨店の雄たる三越を抜いたという象徴的な出来事が起こった。

日本にコンビニエンスストアとしてセブン-イレブンが上陸したのが一九七四年であったが、

流通情報革命で業態を進化させ、弁当、惣菜のような「生もの」を販売できる店舗にし、全国に約五万六〇〇〇店(二〇二三年時点)のコンビニという生活インフラを配するまでになった。先行モデルに付加価値を付けて進化させ、親元をも凌駕するという戦後日本産業を象徴する展開である。

あらためて、二〇世紀初頭から今日に至る「世界史の中での日本」を整理するならば、「戦争」という悲惨な断絶を超えて、日本が生きてきた不思議なプロセスが見えてくる。二〇世紀初頭の一九〇二年から一九二三年まで、日本は英国との「日英同盟」によって日露戦争から第一次大戦を超える期間の国際関係を生き延びた。極東の島国日本が世界史のセンターラインに「戦勝国」として躍り出た時代であった。その後、一九二一年のワシントン会議後の展開で、米国の思惑を背景に日英同盟を解消、遅れてきた植民地帝国として「先行していた列強への異議申立て者」として戦争・敗戦の時代に突入する。そして、敗戦後の日本は新手のアングロサクソン国家たる米国との同盟関係を基軸に、一九五一年から今日まで歩んできている。つまり、二〇世紀に入ってからの一二〇年間のうち実に九〇年以上をアングロサクソンの国との二国間同盟で生きたアジアの国であり、そんな国は日本以外にない。しかも、日本人の多くはそれを「成功体験」だと認識している。

二〇世紀システムとは、「第一次大戦期以降の米国と英国の「特別の関係」(アングロサクソン同盟)を基盤に形成された世界秩序」ともいえ、日本は戦争・敗戦へと迷走した三〇年間を除いて、二〇世紀システムのサブシステムとして機能したのである。そこで、日本の進路にとっての課題は、この基本構図が今後も変わらないと認識するか否かということになるのだが、その前に、二

○世紀システムの中で日本の資本主義と民主主義が真に錬磨され、成熟してきたのかを考察しておきたい。

日本資本主義の宿命的虚弱性——「総力戦体制」の継承と硬直

第一次世界大戦の歴史遺産といえるのが「総力戦体制」である。この大戦が恐ろしい消耗戦になったことによって、戦争の意味が変わった。「戦場での軍隊による戦闘」(軍備と戦術)から、「銃後」の国力(経済・産業・国民)を総動員する総力戦になったのである。日本でも国家による「統制」が進み、一九二五年に重要輸出品工業組合法、一九三一年に重要産業統制法、一九三七年には軍需工業動員法が適用、臨時資金調整法が制定されていった。軍事を中核にした産業化が加速し、一九三八年には、ついに国家総動員法という形で、物資の供出・配給の統制が図られた。

注視すべきは、その国家総動員体制が戦後日本でも継承されたことである。このことは野口悠紀雄(『一九四〇年体制 増補版』東洋経済新報社、二〇一〇年)や山本義隆(『近代日本一五〇年』岩波新書、二〇一八年)が指摘してきたが、日本の資本主義の性格を考える上で重要である。表面的には、一九四五年の敗戦後、日本帝国主義の経済を支えた総力戦体制は米国によって徹底的に解体されたことになっている。GHQによる経済民主化政策が、「財閥解体、農地解放、労働改革」を三本柱として、市場経済化、非軍事化を目指して展開されたことも事実である。だが、戦後経済の混乱を制御する必要から官僚統制は残った。戦時経済の司令塔だった企画院と商工省は、「経済安定本部」と「通商産業省」という形で残り、大蔵省は財政金融政策の中核として「大蔵省護送船団」といわれるがごとく一九九〇年代まで機能し続けた。食糧管理制度も健康保険制度も形を変えて生き続けた。

戦争のための総力戦から経済戦争・産業競争のための総力戦へと形を変え、日本は国家主導の資本主義を継承した。日本の復興・成長を見つめた戦勝国から、官民一体となって「工業生産力モデル」をひた走る日本に対し、「日本株式会社」批判が起こったのも頷ける点であった。

一九八〇年代末の冷戦の終焉に向けて、世界を「新自由主義」といわれる潮流が突き動かし始めた。社会主義陣営の疲弊と硬直化を背景に、レーガン、サッチャーの米英同盟が主導し、「小さな政府を実現し、市場に任せろ」というミルトン・フリードマン流のシカゴ学派の主張に乗って、「規制緩和」が時代のテーマとなった。さらに、冷戦後の一九九〇年代には、米国の一極支配といわれた「米国流資本主義の世界化」ともいうべき潮流が生まれ、日本でも経済の国際化・グローバル化という掛け声が声高に叫ばれるようになった。「規制改革」がキーワードになり、「官から民へ」の潮流が生まれ、一九八七年の「国鉄分割民営化」（三七・一兆円の累積赤字の解消と二八万人の職員の人員整理）がなされた。その究極が小泉構造改革であり、二〇〇七年の「郵政民営化」であった。

国家依存の資本主義

だが、「規制改革」「官から民へ」という新自由主義の時代も続かなかった。二一世紀に入って、日本産業の国際競争力の低下と日本経済の埋没が顕著になると、円高圧力に耐え切れなくなり、

「国が何とかしろ」という声が高まり、登場したのがアベノミクスであった。結局、アベノミクスは「国家による金融主導の調整インフレ誘導策」であり、異次元金融緩和と財政出動によって「デフレからの脱却」を目指す国営資本主義の政策論であった。その結末が、中央銀行である日銀が「赤字国債を引き受けて国債の五三％を保有（二〇二二年末）し、上場株式保有における筆頭株主（ＥＴＦ買い）」という経済社会の歪みである（追記：二〇二三年九月時点で五四％に増加した）。

翻って、明治期以来の日本は「上からの近代化」を常態とし、官営工場の「払い下げ」の伝統の上に資本主義を成立させ、戦争時の「総力戦体制」を埋め込んできた。この国家依存の資本主義という性格は敗戦後も変わらなかった。その過程で日本の国民意識に「国家への依存と期待」が醸成されてきたといえる。上からの近代化、官主導の産業形成の宿命というべきか、日本資本主義の際立った特色として、愁嘆場に来ると「国が何とかすべきだ」という心理に回帰するのである。日本資本主義の最大の弱点がここにあり、国民も経済界も主体的に創造する意思に欠ける。結局、国が動かなければ何も動かない。「その筋のお達し」という権威付けが大切にされ、それが社会全体の重い同調圧力を生む。

これは今日にも継承されており、アベノミクスも国家主導の異次元金融緩和と財政出動で意図的にインフレと円安を誘導し、経済を水膨れさせる手法なのだが、その易きに流れる政治に簡単に依存してしまうのである。補助金、助成金、給付金といったポピュリズム志向が根深く、「自主・自立・自尊」という気概こそが資本主義を支えるエトスであり、民主主義の基点でもあることを簡単に忘却するのである。

寺西重郎が語る『日本型資本主義』(中公新書、二〇一八年)が存在し、「ものづくり重視、強欲なマネーゲームへの嫌悪、人間関係と集団行動の重視」といった傾向を持っていることも確かであり、渋沢栄一がこだわった「論語と算盤」的な価値観を抱く経営者が存在してきたことも重視すべきだが、日本の資本主義がインナーサークル、自己完結的で、緊張感を生んでも他者に働きかけること(ルール形成)に消極的であるという限界を内包していることに気づかざるを得ない。

民主主義と資本主義の関係性については、世界史の脈絡の中で論究する(考察2)が、基本的には資本主義と民主主義の「親和性」を確認することとなる。つまり、経済の基盤が市民の参画を支え、市民の主体的行動が資本主義の活力を促し、競争を通じた価値の実現をもたらすことが近代史の底流を形成してきたテーマである。「質の高い民主主義」と「人間的価値創造を促す市場経済」を探究することは、われわれの時代を創る車の両輪なのである。この点を忘れて、日本の再生はない。

実は、「日本の埋没」は単に経済力の相対的低下ということではなく、民主主義を成熟させる努力を忘れ、国家主導のマネーゲームの肥大化を成長戦略と誤認し、健全な経済社会を見失っていることに本質的な原因があるのではないだろうか。

二〇世紀システムを土壌とする日本の成功体験は、今、二〇世紀システムの動揺と構造変化という局面を迎え、新たな未来圏への創造的視界を求めている。その地平の彼方を見つめて、議論を深めていきたい。

(2023・5)

第3章　二一世紀システムの輪郭

1　二一世紀システムの宿痾としての金融不安

二〇世紀システムの動揺と衰退を直視し、世界秩序の再生の道筋を探っている。二〇世紀の世界、とくに資本主義世界のシステムは、第一次大戦期以降の米国が主導する「国際主義」と「産業主義」を柱として成立してきたことを論じてきた。とくに第二次大戦後の米国は、国際連合、ＩＭＦ・世界銀行体制などの国際秩序を主導し、大量生産・大量消費の産業社会を牽引した。そして戦後日本はそのシステムを享受して復興・成長という過程を突き進んだ。その秩序枠の動揺という局面を迎え、時代システムの本質を再考し、未来圏を主体的に構築しなければならない。

二一世紀システムを考察する前提として、二〇世紀システムが抱え込んだ危うさを確認しておきたい。その危うさは既に新たな金融危機の予兆として顕在化しているといえる。「累卵の危機」という言葉があるが、我々は二〇世紀が積み上げた矛盾の臨界点に立っているのかもしれない。

二〇二三年春の余震――相次ぐ金融破綻の意味

二〇二三年三月の米シリコンバレー・バンクの経営破綻は、世界的な金融恐慌に波及しないための政府・金融当局の必死の封じ込めによって、落ち着きを取り戻しつつあるとされる。西海岸のシリコンバレー・バンクは、スタートアップのベンチャー型企業に資金を提供する金融機関として急成長してきたが、二〇二二年二月のロシアによるウクライナ侵攻を背景に進行したインフレ抑制のためのFRBによる相次ぐ金利の引き上げによって収益性が毀損され、「信用不安」を引き起こした。特異な事例と説明されるが、本当にそうだろうか。

続いて、ファースト・リパブリック・バンクなども資金繰りの悪化と預金流出という事態に見舞われ、事態の鎮静化のために米大手一一行がファースト・リパブリック・バンクに四兆円規模の金融支援をおこなった。FRBが「最後の貸し手」として二〇兆円を米銀に融資するなど必死の対応を見せているが、金融技術革命による金融の変質、すなわちノンバンク金融仲介業の台頭と金融ビジネスの複雑化・無形資産化によって、金融セクター全体が新次元の構造問題を抱えており、沈静化したとは言い難い。

同じく三月、経営危機に直面したクレディ・スイスは、ライバルのスイス金融最大手UBSにわずか三〇億スイスフラン(四三〇〇億円)で買収されることになった。経営危機の原因は口座情報の流出、マネーロンダリングなど「経営管理不全」で、米国の銀行への信用不安とは性格が異なるが、クレディ・スイス発行の劣後債(ハイリスク・ハイリターンの債券)たるAT1債一七〇億ドル

（二・二兆円）が「無価値」とされ、潜在する危うい金融商品が露呈したのである。

クレディ・スイスの危機に対しては、スイス政府が日本円で一・三兆円の信用保証、スイス中央銀行が一四・三兆円の緊急クレジットライン（融資限度）を設定することでＵＢＳによる買収を支え、国家の威信をかけて金融不安の払拭に動いた。米欧ともに国と中央銀行が動いて最悪の事態を回避したとされているが、一連の春の嵐はコロナの三年間の超金融緩和が急速な引き締めに反転したことの軋みがもたらしたといえ、今後、世界金融が金利高、引き締め、規制・管理強化という基調を強めることによる景気後退局面に入るならば、金融不安のマグマは膨らむであろう。

また、日本の金融は大丈夫なのかという問いに対し、金融機関の健全性を示す指標としての「自己資本比率」や「流動性比率」などの表面指標からすれば、多くの金融機関が健全と判断されてよいのだが、アベノミクスなる「低金利、超金融緩和」の長期化で、利回りの良いハイリスクの金融派生型商品に引き寄せられてきたことの副反応が生じる可能性を潜在させていることは注意すべきである。破綻したクレディ・スイスが発行していたＡＴ１債（二〇二二年発行分）の表面金利は実に九・七五％だった。運用に苦闘する中で、外資のファンドへの依存を高め、健全な産業金融（産業と事業を創生する「育てる資本主義」）への努力を疎かにした日本の金融機関は、その基盤能力が劣弱化しているのである。

後述するごとく、「経済の金融化」という歴史潮流の中で、金融セクターは「金融工学の進化」を背景に複雑化・肥大化しており、もはや銀行を主役とする産業金融が主流ではなくなり、ノンバンク（シャドーバンキング）といわれる存在が重くなり、さまざまな金融派生型商品を扱うヘッジファンドなどの金融仲介業が業容を拡大している。「ノンバンクが世界の金融資産の半分を保有」という推定もあり、この領域は正確に実態が掌握できないため、規制や管理強化の対象とし難いのである。今後予想される世界的な金融の引き締めは、ハイリスク資産が集中している「ノンバンク」の分野に軋みを生じさせると思われる。

繰り返された金融不安の歴史とその構造

米国の資本主義の投機的性格について、マックス・ウェーバーは一〇〇年以上も前に書いた『プロテスタンティズムの倫理と資本主義の精神』(一九〇五年)において、次のように指摘している。「営利の最も自由な地域であるアメリカ合衆国では、営利活動は宗教的・倫理的意味を取り去られていて、今では純粋な競争の感情に結びつく傾向があり、その結果、スポーツの性格を帯びることとさえ稀ではない。将来この鉄の檻の中に住むものは誰なのか」と問いかけた後、ウェーバーは「最後に現れる「末人たち」」に対して、「精神の無い専門家、心情の無い享楽人、この無なるもの」というあの有名な言葉を残した。この洞察は、その後の米国の資本主義の展開、そして今日の状況を鋭く言い当てている。

二〇世紀における「金融不安」を振り返り、二一世紀システムの基本的課題を確認しておきたい。一九二九年の大恐慌については、それが第二次大戦への導線になったとの反省の下に、多くの研究が積み上げられてきた。チャールズ・キンドルバーガーの『熱狂、恐慌、崩壊――金融恐慌の歴史』(邦訳・日本経済新聞社、二〇〇四年)は一九七八年に初版、二〇〇〇年には第四版が刊行され、多くの示唆を与えている。さらに、FRB議長を務めたベン・バーナンキも自らを「大恐慌マニア」と言って憚らないが、『大恐慌論』(日本経済新聞出版、二〇一三年、原著二〇〇〇年)によって二〇二二年のノーベル経済学賞を受賞している。にもかかわらず、大恐慌の教訓が生かされたとはいえない。

一九二九年の大恐慌の後、米国は金融不安を避けるため「銀行と証券の業務分離」を図るグラス・スティーガル法(一九三三年銀行法)を定めた。この規制は七〇年近く続いたが、冷戦後の「新自由主義・規制緩和」の流れの中で一九九九年に廃止され、銀行も証券子会社を通じて証券業務に進出可能となった。

新たな不安の前兆は二〇〇一年のエンロンの崩壊であった。エンロンは、元々は天然ガス・パイプラインの運営会社だったが、「総合エネルギー企業」として「電力デリバティブ」なるビジネスモデルに踏み込み、電力という基幹インフラさえ先物取引の対象にするという虚構性が破綻をもたらした。だが、多くのマネーゲーマーは反省どころか新たな虚構へと向かっていった。

肥大化・複雑化する金融セクター

その典型がリーマン・ショックをもたらした「サブプライムローン」なる仕組みであった。与信リスクの高い低所得者への不動産ローンのことで、わかりやすくいえば、所得の低い黒人・ヒスパニック層に住宅ローンを提供して不動産ブームを持続させようとするもので、当時「三年で倍の勢いで高騰していた不動産市場を背景に、その担保価値を高めて借り換えさせる住宅ローン」を登場させたのである。この基礎となったのはマイロン・ショールズとロバート・マートンの理論で、「貧困者に希望を拓く金融工学の成果」として一九九七年のノーベル経済学賞を受賞している。冷静に考えれば、三年で倍などという不動産ブームが永久に続くはずはないが、熱狂は怖いもので、渦中では常識も忘却されるものなのである。

名門リーマン・ブラザーズの崩壊と世界金融危機をもたらした二〇〇八年のリーマン・ショックを受けて、二〇一〇年にオバマ政権下で金融規制改革法(ドッド・フランク法)が成立、「強欲なウォールストリートを縛る」という意図で金融取引の透明性を高める方向に舵が切られた。ところが、二〇一八年には「ウォールストリートの代理人」ともいうべきトランプ政権下で、ドッド・フランク法の緩和(骨抜き)がなされ、リーマン・ショックの教訓は霧消してしまった。

金融セクターは、冷戦後の世界において、一段と肥大化・複雑化してきた。「金融工学」なる世界が広がり、金融は「資金仲介業務」の産業金融から、「リスク仲介業務」へと比重を移した。ジャンクボンド、ヘッジファンド、サブプライムローン、住宅ローン担保証券、ハイイールド債、仮想通貨などが次々と登場、どこまでを金融資産とするかの判断さえ難しくなっている。約一〇〇兆ドルとされる世界GDP(二〇二二年)の約五倍に迫る金融資産(株式時価総額と債券総額)の肥大化が進行していると推定される。

本書考察3 第2章の1「「新しい資本主義」への視界」において、冷戦後の資本主義の新局面として、情報技術革命(インターネットの登場)と金融技術革命(金融工学の進化)を背景に、産業資本主義を中核としてきた資本主義が核分裂を起こし、金融資本主義とデジタル資本主義が肥大化したことを詳述するが、デジタル技術に触発された金融の肥大化(「経済の金融化」)が進行し、これをどう制御するかが二一世紀システムの重い課題になってきている。

視界に入れるべきは、地球上の誰もが、この「経済の金融化」という潮流から逃れられない現実である。ロシア・中国の権威主義陣営対G7など民主主義陣営の二極対立といった世界観が流布されがちだが、中国も上海総合指数、ロシアもMOEXという株式市場の動向に一喜一憂しながら動いている。中露の国民も金融資産の動向に躍起になる時代なのである。一例として、二〇二二年のロシアにおける金地金・金貨の需要が前年の五倍になったという事実は、ウクライナ侵攻に踏み込んだプーチンへのロシア国民の支持は安定しているといわれるが、その深層心理が「不安」の中にあることを投影している。

そこで、内在する金融不安を再考する時、その危険性を探る手がかり(指針)として、金価格の動向に触れておきたい。世に「炭鉱のカナリア」という言葉があるが、二一世紀に入ってからの金価格の動きが金融不安を象徴していると思われるからである。仮に、二一世紀に入る前年の二〇〇〇年に三人の日本人がそれぞれ一億円を、一人はタンス預金、一人は株式(東証プライム)、一人は金に投資したとする。二〇二三年三月時点で、それぞれの価値はどうなったであろうか。タンス預金の一億円はそのまま一億円だが、実際の価値は物価動向により七%程度目減りしている。株式への一億円は異次元金融緩和を背景に一億六〇〇〇万円になっており、金への一億円は実に八億一〇〇〇万円になっているのである(追記：その後も金価格は上昇し、二〇二三年末時点での価値は九億四〇〇〇万円となる)。

これは、金融不安への潜在意識を投影しているというべきであろう。「金本位制」からの離脱が、信用経済を拡大させた転機だったともいえ、信用不安が金への郷愁を刺激するのである。リスクに反応する「炭鉱のカナリア」は正直である。

金融資本主義を制御する政策科学への視界

こうした状況に米東海岸のアカデミズムはどう向き合っているのだろうか。MITのスローン経営大学院のアンドリュー・マカフィーは近著『MORE from LESS（モア・フロム・レス）——資本主義は脱物質化する』（日本経済新聞出版、二〇二〇年、原著二〇一九年）で、「技術の進歩は経済の繁栄と脱物質化を両立させる。……人類と自然界のトレードオフは終わった」として、「テクノロジーの進歩、資本主義、市民の自覚、反応する政府という希望の四騎士がそろえば人類は繁栄し続ける」という、相変わらずの技術楽観論を展開している。ウォールストリートの理論的支柱の役割を果たしてきた米東海岸の伝統的基調であり、欧州の論調とは対照的である。

英オックスフォード大学のポール・コリアーとジョン・ケイは『強欲資本主義は死んだ——個人主義からコミュニティの時代へ』（勁草書房、二〇二三年、原著二〇二〇年）で、個人主義の行き過ぎが資本主義を混乱させているとして、コミュニティと中間組織の再生で「資本主義とコミュニティの共創を図ること」を模索している。また、フランスのセルジュ・ラトゥーシュが「消費社会のグローバル化がもたらす破局的結末」を語っている『脱成長』（白水社、二〇二〇年、原著二〇一九年）やジャック・アタリの『命の経済』（プレジデント社、二〇二〇年、原著二〇二〇年）の問題意識や、ドイツを主舞台とする「人新世」(Anthropocene)の思潮(地球規模の課題に「利他主義と連帯」をもって向き合う)など、欧州のアカデミズムは、資本主義の金融化がもたらす陥穽を提示し、国家という枠組みを超えた「コモンズ」の地平に希望を拓こうとしている。

二一世紀の政策科学に求められるのは、金融資本主義を制御する国境を越えた新次元のルール形成である。本書考察3 第2章の3「新次元のルール形成へ」で論じているが、「国際連帯税からグローバル・タックス」まで、国境を越えた金融取引に広く課税し、国境を越えた諸課題(地球環境保全、格差と貧困、最貧国の医療・防災など)に対応するための財源とするなど、実現すべき段階にあることを再確認せざるを得ない。欧州における「金融取引税」の動向などを注視し、過度なマネーゲームを制御する制度設計に立ち向かわねばならない。

(2023・6)

2 ロシア・中国の衰退とその意味

二〇〇九年の晩秋、西ドイツの首相を一九七四年から八年間務めたヘルムート・シュミット(一九一八〜二〇一五年)とベルリンでの三日間のシンポジウムに同席した。ドイツの政治指導者として二〇世紀システムに関わり、敗戦後のドイツを冷戦の終焉、東西ドイツの統合に導いた老政治家の言葉を思い出すことがある。私が、アジア情勢に触れて、「北朝鮮の脅威」について語ったのに対し、「北朝鮮の脅威など取るに足りない」と彼は言い放った。一瞬、アジアの情勢に疎いのかと思ったが、次の一言が心に沁みた。金日成（一九一二〜一九九四年）を継いだ金正日の率いる北朝鮮に関し、「世界の青年の心を惹き付けるメッセージはない。恐れるに値しない」と発言したのである。

耳を傾けていると、第二次大戦後の「東西冷戦」という枠組みで動く世界で、毛沢東、ホー・チ・ミンやチェ・ゲバラ、フィデル・カストロの思想と行動、そして金日成のチュチェ（主体）思想も、共鳴する多くの若者の心を惹きつけるものがあった、しかし金正日の北朝鮮には「金王朝の存続」以外の「正当性」(legitimacy)がないという見方であった。そして、日本人である私に、「日本も大変だね。アジアに真の友人がいないから」と付け加えた。

彼は『シュミット外交回想録』（岩波書店、一九八九年）においても「日本人は、外交的、歴史的経験が不足しているために、一般的に世界の政治的構造をごく限られた程度にしか理解していない。日本人は、また、彼らが孤立しており、それに伴って世界において僅かな政治的役割しか果たしていないことを十分に理解できないでいる」と述べており、この認識は今日にも当てはまるであろう。今、二一世紀システムを模索する時、「正当性」という言葉を想起すべきだ。二一世紀の世界秩序の不透明感は、秩序形成に責任を担うべき大国の衰退、とりわけ世界を束ねるリーダーの「正当性」の喪失に起因することに気づく。二〇世紀システムをリードしてきたロシア、中国、米国という三つの帝国の静かなる衰退とその意味を確認しておきたい。

ロシアの衰退とその意味

ロシアについて、プーチンがウクライナ侵攻に踏み切った価値基準が一九世紀の帝国主義時代への回帰という時代錯誤的なものであることは既に論じた(針路 第2章の2)。すなわち、「戦争は外交交渉で解決できない国際紛争の正当な解決手段」とする価値への回帰であり、それは第二次大戦期にロシア自身(ソ連邦)がコミットした「大西洋憲章」(一九四一年)、そして国連憲章が基点とする「戦争による領土不拡大」という規範への重大な侵犯である。

プーチンが夢見る「大ロシア主義に立つロシア帝国の復権」も、「特別な軍事作戦」と称する主権国家ウクライナの領土侵犯によって一切の正当性を失い、今後、資源産出国として生き延びるにせよ、ロシアは国際社会からの孤立の中で、長期にわたり衰退を続けるであろう。既に国際社会の主たる論点は「ロシアの弱体化をどう制御するか」に移り始めている。経済的衰退の一方で、皮肉にも核超大国ロシアとして「世界の戦略核弾頭一万二七〇〇発の中で半分近くの五九七七発を保有する」(米科学者連盟、二〇二二年)という現実が、戦況が追い詰められると核のボタンを押しかねない「核ジレンマ」をもたらしており、この国が「大きな北朝鮮」となる危うさを顕在化させ、その制御が難題なのである。

ロシア国内からプーチン政治を否定し、ロシアを国際社会の建設的参画者に引き戻す流れが台頭することを期待したいが、ロシア正教という民族宗教(ロシア化したギリシア正教)と政治権力が一体化して駆り立てる「愛国と犠牲」を美化し、反対者を粛清する恐怖政治の転換は容易ではない。

二〇二二年のロシアの実質GDP成長率は前年比マイナス一%と、意外に持ち堪えているように見えるが、通貨ルーブルの評価が今後の鍵を握る。現状では通商決済におけるルーブルの「紐付け」や外貨準備における金比重の高さなどでルーブルを持ち堪えているが、ソ連崩壊時のごとく、通貨の価値が霧消して経済が機能不全に陥る可能性は否定できない。当時は西側諸国が新生ロシアの支援に動いたが、資源産出力だけに依存するロシア経済は長期的には低迷していくであろう。

二〇世紀システムにおけるロシアは、「ソ連邦」という形で社会主義の実験に挑戦し、失敗に終わった。それでも、社会主義が掲げた「階級矛盾の克服」や民族を超えた「労働者の団結」は、東欧から中央アジア、そして今日「グローバル・サウス」といわれる地域の若者に訴え、西側諸国が「革命の輸出」に怯えるほどの存在感をもたらしていた。だが、プーチンは社会主義・共産主義に一切の共鳴も示さない。ソ連邦の時代について、プーチンは「歴史的無駄」と切り捨て、「ソビエトはロシアを豊かな国にしなかった」と発言している(二〇一二年、下院での演説)。プーチンのロシアは偏狭なロシア民族主義に沈潜し、至近距離にいるはずのＣＩＳ(独立国家共同体)諸国の離反を招くほど、世界を牽引する「正当性」を失っている。

二〇二二年五月九日の「戦勝記念日」におけるプーチンの演説は、ウクライナ侵攻に関し、「ロシアの崩壊を画策する欧米との本当の戦争が始まった」と、被害者意識を露わにした。ロシア国内の政治体制の動揺は、ロシアを取り巻く周辺秩序の融解をもたらし、ロシアの求心力の喪失はユーラシアの政治力学の動揺へと繋がるであろう。中央アジアの液状化と、トルコ、イラン、イスラエルなど中東秩序を突き動かす地域パワーの台頭が予想される。また、ユーラシアの地政学の宿命の構図である中露の微妙な綱引きも変わろうとしている。プーチンが政権を維持するためには中国への依存を高めざるを得ないというパラドックスの中で、既に中露関係は中国優位の構図に変わり始めている。一三世紀初頭から一五世紀末までの二世紀半にわたる「タタールの軛」(モンゴル支配)がロシア史にこびり付いていたことを思い起こさせるほど、ロシアの悲しみは深い。

ピョートル大帝以来、欧州はロシアの憧憬であった。その「欧州」が再び遠ざかりつつある。プーチンがロシア・ナショナリズムを叫ぶほど、「ロシアとは何か」についての欧州側の記憶も蘇るのである。それは「欧州の辺境としてのロシア」ではなく、「アジア的退嬰の象徴としてのロシア」への回帰である。思えば、マルクスさえ『一八世紀の秘密外交史――ロシア専制の起源』(白水社、二〇二三年、原著一八五三年)において、ロシア王朝を「タタールの軛」による「東洋の原始的蛮族」と見る西洋の固定観念に言及している。現在の中国政府はモンゴル族も中華民族としており、「中華民族の偉大な復興」が習近平によって強調されるほどに、タタールに取り込まれたロシアの記憶が蘇り、ロシアを決して欧州の一員とは見ない視界に説得力を与えるのである(「脳力のレッスン」191、「ロシア史における「タタールの軛」とプーチンに至る影」参照)。

実は、近代史におけるロシアと日本には宿命の共通課題が潜在している。クリミア戦争(一八五三～一八五六年)での敗北以後、ロシアはアレクサンドル二世の欧州を見習った「大改革」時代を迎える。日本も一八五三年のペリー来航後、明治維新、そして欧州模倣の「明治近代化」路線を進む。だが、ロシアは社会主義革命を迎え、日本は「富国強兵」の臨界点で欧米列強と衝突して敗戦に至る。

どうしても欧米の一員とはなれない焦燥と悲哀、これがロシアと日本の通奏低音なのである。「日本はG7の一翼を占める先進国」という意識を日本人は持ちがちだが、利害対立が高まると排除され、逆上する。「名誉白人」的な位置づけに自己満足することの壁がここにある。

中国の隘路――「紅い中国の悪い皇帝」という悪夢

中国は二〇二三年三月の全国人民代表大会（全人代）で、習近平の第三期政権に入った。毛沢東への個人崇拝が昂じて文化大革命という粛清が世界からの孤立を招くに至ったことを省察し、中国は鄧小平以来の改革開放路線の支柱として「集団的指導体制」と「国家主席の任期制限」（二期一〇年）を遵守してきた。もちろん、「集団的指導」といっても民主的合議制が機能していたわけではないが、習近平専制の長期化は、中国を「党と政府の一体化」による一強支配、習個人崇拝、つまり毛沢東期の「レッド・チャイナ」に回帰させたのである。習近平第三期は、「改革開放」路線の最後の砦ともいえた首相の李克強を更迭した。毛沢東の時代は、毛沢東一強支配のように見えて、実は周恩来という、現実主義に立つ国際社会とのバランサーが不倒翁として存在しており、その意味で、習近平の第三期は「周恩来なき毛沢東政権」になるといえる。

習近平が第三期に向けて掲げた統治概念は、「社会主義現代化強国」と「中華民族の偉大な復興」であるが、この二つの目標と実現過程が、二一世紀の世界秩序においてどこまで「正当性」を得ることができるのか、中国も試練の時に入っているといえよう。まず、「社会主義現代化強国」だが、東西冷戦期の社会主義陣営の総本山だったロシアを率いるプーチンが社会主義への一切の共鳴も示さないのに 習近平は「共同富裕」というキーワードの下、経済格差の解消を意図して社会主義へのこだわりを見せている。中国経済の現状については、本書考察2第1章の1において、現在の中国経済が、資本主義というにはあまりにも「市場性」とはかけ離れた国家統制型になっており、しかも一方で、土地の私有が認められないはずの中国で、地方政府の財源として「定期借地権」のような形で土地を分譲・取引して収入を確保させて経済を拡大させるなど、歪んだマネーゲーム経済に埋没している危うさを指摘する。

あらためて「社会主義現代化強国」の内実を考えるならば、共産党一党支配下における金融市場経済の肥大化の矛盾の深化を視界に入れざるを得ず、これを推し進めるならば、「剛性泡沫」、つまり国家が主導する金融経済化の帰結として、富裕層と貧困層の格差は拡大する一方であり、共産中国の建国理念であった「人民に奉仕する国家の建設」からは本質的に遠ざかっていくことになる。

何故、中国は「紅い中国の悪い皇帝」の支配ともいうべき「専制化」「強権化」の道を辿るのか、再考を余儀なくされる。四〇〇〇年を超す中国の政治文化の歴史にこびりついたDNAとしての権威主義的体質を想わざるを得ない。天児慧が『中国のロジックと欧米思考』(青灯社、二〇二一年)において論ずるごとく、儒教的価値観の埋め込みというか、君臣関係、家父長制を秩序の前提として受け入れる心理が潜在し、治者(権力)と被治者(国民)の二元論に立ち、多くの庶民は「衣食住と日常の保証で満足」し、政治には沈黙を守る「小国寡民」的傾向に沈潜しがちである。

確かに、中国における治者に対する反抗は、下からの変革のエネルギー高揚ではなく、別の王朝、異民族からの攻撃であり、動乱は「扶清滅洋」を掲げた「義和団事件」のごとく宗教運動を契機とすることが多い。二〇世紀の孫文による辛亥革命も、民主主義の確立という要素よりも、満州族による清朝を倒し、漢民族の復権を目指す運動として勢いを得たのである。

在外華人・華僑の失望と疑念

次に「中華民族の偉大な復興」だが、習近平はこの言葉を二〇一三年、第一期政権のスタート時にも使った。大方の理解は、中国は多民族国家であり、多様な中華民族が力を合わせて中華人民共和国の隆盛を図ろうと呼びかけているというものだが、実はこの言葉は中国本土の国民だけでなく、広く世界の中華民族を対象にしたメッセージでもある。

世界には約八〇〇〇万人ともいわれる在外華人・華僑といわれる人たちが生活している。その多くは中華民族の中核ともいえる漢民族である。それは中国の歴史の特色ともいえる異民族支配を背景にしている。中国では、元(一二七一〜一三六八年)というモンゴル族が支配した時代、清(一六一六〜一九一二年)という満州族が支配した時代を経て、多くの漢民族が異民族支配を嫌って海外に新天地を求めるという事態が生じた。それが多くの在外華人・華僑の起源である。漢民族の人たちは、自分たちこそが中華民族の中心だという自負心を有しており、「中華民族の偉大な復興」という言葉は心に響く。世に「中華思想」という表現があるが、「人類の四大発明(紙、活版印刷、火薬、羅針盤)はすべて中華民族によってなされたが、中国は一度も特許権を主張したことはなかった」というジョークを笑顔で受け止める華人が世界中に存在している。
実は、改革開放路線下の中国の持続的成長を支えた大きな要因は、この華人・華僑圏の中国、その中核としての香港、台湾、シンガポールという「海の中国」の資本と技術を取り込んだことであった。台湾から一〇万社を超す企業が本土の中国に進出していた時代があった。その約三割が中国に失望し撤退したという。中国の強権化への警戒を投影し、中国の発展の触媒でもあった「海の中国」にも地殻変動が生じ、二〇二二年の香港の実質GDP成長率はマイナス三・五%、シンガポール三・六%、台湾二・五%のプラス成長と、成長エンジンが変わりつつある。欧米および日本の投資も中国を忌避する傾向を強め、「除く中国のアジア」、つまりインドやASEANに成長の主役が移るトレンドにある。

在外華人・華僑の存在は、本土の中国にとって両刃の剣であり、中国を支える力にもなるとともに中国を睨む壁にもなりうるのである。強権化し、香港を締め上げ、台湾を恫喝する習近平の中国に対し、グローバルな開放経済の狭間を生き抜いてきた在外華人・華僑は疑念と失望を感じて距離を置き始めている。これが中国の発展の障害になる可能性が高まりつつある。

二一世紀中国の歴史的役割にとっての試金石

カリフォルニア大学サンディエゴ校教授スーザン・L・シャークの『逸脱——中国はいかにして平和的台頭という道を間違えたのか』(オックスフォード大学出版局、二〇二二年、未邦訳)は、一九七六年の毛沢東の死から半世紀に至る中国が、アジア通貨危機(一九九七年)、リーマン・ショック

（二〇〇八年）後の世界経済を支える形での急成長を経て、自己過信と内部不安を同居させながら、習近平専制に行き着く過程を解析し、習近平の中国が抱える「行き過ぎがもたらす危うさ」を指摘している。

私も、中国が「平和的台頭」という賢い道を歩み続けていれば、二一世紀の世界は中国主導の潮流に向かった可能性もあったと思う。強勢外交、戦狼外交は、中国に好意的だった欧州諸国からの警戒心と嫌悪感を高め、南シナ海・インド洋での強引な海洋進出や「債務の罠」はアジア諸国の拒否反応を誘発し、決して賢い展開にはなっていない。二〇二三年五月の広島でのG７サミットと時を同じくして、中国は旧ソ連圏の中央アジア五カ国とのサミットを西安で開催した。ロシアがウクライナ戦争の長期化で、経済・通商・金融決済などで中国への依存を高めており、中国優位のユーラシア地政学となる構図が見え始めているが、政治的影響力を高めているかに見えて、中国への信頼と敬意は必ずしも高まってはいないというのが現実である。

「ウクライナの次は台湾危機」という短絡的な見方もあるが、第三期に入った習近平政権は、意外なほど慎重な長考局面に入ったといえる。長期的には「台湾統合」を諦めないだろうが、台湾独立派を刺激しないように「抑制された圧力」へと路線を変えつつある。また、ウクライナ戦争の長期化を注視しており、武力行使がもたらすリスクについての学習能力を示している面もある。この数年が二一世紀の中国の歴史的役割にとっての試金石となるであろう。

ロシアにせよ中国にせよ、ナショナリズムと自国利害だけではグローバル化する世界をリードする正当性を確立することはできない。人類史の新しい地平を拓く理念を創造する力が二一世紀システムの構築には必要なのである。

（２０２３・７）

3　米国の衰退とその本質

二一世紀におけるロシアと中国が、民族を超えて世界を束ねるリーダーとしての「正当性」を喪失し、自国利害とナショナリズムに埋没している現実を論じてきた。次に、二〇世紀システムの中核として、第一次世界大戦期以降の世界をリードしてきた米国の衰退を再考し、そのシステムに依存・同調してきた戦後日本のこれからに視界を拓いていきたい。

米国の衰退とは何か——むしろ同盟国の衰退という視界

「二〇世紀はアメリカの世紀」という時、米国が主導した「国際主義」と「産業主義」がその支柱だったことは既に論じた。国際連盟から国際連合の創設とＩＭＦ・世界銀行体制を主導した国際主義、そして大量生産・大量消費社会を推進したフォーディズムに象徴される産業主義が二〇世紀の主潮となり、資本主義世界を主導してきた。第一次大戦後、米国はかつての覇権国たる英国を「アングロサクソン同盟」のパートナーとし、第二次大戦後は敗戦国日本と西独の「ネーション・ビルディング」を通じて同盟国に引き入れ、冷戦後は「グローバル化」の名の下に東側といわれた地域をも米国流資本主義の渦に巻き込んでいった。

二一世紀において、前世紀システムの中核であった米国が衰退していることは間違いない。ただ、「米国そのものの衰退」というより「同盟国の衰退」、正確にいえば、欧州の同盟国たる英国とアジアの同盟国・日本の衰退との相関において進行している事態であることを確認しておきたい。ワシントンが簡単に「同盟重視」と言い切れない心理がここにある。

二一世紀を迎える頃、つまり東西冷戦の終焉から一〇年が経過した頃、米国とその同盟国たる英国と日本の三カ国が世界GDPの五〇%を占めていた。それが二〇二二年には三二%にまで低下した。米国の比重も、この間に三〇%から二五%に低下したが、英国が五%から三%へ、日本は一五%から四%へと低下しており、米国にとっては自らの衰退というよりも「同盟国の衰退」という認識が強まるのである。

第一次世界大戦を機に、ドイツ帝国、オーストリア・ハンガリー二重帝国（ハプスブルク）、ロシア帝国、オスマン帝国という四つの帝国が消滅し、一九一九年のベルサイユ講和会議に登場し、国際連盟構想を提起したウィルソン大統領に象徴される、米国主導の二〇世紀が動き始めた。現実には、大英帝国と新興の米国との「特別の関係」（アングロサクソン同盟）を基軸とした世界秩序であった。

第一次大戦後の一九二〇年には米英で世界経済の三割弱を占めていた。この米英の二国間同盟（ルーズベルト＝チャーチルの特別な関係に基づく）を基軸に「連合国」を形成して日独伊の「枢軸国」と第二次大戦を戦い、勝利を収めた。第二次大戦後の一九五〇年の段階で、米英日で世界GDPの三七%であったが、一九五一年の日米安保条約で日本を同盟国として引き入れ、一九八〇年代にはレーガン＝サッチャーの「特別の関係」を基盤に「冷戦の終焉」へと世界を牽引し、二〇〇〇年には、先述のごとく米日英で世界経済の約半分を占めるに至っていたのである。こう考えると、サンフランシスコ講和会議以降の日米同盟は、「米国の世紀のサブシステム」として機能したことがわかる。

二一世紀に入って二二年、地政学的な米国のプレゼンスが後退していることも間違いない。冷戦の終焉を受けた一九九〇年代、「唯一の超大国」「米国の一極支配」といわれたが、二〇〇一年のニューヨーク、ワシントンを襲った同時多発テロ（9・11）を受けて、ブッシュ大統領は「これは犯罪ではなく戦争だ」と叫び、アルカイダの拠点アフガニスタンを攻撃、さらに「9・11への関与、大量破壊兵器保有」を理由にイラクに侵攻した。その結末は「米国の衰退」を決定づけるものとなった。消耗と混迷の挙句、イラク、そしてアフガニスタンからの撤退を余儀なくされ、ISによるシリアの混迷やタリバンによるアフガニスタン掌握にも動けず、現在進行中のウクライナ戦争にも後ろから軍事支援はしても直接介入はできず、「世界の警察官」といわれた米国の姿はない。

アフガニスタン撤退後の中東における米国の軍事的配備は、クウェートに一万五〇〇〇人、カタールに八〇〇〇人、バーレーンに五〇〇〇人と湾岸産油国に集中し、イラク二五〇〇人、シリア九〇〇人となっており、一九六〇年代に英国に代わってペルシャ湾に覇権を確立していた時代のプレゼンスはない。これが地域パワーたるイラン、トルコの台頭を誘発し、イスラエルの自国利害による専横を招き、中東秩序の流動化をもたらしている。

米国のお膝元である中南米の「ピンクタイド」（左傾化の潮流）といわれる状況も、米国の衰退を象徴している。二〇二二年一〇月のブラジル大統領選挙で左派のルーラが勝利したことで、中南米は左派政権一色となった。とくに、中南米において国内総生産で上位を占めるブラジル、メキシコ、アルゼンチン、チリ、コロンビア、ペルーが左派政権となったことは重い（追記：二〇二三年一一月のアルゼンチン大統領選挙で左派政権は敗れたものの、極右ミレイ政権が誕生した）。一九五一年に発足した米州機構（ＯＡＳ）は中南米三三カ国が加盟し、米国の中南米への影響力を示す存在であったが、年次総会への首脳の参加さえ拒む加盟国も増え、台湾との国交を断絶し、中国との関係を重視する国が増えつつある。

一九八〇年代末「米国の衰亡論」の誤りと二一世紀の構造変化

産業論的に米国が衰亡していると考えるのは間違いである。ビッグ・テック五社に代表される西海岸、シリコンバレーを中核とするデータリズムのプラットフォーマーズといわれる業態の企業群はデジタル資本主義を牽引し、新型コロナワクチンなどの開発で実力を見せつけたボストンを中心とするバイオ・生命科学関連の企業群、ヒューストンを中心とするシェールガス、シェールオイルなどのエネルギー関連事業、そして、行き過ぎたマネーゲームをも増殖するウォールストリートの金融事業群など、新産業を創生する力において米国が優位にあることに変わりはない。確かに、中西部に集積していた製造業に象徴される産業群は競争力を失い埋没してきたが、自動車産業もテスラに代表されるＥＶを牽引する企業の登場により、主導権を回復しつつある。

現実に米国の新しい産業創生の主役となっている人物を思い浮かべるならば、本質が見えてくるであろう。たとえば、テスラ社CEOイーロン・マスク(南アフリカ出身、三重国籍者)、アップル創業者スティーブ・ジョブス(故人、シリア系)、グーグル社CEOサンダー・ピチャイ(インド人)、メタ社CEOマーク・ザッカーバーグ(ポーランド系ユダヤ)、アマゾン社CEOアンディ・ジャシー(ハンガリー系ユダヤ)など、米国の多様性の土壌に咲いた花というべき人材が米国のバイタル産業を支えているのである。皮肉なことに、国家としての米国は世界での統治能力を喪失しつつあるが、米国の産業基盤は、自国利害中心主義に立つトランプ支持の米国人からは「歓迎されざる移住者」をイノベーターとして、新しいダイナミズムを生み出し続けているのである。

一九八〇年代末にも「米国の衰亡論」が語られていた。鉄鋼、エレクトロニクス、自動車産業を柱に、日本が「工業生産力モデル」の優等生として進撃していた時代であり、三菱地所のロックフェラーセンター買収、ソニーのコロンビア映画買収、日本鋼管のナショナル・スチール買収など、米国を買い占める日本が話題になった時代でもあった。日米財界人会議において、「我々はもはやアメリカに学ぶものはない」と豪語していた日本の経済人の姿を思い出す。トランプがカジノホテル建設資金を日本の銀行に借りに来ていた不愉快そうな表情が印象に残っている。

冷戦後の一九九〇年代の米国は、冷戦期にペンタゴンが開発したARPANETという開放系・分散系情報通信システムの技術基盤を民生開放してインターネットを登場させ、「IT革命で蘇るアメリカ」をリードした。だが、「唯一の超大国」となった米国は冷戦後の世界秩序の形成に新たな構想力を示すことはできなかった。二〇世紀末から二一世紀の初頭の米国を率いたブッシュ政権は、米国の圧倒的優位性を背景にユニラテラリズム（自国利害中心主義）に傾斜していった。新たな時代の世界秩序のルール形成に向き合うのではなく、「米国を国際ルールで縛るな。俺は例外なのだ」という傲慢な「例外主義」へと傾いていった。ブッシュ政権下で展開された「京都議定書からの離脱、ＣＴＢＴ（包括的核実験禁止条約）や国際刑事裁判所への不参加」など、冷戦後の米国が陥っていた危うさが思い出される。そこに９・11が襲ったのである。

９・11という衝撃を受けて、ブッシュ政権は国連決議さえ無視して「単独行動主義」に走り、アフガン、イラクへと軍事侵攻し、先述のごとく消耗を重ねた。二〇〇九年にオバマが「イラクからの撤退」と「強欲なウォールストリートを縛る」（脱リーマン・ショック）を掲げて政権をスタートさせた時、世界は米国の復元力と「人種を超えて大統領を選ぶ」米国社会の柔軟性に驚嘆したものである。だが、オバマの米国も冷戦後の世界を制御するルール形成を主導することはできなかった。オバマ政権は、等身大の謙虚さで世界と向き合ったともいえるのだが、「米中蜜月」「イランとの核合意」などに動くオバマに、米国民は鏡に映る自分の衰えを見る思いで、「弱腰」「無策」を感じ、その失望感がトランプの登場と米国の分断を生む伏線になっていたといえる。

米国の分断がもたらした衰退──「正当性」喪失の構造

二一世紀における米国の衰退とは、二〇世紀システムをリードした世界を束ねる理念形成力、つまり「正当性」の喪失である。その根底にあるのが「トランプ現象」に象徴される米国の内向であり、分断である。少なくとも半分の米国人が、米国は世界のことなどに関わるべきではないと感じるほど余裕を失っている。「アメリカ・ファースト」を掲げるトランプの自国利害中心主義は、冷戦終焉後のブッシュのユニラテラリズムとは違う。自国の圧倒的優位性を背景に胸を反らすブッシュ時代の米国とは異なり、米国が世界を制御する力を失い、思うに任せぬ状況にあることへの苛立ちがもたらした「アメリカ・ファースト」なのである。

二〇二〇年の大統領選挙については、「考察1 第3章の1」において解析し、「青いアメリカ」(民主党バイデンが勝利した州)と「赤いアメリカ」(共和党トランプが勝利した州)がこの国の分断を際立たせており、東海岸・西海岸の「海岸線のアメリカ」が青いアメリカ一色であるのに対し、内陸部のアメリカに赤いアメリカが集中していることを論じている。そして、トランプ現象を支えているのが白人、とくに白人プロテスタントである。

CNNの出口調査によれば、白人の五八%がトランプに投票したという。トランプの得票七四二二万票の約八二%は白人票と推定され、驚かされるのは「白人プロテスタントの七二%、白人カトリックの五六%がトランプに投票」という現実である。建国以来の歴史を背景に、この国の主導層はWASP(ホワイト、アングロサクソン、プロテスタント)とされてきたが、これまでの主導層の苛立ちがトランプ現象といえる。

浸透する「クリスチャン シオニズム」

だが、それにしてもキリスト教徒、とくに福音派プロテスタントが何故トランプの岩盤支持層になったのか、疑問を感じていた。私は米東海岸に一〇年以上生活し、ワシントンの政治力学については理解しているつもりでいた。それ故に、何故トランプが異様なほどイスラエル支持を続けたのか、そのトランプを、歴史的にユダヤ系とは一線を画してきたキリスト教徒が何故支持するのか、不可解な面があった。

二〇二二年八月、比叡山延暦寺が主導して京都国際会館で行われた「比叡山宗教サミット」での記念講演の機会に、米国のキリスト教関係者と対話し、疑問をぶつけてみて、重要な気づきを得た。そのキーワードが「クリスチャン・シオニズム」であり、調べ直した結果を拙著『ダビデの星を見つめて――体験的ユダヤ・ネットワーク論』の「アメリカとユダヤ人」の章で論究した。約言するならば、二〇〇一年の9・11以降、米国の政治パラダイムが変わったということであり、テロの衝撃で「イスラムの脅威」に凍り付いた米国人、とりわけ福音派プロテスタントの心理に静かに浸透したのが「キリスト教のユダヤ化」ともいうべきクリスチャン・シオニズムだというのである。

「キリスト再臨に向けて、エルサレムがイスラムに支配されていてはならない」という問題意識に立つCUFI（イスラエルを支持するキリスト教徒連合）が設立され（二〇〇六年）、「ワシントン最強のロビー集団」とされるユダヤ人によるAIPAC（アメリカ・イスラエル公共問題委員会）と連動し影響力を拡大、それに応える形でトランプ政権は「エルサレムへの米大使館移転」（二〇一八年五月）、「ゴラン高原のイスラエル領組み入れ支持」（二〇一九年三月）、「イスラエル、UAEとバーレーンの国交樹立」（二〇二〇年九月）と、イスラエルへの肩入れを加速させた。バイデン政権も現状ではこの姿勢を継続させているが、このことがイスラエルの保守派政権を増長させて、火薬庫・

中東の地殻変動をもたらす可能性が懸念される。米国のユダヤ人口はわずか二・三％にすぎないが、多数派に浸透して政治を動かす力学が存在するのである。

分断の加速により、米国は「理念の共和国」でいられなくなった。国際秩序を制御する責任に背を向け自国利害を優先、異教徒・異民族を排除する情念を駆り立てる方向に向かいつつある。米国の衰退とは経済・産業力の地盤沈下というよりも、世界のリーダーとしての求心力、つまり「正当性」の喪失にある。「二一世紀システム」を創造し、主導する者は誰か。それは米国でも、中国でも、ロシアでもないということであり、世界は無極化し、全員参加型秩序に向かっている。それは極構造を前提とする「同盟外交」の融解を示唆している。

（2023・8）

4　三人の先人の構想——福沢諭吉、石橋湛山、そして高坂正堯

二一世紀の未来圏を生きる日本の国家構想を探究している。そのために、明治期、戦後期の一五〇年を振り返り、日本を動かした国家構想を確認しておきたい。とくに国家指導者や日本国の国家構想ではなく、国民世論の時代認識に大きな影響を与えた市井の議論に注目したい。歴史の鏡を磨き、現在地を確認し、曇りなく未来を見据えていくことが大切である。

明治期日本の国民思想——福沢諭吉の「脱亜論」

一八八五(明治一八)年、福沢諭吉は『時事新報』三月一六日号に「脱亜論」を発表した。明治維新から一七年、明治期日本の骨格が姿を現し始めていたが、まだ葛藤の中にあった。脱亜論における福沢の「わが国は隣国の開明を待って共にアジアを興すの猶予あるべからず。むしろその伍を脱して西洋の文明国と進退を共にし……」という主張は、その後の日本が歩む道の一つの基軸を示唆した。

奇しくも同年に、樽井藤吉の『大東合邦論』が出された。「東方は太陽の出ずるところ、発育和親を主る(つかさどる)」に始まるその論稿は、その後の「アジア主義」の原型のような議論で、アジア侵略を進める白人帝国主義からのアジアの解放と日本をリーダーとするアジアの結束・統合を主張するものであった。この二つの議論が隆替と交錯を繰り返すのが日本近代史の特色である。

「脱亜論」の時代環境を確認しておきたい。一八八五年は、一二月に太政官制を廃して内閣制度が採用された年であり、初代内閣総理大臣は伊藤博文であった。一八八一年の国会開設の勅諭で一〇年後の国会開設を決め、英国流議会主義の導入を主張した参議大隈重信は追放された(明治一四年の政変)。そして、一八八九年に大日本帝国憲法が公布される時代潮流の中にあった。

つまり、一八七一(明治四)年の岩倉使節団の欧米歴訪以降、欧米列強に伍していくには近代国家の体制を整えなければという「明治近代化」路線が動き始めていた。討幕を支えた「尊王攘夷」(天皇親政の排外主義的「神道国家」の建設)というモチーフを潜在させながら、「近代化」を上乗せしたのであり、明治期の日本は「二重構造」になって動き始めた。

対外関係においても、日清戦争(一八九四〜一八九五年)に向かう約一〇年前であり、朝鮮半島を巡る日清の緊張が高まっていた。一八八四年一二月には朝鮮の急進開化派によるクーデター甲申事変が起こり、これを機に日清両国が朝鮮に派兵、軍事衝突も生じ、開化派の敗北に終わった。開化派を支援していた福沢の失望が「脱亜論」を書かせたといえる。

そもそも明治政府には「征韓論」が燻ぶっていた。西郷隆盛の征韓論は、旧士族が不満のはけ口を求めた面もあるが、朝鮮王朝の明治維新に対する捉え方が日朝のすれ違いを増幅させた面があった。「朝鮮征伐」として兵を送った豊臣を倒した徳川幕府には好感を抱き、朝鮮通信使を送り続けた朝鮮王朝は、明治維新の政変に当惑し、開国を迫る明治新政府(日朝修好条規、一八七六年)への対応に齟齬が生じ、それが近代史における日朝関係に影を投げかける遠因になった。

福沢は生涯に三回、一八六〇年の遣米使節に随行した咸臨丸での渡米とサンフランシスコでの約五〇日の滞在、一八六二年の遣欧使節で約一年の欧州巡遊、一八六七年の渡米(東部諸州訪問)と海外渡航している。この時代の人としては、特筆すべき欧米体験者であり、『西洋事情』(一八六六年)で維新期の日本人の世界への目を開き、『学問のすすめ』(一八七二年)で「天は人の上に人を造らず……」として学ぶことの大切さを語り、明治の青年の心を熱くした。再三にわたる政府の出仕要請を断り、慶應義塾を舞台に教育に情熱を注ぎ、日本の開明、西洋文明の紹介・移入の推進者、啓蒙家として生きた。

明治期の日本の進路にとって福沢の掲げた「脱亜入欧」は通奏低音となって国民の心を捉え、暗黙の国民目標になり、その到達点が日英同盟の実現(一九〇二年)だった。国民は「提灯行列」で日英同盟を喜び、一等国意識が醸成された。その日英同盟に支えられて日露戦争を戦い、一九一〇年の朝鮮半島併合へと進み出した日本は、新手の植民地帝国へと変容し、国民意識の中に近隣への侮りが生じ、中国人を「チャンコロ」、ロシア人を「ロスケ」と呼ぶ傾向が生まれた。

脱亜論をアジア主義との相関において再考するならば、どちらも「親亜」を「侵亜」に反転させるエネルギーを内包させていたことに気づく。福沢は自らが創刊した『時事新報』(一八八二年)を舞台に、「国権皇張」を求める方向へと進む。自由民権運動の高まりとは距離をとり、官民調和と国権皇張を主張する。開明派、国際派の先頭に立つ福沢だが、「国力を充実させねばどうにもならない」という実感が、国際体験を通じて沈殿していたといえる。

欧米との関係を優先し、うまくいかなくなると「アジア主義」が息を吹き返し、しかも本来の「親しむアジア」(アジアへの共感)が上から目線の「侵すアジア」(権益拡大)に転じる危うさを抱え込んでいた。それでも、福沢諭吉という人物の本質を想う時、一九〇一年に死去した福沢の法名「大観院独立自尊居士」が重いメッセージになっているといえよう。

石橋湛山の「小日本主義」の歴史的意味

「日本近代史の奇跡」ともいわれる論稿が、石橋湛山によって『東洋経済新報』誌に発表されたのは一九二一年であった。「一切を棄つるの覚悟」(一九二一年七月二三日号社説)、「大日本主義の幻想」(一九二一年七月三〇日、八月六日、八月一三日号社説)と題する主張は、その後の日本の進路を主導するものにはならなかったが、「よくぞあの時代に」と心を爽やかにするものがある。

植民地として明治維新以降に領有した台湾、朝鮮、樺太を捨てる覚悟を語り、中国、シベリアへの干渉もやめるべきという主張で、「植民地支配」と「武力進出」を否定するものであった。「大日本主義」が吹き荒れる中、つまり、時代潮流が「帝国主義＝専制主義＝国家主義」へと熱を帯びていく中で、「小日本主義」として「産業主義＝自由主義＝民主主義」を掲げて対峙したのである。きわめて特異なことに思われるが、背景を精査するならば、その歴史的な意味が見えてくる。

ベルサイユ・ワシントン体制といわれる、二つの世界大戦の戦間期の論稿である。一九一七年のロシア革命による混乱を受けて、日本はシベリア出兵を続けていた。一九一九年のベルサイユ講和会議に戦勝国の一翼を占める形で日章旗を掲げた日本は、ドイツの山東利権と南洋諸島を獲得し、列強模倣の新参の植民地帝国としての性格を強めていた。そして、英国に代わって世界秩序形成の主役となった米国のウィルソン大統領が提示した国際連盟は、米国自身が参加しないまま一九二〇年に四二カ国が参加して、ジュネーブに実現していた。

ウィルソン後の米国は一九二一年一一月にはワシントン会議を主導、四カ国条約（日英米仏）で「太平洋諸島への各国権益の相互尊重」を確認、日英同盟を破棄させた。さらに、一九二二年二月の九カ国条約（四カ国と伊、ベルギー、オランダ、ポルトガル、中国）で「中国の主権尊重、門戸開放、機会均等」を確認、米国は、多国間協調下の日本の封じ込め、中国支援の意図を露わにしていった。つまり、二〇世紀の世界秩序のルール形成期であり、日本にもそれに参画する構想力が問われていた。第一次大戦は日本にとって「大日本主義」に拍車をかける天祐となった。日本は一九一五年には対華二十一箇条の要求を中国に突き付け、帝国主義路線を鮮明にしていた。国民の多くが「帝国日本の躍進」を喜び、「軍備拡張」に同調した。だがその一方で、幣原喜重郎外相の「協調外交」で国際秩序形成に参加しており、ワシントン海軍軍縮条約にも調印していた。つまり、世界史的転換点における日本の選択が問われている中での「小日本主義」の主張だったのである。

「小日本主義」などというと発展のない縮み志向の印象を与えるが、決してそうではない。帝国主義的拡大は、長期的には疲弊と混乱をもたらし、決して国益にならないという信念に立つもので、自由と市場経済を信頼し、通商を通じた繁栄を志向する議論である。また、空虚な理想主義でもなく、あくまで経済評論家としての現実主義に立つものであった。

この時、湛山だけが突出していたわけではない。論陣を張った『東洋経済新報』誌の前主幹で、「経済的・政治的自由主義」を掲げ、「閥族寡頭政治」を批判して普通選挙の採用と帝国主義の放棄を主張した三浦銕太郎を継承したといえる。また、日蓮宗の僧侶の子として生まれ、幼くして仏門に預けられ両親との縁の薄かった湛山に対し、「正しい信念に生きる」ことを指導した、甲府中学の校長で札幌農学校でクラーク博士の指導を受けた大島正健が与えた影響を思わざるを得ない。

石橋湛山の議論は「大日本主義」の奔流にかき消され、日本は戦争への道を突き進み、敗戦を迎える。戦後、湛山は政治指導者として蘇り、一九五六年一二月から石橋政権を樹立するが、病に倒れてわずか三カ月の短命に終わる。鳩山一郎と岸信介政権の間であり、戦後史の命運を決める退場であった。国家構想を思索する「思想家たる首相」は、その後一人も出ていない。

戦後日本にとっての高坂正堯「海洋国家日本の構想」

高坂正堯が「海洋国家日本の構想」を書いたのは一九六四年、敗戦から二〇年が迫る東京五輪の年であった。哲学者高坂正顕の次男として一九三四年に生まれた正堯は、左右のイデオロギーが渦巻く論壇に『中央公論』誌の粕谷一希編集長によって「新鮮な青年研究者」として登場した。海洋国家としての英国に対して、日本は島国にすぎないとの認識に立ち、海洋国家への前進を促すもので、六〇年安保闘争の挫折を経て「何よりも経済だ」と経済主義に邁進し始めた日本にとって、脱イデオロギーへのパラダイム転換の象徴ともいえる論稿であった。「大東亜共栄圏」の夢破れた日本にとって、七つの海を越えて雄飛しようとした「戦後版の脱亜論」ともいえる。

一九五一年のサンフランシスコ講和会議で国際復帰し、日米安保条約で西側陣営への参画という基本路線を確定する一方、一九五五年のバンドン会議で「及び腰のアジア回帰」を果たし、一九五六年の日ソ国交回復により、ソ連の拒否権で引き延ばされていた国際連合への加盟を実現、一九六四年の東京五輪とOECD（経済協力開発機構）加盟という形で、日本人の視界も次第に国際社会に開き始めていた。

六〇年安保闘争を受けて登場した池田勇人政権は「国民所得倍増計画」を掲げ、日本は経済の季節に入った。政治的には日米同盟に身を置きながら「軽武装経済国家」に邁進する日本において、左右のイデオロギーに超然とした「海洋国家日本の構想」は心地よく響いた。

一九六八年に高坂が書いた『世界地図の中で考える』（新潮社）は、「愚かな狂信と暗い懐疑主義の中間に踏みとどまることはできるであろうか」という、高坂の立ち位置を凝縮した言葉で終わる。一九六八年は世界的に学生運動が激化(パリ五月革命、プラハの春、ベトナム反戦運動)した年であり、早稲田のキャンパスで「全共闘運動」と緊張感を持って対峙していた大学生の私は、自らの思考の基盤として高坂の広い視界からの議論に刺激を受けたものである。

その後、一九七三年の石油危機を経て、一九八五年のプラザ合意と日米通商摩擦に向かう中で、高坂の日本の進路に関する見方は次第に重苦しくなり、「通商国家日本の運命」(『中央公論』一九七五年一一月号)となっていった。高坂は論壇における「空虚な理想主義」と「一国平和主義」を否定する役割を果たし、結果として、戦後日本を「普通の国」に押し戻す力となった。より成熟した日米同盟のための日米安保の双務性(日本側の責任感の醸成)の実現、集団的自衛権行使への踏込みなどへの理論的伏線となる役割を果たしたのである。

一九九〇年代、私はワシントンに張り付き、米国の対日外交を注視していたが、高坂に代表される政治的現実主義が、日米同盟の固定化と日本側の同盟協力の深化を促す「ジャパノロジスト」や「ジャパン・ハンドラー」にとって、好ましい日本人として評価される事実を目撃していた。つまり、「自発的隷従の日米関係」の日本側の理解者として利用されてきたのである。

一九九〇年代は「冷戦後の一〇年」として重要な意味を持った。一九八九年の冷戦の終焉宣言、一九九〇年の東西ドイツの統一、一九九一年のソ連崩壊へと世界史の構造が大きく動いた。同じ敗戦国だったドイツは、冷戦後に向けて、一九九三年には在独米軍基地の縮小、地位協定の改定へと踏み込んだ。冷戦終焉時、西ドイツには三八万人のNATO(北大西洋条約機構)軍(米軍)が駐留していたが、その後も米独双方からの見直しを積み重ね、現在では一〇分の一以下に縮減されている。日本は対照的であり、日米同盟、在日米軍基地の基本枠を変更することなく、湾岸戦争、イラク戦争、米中対立に引き込まれ、「同盟強化」に邁進してきた。

高坂正堯は一九九六年に六二歳で死去する。冷戦の終焉を目撃し、日本経済が世界に占める比重をピークアウト(一九九四年の一八%がピーク、二〇二三年は四%)させた直後の死であった。遺稿となった「二一世紀の国際政治と安全保障の基本問題」(『外交フォーラム』一九九六年六月号)において、高坂は日本外交への危機感を語っている。「日本は大声で明快なアメリカの普遍主義と、長い歴史と巨大な量を背景とする中国の原理主義に挟まれるかもしれない」と述べ、「ビジネスライクにしか話をしないこと、人気とか威信とかリーダーシップとかを国際的な舞台で求めないことは一つの立派な見識である」として、現実主義者の真骨頂ともいうべき「静かな外交」という言葉で締めくくっている。

「奇妙な一時の繁栄で終わった国」となるのか

それから四半世紀が経過し、現在の状況を目撃したならば、高坂は何と言うであろうか。彼自身がその可能性を予見していた「奇妙な一時の繁栄で終わった国」になりかけている日本、そして日本が期待・依存してきた米国は普遍主義を掲げる余裕を失い、内向と分断を迷走している。中国は改革開放路線を歩み、世界市場に参入して二〇一〇年には日本のGDPを追い抜くまでの成長を遂げたが、習近平政権の長期化の中で「社会主義現代化強国」を目指す権威主義国家へと逆行し始めている。二一世紀日本が米中力学に挟まれていることは間違いないが、どちらに対しても適切な距離が求められる局面、あらためて「自立自尊」が問われる時代に入ったのである。

高坂は『宰相吉田茂』(中央公論社、一九六八年)において日米安保体制に踏み込んだ吉田茂を再評価し、「海洋国家日本の構想」によって、日本人の視界を冷戦型のイデオロギー対立という枠組みから解放する役割を果たした。だが皮肉にも「このままでいいんだ」という保守派の現状肯定、米国への「自発的隷従」の基盤ともなり、「柔らかく考えよう」とする彼の真価は見失われていった。

福沢諭吉、石橋湛山、そして高坂正堯という日本近現代史と格闘した三人の論者を再考してきた。それぞれが背景とする時代と正対し、固定観念を突き破って日本の国際関係を構想したといえるが、三人に共通しているものを抽出するならば、脱イデオロギーの現実主義、国際社会を賢く生き延びる経済主義という点であろう。

さて、二一世紀に入って二〇年以上が過ぎ、現在の日本に如何なる国家構想があるかを自問する時、「自由で開かれたインド太平洋」を語り、「中国の脅威を封じ込める日米同盟強化」という枠組みでしか対外構想を描くことのできない日本に気づく。そして、国家構想に関する真剣な議論さえ存在しない現実に驚く。不思議なまでの国家構想の空白と硬直、ここに現代日本の悲劇があるといえよう。何故、こうなったのか。間違いなくそれは、この三〇年の日本経済の埋没とも相関している。そして、それは冷戦後のパラダイムたる「グローバリズム」と「新自由主義」の潮流に呑み込まれ、主体的な思考を見失ったことによるものと言わざるを得ない。

冷戦終焉後の一九九〇年代から二一世紀初頭にかけて、多くの日本人は戦後日本経済の成功体験の余韻に浸り、「これからはグローバル化の潮流に乗って、グローバル・スタンダードに準拠して生きる」といった方向感を共有し、真剣に日本国としての構想を模索することをしなかった。その空白の反動で、「安倍政治」に象徴される偏狭なナショナリズムと日本回帰主義を呼び戻すことになったともいえる。その構造を再考察して議論を深め、日本の二一世紀の国家構想を探究していきたい。

（2023・10）

5　国家構想なき日本を超えて

冷戦後の三十数年と並走して、日本が如何なる方向に進んでいるのかを自問する時、この国が国家構想を見失ったまま走っていることに気づく。見失ったというよりも、日本という国家のありかたを国際関係の中で問い詰める緊張感を喪失したまま、「このままでいい」という固定観念に埋没しているようである。本章4では、近現代史において日本の国家構想と格闘した三人の先人、福沢諭吉、石橋湛山、高坂正堯の議論を再考察したが、今我々が置かれている状況を確認し、二一世紀日本の国家構想を求めていきたい。

「失われた三〇年」は国家構想の消失の三〇年でもあった

日本における国家構想の希薄化をもたらしたものは、グローバリズムへの耽溺であった。一九八九年の冷戦の終焉宣言後、日本は「グローバル・スタンダードに準拠して生きること」を暗黙の国家戦略の前提としてきたといえる。イデオロギーが東西を二極に分断した時代は終わり、国境を越えて「ヒト、モノ、カネ、情報がより自由に移動する時代の到来」とする認識が流布され、新自由主義（市場主義）に立つグローバリズムが世界潮流となり、多くの日本人は疑問を抱くことなくその波に呑み込まれていった。流れに順応するという日本人の過剰同調サイクルが働いた。

「新自由主義」に基づく規制緩和と民営化が日本の経済政策となった先駆けは、一九八五～一九八七年にかけて、中曽根康弘政権下での三公社（電電公社、専売公社、国鉄）の民営化であった。「民営化」と「規制緩和」が時代潮流となり、一九九一年の大規模小売店舗法規制緩和などを経て、行き着いたのが二〇〇一～二〇〇六年に小泉政権下で「聖域なき構造改革の本丸」として推進された郵政三事業の民営化であった。郵政民営化は、国民の経済的厚生を客観的に分析して導入されたというよりも、政治的熱狂（小泉劇場）として実施された面があり、その後「民営化」「規制緩和」の影の部分が顕在化するにつれ、国民意識に「改革疲れ」（改革への失望）の空気を生み、本来改革されるべき業界・行政・政治家の既得権の岩盤を崩すことは、むしろ進まなくなった。

冷静に「郵政民営化」を省察する時、そのメリットを「それまで大蔵省に預託され財政投融資の財源とされた郵便貯金や公的年金保険料を民営化によって解放し、金融制度の柔軟化を図った」とする議論もあるが、実は小泉改革以前に財投改革（二〇〇一年）は完了しており、如何なる意味を持つ「改革」だったのか疑問が残る。世界の現実への洞察と主体的構想に立つ「民営化」

や「規制緩和」ではないため、日本の改革は底割れする。郵政民営化も、二〇一七年の改正見直しに至る過程、とくに国民資産たる郵便貯金と郵政事業が結局どうなったのかを検証すれば、喧騒の中で失ったものが理解できるであろう。

駆り立てられるように小泉改革に向かった背景に、米国の圧力が存在したことは間違いない。「日米規制改革及び競争政策イニシアティブ」の下に、米国の日本への「年次改革要望書」(二〇〇一～二〇〇三年版)が郵政民営化を強く要望し、金融分野への米企業の参入を期待していたことは明らかで、その要望に応えることが政策の中心になっていったのである。

日本にとって不幸だったのは、9・11の同時多発テロ後の政治的狂気と経済におけるグローバリズムの奔流が同時化したことであった。本章4において、同じ敗戦国であったドイツが、一九九〇年代には冷戦後の米独同盟のありかたを主体的に見直し、在独米軍基地の縮小、地位協定の改定に踏み込んだのとは対照的に、日本は二一世紀の日米同盟を議論することなく、「同盟強化」へと突き進んだことを論じたが、そこに9・11が拍車をかけたのである。

ニューヨーク、ワシントンという中枢を襲われた米国は逆上し、アフガン、イラク戦争へと突き進んだ。日本は“Show The Flag”という要請を受け、対米協力を本音としてインド洋に自衛隊を送り(二〇〇一年一一月)、イラク戦争が始まるやイラク人道復興支援特別措置法の下に陸上自衛隊をイラクに送った。イラク戦争は明らかに「不必要な戦争」であった。イラクは9・11テロに関与していなかったし、大量破壊兵器も持っていなかった。あれから二二年、欧米メディアはそのことを検証する報道を積み上げたが、「日米同盟重視」を暗黙の前提とする日本は、自らのイラク戦争への関与の妥当性を検証することはしない。

新自由主義の潮流を加速させたメディア

「新自由主義とグローバル化」の受容を加速する上で、重要な役割を果たしたのはメディアであった。日本経済の羅針盤というべき日本経済新聞は、一九九九年の正月から「新資本主義が来た」という特集を五五回にわたり連載して単行本化した。このことは、考察3 第2章の1「「新しい資本主義」への視界」でも触れるが、「市場化」(市場に任せよ)と「グローバル化」(国境の相対化)と「情報化」(IT革命)が新たな時代潮流として強調され、それが経済人の常識になっていったのである。それから二〇年、二〇二〇年正月から、日経新聞は「逆境の資本主義」という連載を開始、この間の経年変化に危機感を深めていることを報じた。逆境をもたらした要因として、「目先の利益至上のいびつな資本主義への傾斜」「異形の国家資本主義たる中国の参入」「デジタル化の加速」などを指摘しているが、より本質的なこと、日本自身が選択・推進し、日経新聞も支持した「アベノミクス」(極端な金融主導の景気浮揚策)の検証は、今日に至っても報道されない。筋道の通った進路が描けない理由がメディア状況にあるともいえる。

余談だが、驚くべき事実に触れておく。「グローバル化」と「新自由主義」のイデオローグとしてその必然と必要を主張してきた論者の豹変である。たとえば、『サンデー毎日』(二〇二三年九月三日号)は「「竹中平蔵」とは何者なのか!」という田原総一朗氏のインタビューを載せたが、竹中氏が新自由主義者としての信念を主張し続けているかというと、そうではない。竹中氏は新自由主義がもたらした格差と貧困という現状に対し、分配の公正を図る「ベーシックインカム」の導入を主張しており、異次元金融緩和と財政出動を柱とした「アベノミクス」に関して、「アベノミクスは二年で撤退するべきだった」と語っている。

実は、「リフレ経済学」を掲げてアベノミクスを支持した論者は、MMT（現代貨幣理論）型の財政出動を支持し、ベーシックインカムを主張する傾向がある。財政規律（公的債務の肥大化）に関して鈍感であるためといえる。違和感を覚えるのは「経済」を論じる視座である。経済は「経世済民」に由来する言葉であり、国民経済の現場に立つ視界が不可欠なのだが、経済産業の現場を生きたことのない学者と官僚の机上の議論が、日本の埋没と迷走を誘発したことに気づかされる。

私自身の一九九〇年代は、米東海岸を基点として活動していた。「資本主義が勝ち、社会主義は敗れた」という時代潮流の中を冷戦後のロシア・東欧を動き回り、あきれるほどの商業主義と金融資本主義がかつての社会主義圏を席巻していくのを見つめながら、グローバリズムなるものへの疑問と怒りを込めて書いたのが『新経済主義宣言』であり、以来今日まで、冷戦後のパラダイムを超えた二一世紀世界秩序と日本の進路にこだわり続けている。

二〇一〇年代世界潮流の変化——グローバリズムとナショナリズムの交錯

二一世紀の主潮と思われた「新自由主義に立つグローバリズム」は、二〇一〇年代に入り大きな変調を迎えた。新自由主義の動揺というべき事態が噴出し始めたのである。今我々が目撃しているのは、グローバリズムとナショナリズムの交錯であり、複雑骨折のごとき様相を呈している。

グローバル資本主義が掲げた「新自由主義」(ネオリベラリズム)は「市場中心主義」で、すべてを市場の原理が決める潮流が世界を席巻するかに見えたが、それでは制御できない事態を露呈させ始めた。民族・宗教・家族などの価値が鳴動し始め、二〇一〇年代には多くの国で「新・保守主義」(ナショナリズム)といえる潮流が顕在化してきた。

本章1、2では、二一世紀システムの輪郭として「ロシア、中国、米国の衰退と内向」を論じた。社会主義を捨て、ロシア正教による統合(正教大国)を目指すとするプーチンのロシア主義への回帰、「改革開放路線」を捨てて「社会主義現代化強国」と「中華民族の偉大な復興」を掲げる第三期政権に入った習近平の中国の「紅い専制」と強権化、そして米国における「アメリカ・ファースト」を叫ぶトランプの登場と分断の深まりによる米国の世界秩序への求心力の喪失という事態が二一世紀システムの性格になりつつあることを論じてきた。グローバル・サウスの要を演じるインドのモディ政権のヒンドゥ至上主義への傾斜をも含め、世界は「自国利害中心主義」とでもいうべきナショナリズムへの回帰という事態に直面している。

それを増幅させたのが二〇二〇年からの「コロナ・パンデミック」であった。世界中の人々が、嫌でも国境の意味、国家の価値を再認識させられたのである。国籍によって国境を越えた移動を制限され、ワクチン接種の順番を待ち、国家への依存と期待(失望)を深め、自らが帰属する国家・政府の能力を凝視せざるを得なくなった。

もちろん、経済社会の実体は、確実にグローバル化を加速させ続けている面もある。たとえば、プロスポーツの世界では国境を越えた市場の一体化が進んでおり、大谷翔平という存在が示すごとく、野球少年は大リーグという市場に評価されることで、日本のプロ野球市場の何十倍もの収入が実現できる時代を迎えた。そして、日本のプロ野球は通過点にすぎないのかという複雑な思いが、二〇二三年春のＷＢＣでの「日の丸チーム」の優勝への熱狂をもたらしたともいえる。

教育においてもグローバル化は進捗し、デジタル技術を通じたリモート授業を活用すれば、欧米の大学院の「世界一流の講義」にアクセスすることも容易になり、旧態依然とした高等教育に縛りつけられる時代ではない。つまり、教育でもグローバリズムとナショナリズムが交錯し、渦を巻く状態にある。

マクドナルド、コカ・コーラ、ナイキ、ディズニーを米国の文化帝国主義を象徴する企業群とする見方があり、冷戦後、世界中に浸透し、文化状況を均質化させたともいえるのだが、一方で、二一世紀の世界は民族性と文化的アイデンティティの回復を求める傾向も強めている。世界は重層化しているのだ。

フランシス・フクヤマの『歴史の終わり』（三笠書房、一九九二年）は、共産主義の崩壊による自由民主主義の勝利という局面を受けての単純な「自由民主主義の勝利宣言」ではなく、民主主義という価値を守り抜く立場からの「終わらない対立と課題」を予感させる議論であった。フクヤマは近著『リベラリズムへの不満』（新潮社、二〇二三年）で、あらためて古典的リベラリズムからの「ネオリベラリズム」（新自由主義）批判という議論を展開しており、冷戦後三〇年の米欧における思潮の変化を感じる。

もう一つ、冷戦後の思潮を代表する論稿としてサミュエル・ハンチントンが唱えた「文明の衝突」（一九九三年）に触れておきたい。「文明の衝突」は「普遍的な文明はありえない」という認識に立ち、冷戦終焉後の世界においても「文明観の対立」、とくに「西欧対非西欧」という対立が高まることを論じたもので、「八つの文明圏」（中華、日本、ヒンドゥ、イスラム、西欧、東方正教会、ラテンアメリカ、アフリカ）という設定に疑問は残るが、宗教・民族的世界観の間での世界秩序を巡る抗争の持続という視界は一定の説得力を持つものであった。とくに、二〇〇一年の9・11同時テロの衝撃を受け、アフガン、イラク戦争へと突き進む米国に「西欧対イスラム教」という「十字軍的対立」の復活を感じた人も少なくない。

もちろん文明圏の対立という要素もあるが、二一世紀に噴出してきた事象、たとえばロシアのウクライナ侵攻、米国の分断と自国利害への回帰、中国の強権化・専制化は、「文明の衝突」という脈絡だけでは理解できない。より「民族」や「国家」という要素が重いように思われる。ハンチントンは、日本に関して、二一世紀の文明間戦争において「ためらいながら中国の文明圏につく」と予見していた。確かに日本は長く中国の文明圏を生きてきたが、二〇世紀以降の一二〇年間の実に九〇年以上をアングロサクソンの国との同盟（日英同盟と日米同盟）で生きたという特異性を有しており、それが日本の制約であることを理解していないといえる。

日本を覆う閉塞感の本質——「取り戻そうとした日本」とは何か

再考するならば、二〇一〇年代からの日本の迷走と深まる閉塞感も、世界潮流におけるグローバリズムとナショナリズムの交錯の日本的変容なのかもしれない。気づくべきは、日本から「改革」という言葉が消え、屈折した虚弱なナショナリズムが燻りながら、「それでも、米国についていくしか選択肢はない」という硬直した心象風景である。

二〇〇九年の民主党への政権交代は主体的思考を取り戻す好機であったが、期待は失望に変わった。沖縄普天間基地の県外移転を巡る迷走と挫折は、対米関係の再設計の覚悟のなさを露呈し、続く菅直人、野田佳彦政権は無力感漂う政権運営となった。東日本大震災の衝撃もあり、政治的現実主義に立つ対米配慮もあり、変革のオルタナティブは失われていった。国民意識が行きついたのが現状肯定の常温社会（イマ、ココ、ワタシの関心領域への埋没）であった。

民主党政権の稚拙さへの失望と3・11を背景に登場した安倍政権が掲げた「日本を、取り戻す。」というメッセージは、屈折した日本人の心理を歪んだナショナリズムに引き込む変化球であった。安倍政治が取り戻そうとしたものは、戦前回帰の教育勅語的世界観であることが次第に明らかになった。二〇一七年、安倍政権は教育勅語の副読本化を閣議決定した。教育勅語の価値観が儒教的倫理にあるにせよ、天皇制国家への愛国と犠牲を求めるものであり、戦後日本が築いてきた国民主権の民主主義とは相容れないものであり、敗戦に至る近代史の教訓を超克できない保守政治の危うさが滲む。そのことは、「安倍暗殺」が明らかにした戦後日本の保守政治の歪み、すなわち「反共」のためには「反日」を教義とする旧統一教会とも連携するという矛盾を平気で内包してきたことにも繋がるのである。

健全なナショナリズムを持ち堪えるために

日本の文化を深く理解し敬愛するナショナリズムは、日本人として大切にしなければならない。だが、「愛国」を語る日本の保守の論者の多くが、皮肉にも「親米ナショナリズム」という複雑骨折に陥っていることに気づかねばならない。これこそが日本流のグローバリズムとナショナリズムの交錯の表象なのかもしれない。戦後日本は、あまりにも米国の影響を受け、「米国を通じてしか世界を見ない」という視界に埋没してきた。今、我々が取り戻すべきことは本当の意味でグローバルに世界を捉え、創造的な未来を構想し、歩みだすことである。

グローバル化とナショナリズムが交錯する潮流の中で、結局何が問われているのか。それはナショナリズムと民主主義の関係であり、ナショナリズムを国家主義(専制)の土壌にしてはならないということである。健全なナショナリズムを持ち堪えるための国民の政治意識の覚醒が求められる。ロシア、中国などはナショナリズムを危うい専制に結び付けている。米国は民主主義を否定するトランプ前大統領に象徴される「分断」の淵に立つ。英国はブレグジット後の政治的迷走を続けているが、それでも民主主義にはこだわり続けている。日本はどうなのか。戦後に突然与えられた民主主義がどこまで根付いているのか。国家主義の誘惑を断ち、自らの進路を国民が熟慮・選択する試練の時にあることは間違いない。

「日本の埋没」なるものが、経済の相対的後退を意味するだけでなく、多くの日本人が不思議な同調性と受容性に埋没し、あるべき世界の創造に立ち向かう意思を失っていることに気づくべきである。

(2023・11)

道筋

全体知に立つ——構想に至る思索のプロセス

考察1　時代認識との格闘——パンデミック、国際関係

第1章　コロナと並走して

1　新型コロナ危機の本質

新型コロナウイルス問題の本質を考察するには大きな視座が必要である。四六億年とされる地球の歴史のうち、微生物（ウイルス、細菌など）は三〇億年もの歴史を重ねてきた。アフリカにヒト族ホモ・ハビリスが誕生したのは約二〇〇万年前とされ、我々の先祖であるホモ・サピエンスが登場したのが約二〇万年前とすれば、人類は地球の「新参者」にすぎない。人類はウイルスとの共生で生きてきたという自覚が必要である。

仏教的世界観に「本来無一物」があり、オーソン・ウェルズの名言とされる「我々は一人で生まれ、一人で生き、一人で死ぬ」にも通じる視界だが、実は、我々は決して一人ではなく、常にウイルスと共生してきた。人体には三七兆〜六〇兆といわれる細胞よりも多い数百兆もの「常在菌」といわれる微生物が存在しており、ウイルスを含むさまざまな微生物と共に生きているのである。

「パンデミック宣言」が意味するもの

二〇二〇年三月一一日、奇しくも東日本大震災から九年目という日、WHO（世界保健機関）は新型コロナウイルスに関し、「パンデミック」（世界的大流行）を宣言した。一一七カ国、一二万人を超す感染者、四四八六人の死者という事態（三月二三日時点、一八九カ国、感染者二九万四〇〇〇人、死者一万二九〇〇人）を受けての宣言であった。パンデミック宣言は二〇〇九年のインフルエンザ流行時にも出されているが、社会的混乱を配慮して、インフルエンザ以外の感染症でパンデミックを宣言しない方針にもかかわらず、異例の宣言をしたのである。

異例のパンデミック宣言が出たことで、東京五輪開催に黄信号が灯った。終息宣言が出ない限り開催は危うく、遅くとも一カ月前までの終息宣言が求められるが、当然、震源地の中国と「パンデミックの中心地」（WHO、三月一三日）となった欧州での終息宣言が不可欠である。IOC（国際オリンピック委員会）は、開催に関しては「WHOの判断に従う」としており、米国の「非常事態宣言」（三月一三日）という情勢変化を受けて、五月より早い段階で「変則開催、延期、中止」の判断がなされる可能性が高い〔追記：その後二四日に延期が決定した〕。

ところで、現在の日本人の死因は、一位ガン、二位心疾患、三位老衰、四位脳血管疾患となり、五位が肺炎（呼吸器症候群）で、年間死亡者の八％、一〇万人以上が肺炎で亡くなっている。とくに高齢者は感染症を引き起こす細菌やウイルスが肺に入って生命を脅かすことが多く、新型コロナウイルスが登場しなくとも、肺炎を起こす多様なウイルス、細菌が脅威として存在している。

ウイルス研究の専門家の話と文献を冷静に受け止めるならば、新型コロナウイルスの致死率は四・二％（WHO三月二二日時点、日本は二・五％）であり、季節性インフルエンザの致死率〇・一％よりは高いが、SARSコロナウイルスの九・六％よりは低く、検査数が増えれば、発症していない感染者が増えることで致死率は下がり、インフルエンザのレベルにまで低下すると予想される。ウイルスは変異することもあるから楽観はできないが、新型コロナについては「感染力の強い、弱毒性のウイルス」ということで、医療体制さえ整えば、極端な恐怖心も抑制されるべきである。

二〇世紀以降の感染症の流行を振り返っても、一九一八年のスペイン風邪で四〇〇〇万人、HIV（エイズ）で三五〇〇万人、一九五七年のアジア風邪で二〇〇〇万人、一九六八年の香港風邪で一〇〇万人、二〇〇九年新型インフルエンザ（パンデミック2009）で二七万人が亡くなったとされ、新型コロナの脅威も相対化して捉えるべきである〔追記：二〇二四年四月時点で、世界でのコロナでの死者数は約七〇〇万人、致死率は〇・一％である〕。

基本的な視界――そしてパンデミック史に学ぶもの

健康に恵まれ、今日まで一度も入院をしたことのない私だが、二〇一六年秋、水疱瘡のウイルスが耳の神経を刺激して、左の顔面が歪む「ラムゼイ・ハント症候群」に罹り、東京大学医科学研究所の世話になった。投薬治療で回復したが、それを機にウイルスについて、専門家の話を聞く機会が増えた。

エド・ヨンの『世界は細菌にあふれ、人は細菌によって生かされる』(柏書房、二〇一七年)や、英国の進化生物学者フランク・ライアンの『破壊する創造者――ウイルスがヒトを進化させた』(早川書房、二〇一一年)は、我々の世界観を揺さぶるもので、人体も社会も多様なウイルスで溢れ、それが「常態」だということだ。「人間は一つの個体ではない」ことに気づかされる常在菌の存在は、一九七〇年代末の発見であり、「マイクロバイオーム」(遺伝子の集合体)の解明という先端的研究がコンピュータ科学の発展と相関し、急速に進化している。我々は病原体ウイルスにのみ関心を向けがちだが、ウイルスの特性を利用する先端医療技術の研究も進化しており、DNAワクチンなど新世代ワクチン、ガンのウイルス療法など新たな地平が拓かれつつある。

病原体ウイルスは、BSL(バイオ・セーフティ・レベル)で四段階に分類され、致死率七割超ともいわれるエボラ出血熱などが「BSL-4」で、新型コロナも現段階ではSARSやMERSと同じ、BSL-3とされている。「感染力は強いが毒性は比較的弱い」というのが特性で、このレベルのウイルスは遍在しているといえ、それを「パンデミック」にしない知恵が求められるのである。

人類はパンデミックの歴史を繰り返してきた。一四世紀のペストは中央アジアを震源とするらしいが、欧州の人口を半減させ、世界で一億人の命を奪ったという。欧州の都市を動いていると、ペストの碑と出くわすことが多く、「黒死病」の恐怖の大きさを印象付けられる。「悪魔の仕業」、「ユダヤの陰謀」とされ、無知が恐怖心を増幅し、パニックを引き起こした。ネズミとノミが感染に介在するといわれ、ペスト菌発見は一八九四年であった。

一九世紀にはコレラの脅威が世界を震撼させた。日本にも文政・安政年間に「コロリ」として上陸した。ロベルト・コッホがコレラ菌を発見したのは一八八三年であったが、「疫学の父」といわれるジョン・スノウがロンドンのソーホー地区を精査して感染地図を作製し、水に原因があると気づいたのは一八五四年であった。コレラの世界的蔓延は大航海時代が背景となっており、「西力東漸」で旧大陸の感染症が新大陸に持ち込まれた。サンドラ・ヘンペルの『パンデミック・マップ——伝染病の起源・拡大・根絶の歴史』(日経ナショナルジオグラフィック、二〇二〇年)は人類と感染症の戦いの歴史を俯瞰する素材であり、「移動と交流」がパンデミックをもたらしてきた構図が理解できる。新大陸の民族には感染症への「抗体」がなかったことが悲劇を増幅させたという。

WHOは「中国で発生した新型コロナだが、今や欧州がパンデミックの中心地」としたが、欧州人からすれば、二一世紀に入って二〇年、押し寄せる中国からの観光客に「東力西漸」を感じていたはずで、皮肉な逆流が生じている。感染症の地球的拡大は「移動と交流」、つまり国際化、グローバル化の影の問題なのだ。

日本の失敗の構図——官邸主導対応の陥穽

恐怖心が理性を超える時、社会心理は不安に駆り立てられる。その不安をテコにした官邸主導の「国難政治」が、日本を奇妙な方向に引っ張っている。安倍首相は二〇二〇年三月二日からの全国の小中高等学校の休校を要請した。この要請は、海外では日本政府による緊急事態宣言と受け止められ、日本への渡航、日本人の入国制限を加速させる結果となった。文科省や厚労省が現場を信頼せず、少数の官邸官僚が主導する独断専行が事態を屈折させせている。

ウイルス特性が子どもではなく、高齢者に多くの発症をもたらしている現実を考えたならば、学校現場の現実を踏まえた合理的意思決定がなされるべきだが、議論の方向が「休校に伴う関係者への休業補償」に向かい、数千億円以上の公的負担が休業補償に投じられる事態となった。

今、最優先されるべきは、ウイルスの検査、医療、研究への資金投入と体制整備である。三月一三日、米トランプ政権は非常事態宣言をしたが、目玉は最大五〇〇億ドル(五兆四〇〇〇億円、二〇二〇年当時)の「検査・治療体制強化」への連邦政府資金の投入である。感染症対策への税金投入は正当な政策であり、「休業補償」に政府資金が投入されざるを得ないところに、官邸主導なる日本の政策判断の歪みがある。

休校という政策判断は、エンタメパークを止め、イベント・集会・旅行を止め、経済活動を極端な「自粛」へと向かわせた。この判断は、クルーズ船に閉じ込めて七一二名もの乗客を感染させた厚労省の初動ミスに苛立った首相官邸が、官邸主導で「国難」に当たっている姿勢をアピールする意図で発動されたことは間違いなく、医学的というより政治的判断の産物であった。

「国難」という言葉は、先日までは北朝鮮のミサイル発射に使われ、官邸主導で大騒ぎした挙句、米国からの防衛装備品の購入拡大という結果に行き着き、本質的解決にはなっていない。官邸主導というと「リーダーシップの発揮」として、「何かやってる感」を漂わせるが、所掌の現場の専門性から乖離した偏狭な意思決定に堕す危険がある。「アベノミクス」といわれる異次元金融緩和を軸にしたインフレ誘導政策も、対米過剰同調だけを際立たせる外交も、日本を「官邸レベルの国」にしてしまっている。新型コロナ対応も、日本の英知を結集した展開にしなければならない。

コロナ経済恐慌の本質

コロナ・ショックは世界経済の構造的矛盾を炙り出した。日米の株価は「根拠なき熱狂」ともいえる二〇二〇年初の水準から、二〇二〇年三月二〇日時点で約三割(米ダウ三二%、日経平均二八%)下落した。「脳力のレッスン」では、「実体経済から乖離した金融経済の肥大化」の持つ危うさを一貫して論じてきたが、冷戦後の世界が「ウォールストリートの強欲な人々」(金融資本主義)によって、「借金をしてでも景気を拡大させる」という方向に誘導され、金融規制緩和、金融緩和の流れを作ってきた。二〇一八年段階で、世界の債務残高(借金)は一八八兆ドル(金融機関を除く企業、家計、政府部門の債務残高)と、世界GDPの二・三倍に拡大し、この債務はリスクに反転する。原油価格の二〇ドル割れも相関し、ハイイールド債の破綻リスクは臨界点に迫っている(追記:その後、原油価格は持ち直したものの潜在リスクは残る。債務は増え続け、二〇二三年六月末時点で三〇七兆ドルに達する」。

とくに日本経済は、コロナ・ショックなどなくとも、アベノミクスは愁嘆場にきていた。「リフレ経済学」なる無責任な経済理論に乗って、異次元金融緩和で景気を刺激して調整インフレに持っていこうとするアベノミクスは出口なきまま長期化し、株高だけを演出してきたが、産業の構造改革を図れないまま、コロナ・ショックを迎えたのである。異次元金融緩和を続けてきたため、いざ景気刺激策を打とうにも、政策手段が限られている。これ以上の金融緩和の深掘りも、財政出動も効果は限られている。

日銀は二〇二〇年三月一六日、「金融緩和の強化」として異様な対応を見せた。日銀のETF（上場投資信託）買い入れ枠を年間六兆円から一二兆円に拡大するというのである。中央銀行が株式市場に直接資金を入れること自体、異様なことだが、今や日本の上場株式市場の筆頭株主は日銀になってしまった。日銀ETF買いのポジションは約二九兆円、GPIF（年金基金）の株式購入分と合わせて、約九〇兆円もの公的資金が株価維持のため投入されている。日経平均が一万九五〇〇円を割り込むと、公的資金で購入した株は含み損になる。産業の実力以上に景況感を引き上げてきた「株高」幻想が崩れた今が正気に還る時である。公的資金で株価を支え続けることは、ステロイドや抗生物質を投与し続けることと同じで、自分で生きる力を失うのである。

日本の経済人は「マネーゲーム」ではなく、産業の実体を直視しなければならない。二〇一九年の日本の実質GDP成長率は〇・七％で、日本の実体経済はアベノミクスの七年間、水面上ギリギリで推移してきたのに、株価だけが「根拠なき熱狂」を続けてきた。我々は、日本の産業現場を直視し、新しい時代の戦略を再設計しなければならない。

鉄鋼、エレクトロニクス、自動車という日本の基幹産業の実体を直視せねばならない。「鉄は国家なり」と言われた日本製鉄は四基の高炉を止めるという。「技術の日産」は強欲な似非グローバル経営者に翻弄され、ものづくり日本のシンボルだった東芝は原発事業で大きく躓き、ハゲタカ投資家の犠牲になっている。気がつけば、創出付加価値の総和である日本のGDPの世界比重は、平成が始まる前年の一九八八年の一六％から、二〇一八年には六％にまで下落した。三菱総合研究所の「未来社会構想二〇五〇」報告によれば、一・八％にまで埋没するという。株高幻想に依存し、危機感なく迷走しているところにコロナが襲っているわけで、コロナが問題の本質を炙り出したということだ。

新しい課題に新しい政策論を

コロナについても、政策科学を進化させて対応すべきである。感染症の問題の本質は、国境を越えた「移動と交流」の影の問題であり、「グローバル・リスク」である。二〇一九年の訪日外国人は三一八八万人、日本人出国者は二〇〇八万人と、五〇〇〇万人を超す人々が越境する時代であり、これに伴うリスクを制御する政策が必要なのである。

たとえば、新型コロナウイルスの致死率は、季節性インフルエンザのレベルまで低下するだろうが、今後重要なのは致死率七割といわれるエボラ出血熱などのＢＳＬ-４の感染症への体制整備である。実は、ＢＳＬ‐４対応研究施設（高度安全実験施設）は、世界二四カ国に五九カ所あるが、日本には国立感染症研究所村山庁舎の一カ所のみで、ようやく二カ所目が長崎大学に建設中である。検査、臨床、研究、ワクチン開発、専門人材育成にとり不可欠な施設であり、少なくとも日本にあと数カ所の建設を実現すべきである。

また、その財源確保のためにも新しい政策論が必要である。たとえば、グローバル化の恩恵を受ける個人、企業から応分の税金を取り、グローバル化リスクを制御する責任を共有する政策論としての国際連帯税などの導入を真剣に検討すべきであろう。国際連帯税については、二〇〇六年にフランス、ブラジルなどが主導する形で、リーディンググループが結成され、日本も二〇〇八年に五五番目の参加国になり、議員連盟までが結成されたが、税制改革の議論では常に後回しにされ、何一つ実現できないでいる。

国際連帯税の先行事例が「航空券連帯税」で、フランスなど一四カ国が実施している。国際線利用者に平均一〇ドル程度の税を課して、それを熱帯感染症対策の財源として、アフリカへのワクチン供与などを実行している。国際連帯税の本丸は金融取引税で、金融商品や為替の取引に広く薄く課税し、国境を越えた問題に立ち向かう財源を確保しようとするもので、これまで英国の反対で進まなかったが、離脱後のＥＵ一〇カ国の財務相会議などで真剣に検討され始めている。欧州が先行する国際連帯税の導入に、日本も参画すべき局面である。新しい次元の問題には新しいルールと政策科学が必要なのである。

（２０２０・５）

2　コロナ危機の中間総括

日本で最初のコロナ陽性者が出たのは二〇二〇年一月一五日で、二〇二一年七月中旬で五五〇日が経過した。波状的に増える感染者に、政府は「緊急事態」「蔓延防止」を繰り返し、専門家の意見を受け、ひたすら接触を断つ「自粛国家」の様相を呈してきた。不思議なのは、この間、この国のリーダーは「直面している事態の意味」「実行した政策と効果」「残された課題と展望」について、責任と信頼を込めた説得力あるメッセージを一切発信しないことである。

国民の不安に応えるために、根拠のある政策科学的説明に力を入れるのが「職業としての政治」を志した者の当然の責務である。このままでは、後世から「コロナ・パンデミックに際し、国民にマスク二枚と一〇万円を配った愚かな時代」と嘲笑されるであろう。

WHOの「パンデミック宣言」が続き、東京に四回目の「緊急事態宣言」が出される中、東京五輪が始まる局面にある二〇二一年七月、IOCの拭いがたい商業主義と開催国日本政府の面子が強行させた開催であるが、スポーツの祭典が本来の意義を取り戻す契機となることを願いつつ、このコロナ禍の五五〇日を振り返り、中間的総括をしておきたい。それは今後も長く向き合わねばならないであろう感染症ウイルスという課題に対する思考のマイルストーンでもある。

人類史にとってのコロナ禍――人間としての省察と希望

この間、我々が学んだことを確認しておきたい。第一に、「ウイルスとの共生」という視座の進化である。私は二〇二〇年四月の段階で、地球の歴史は四六億年、微生物(ウイルス、細菌など)の歴史は三〇億年、それに対し、我々ホモ・サピエンスの歴史はわずかに二〇万年であり、人類は地球の新参者にすぎないとして、「人類はウイルスとの共生で生きてきたという自覚が必要」という視点を強調した(本章の1「新型コロナ危機の本質」)。

その後、「ウイルスとの共生」という視界は「ウィズコロナ」「新しい日常」「新常態」などの言葉と繋がり、定着したかに見えるが、波状的な感染者拡大を受けて、恐怖心と苛立ちが今も多くの人の心を覆っている。だが、我々はこの五五〇日の過程で、深く考えさせられ、ウイルスに関し少し賢くなった。人間とウイルスの関係を考える上で、山内一也『ウイルスと人間』(岩波書店、初版二〇〇五年、新版二〇二〇年)には目を開かされた。「ウイルスにとってみれば人間はとるにたらない存在にすぎない」との言葉は衝撃的であり、「ヒト内在性レトロウイルス」の存在を知った。約三〇〇〇万〜四〇〇〇万年前、霊長類に組み込まれたのがヒト内在性ウイルスであり、人間はウイルスが新しい遺伝子を運び込むことで進化した面もあるという。

さらに最新の研究成果として、『日経サイエンス』(二〇二一年七月号)が、カリフォルニア大学サンディエゴ校のデヴィッド・プライドの「ヒトバイローム」に関する論稿(原文はScientific American、二〇二〇年一二月号所収)を紹介している。「バイローム」という概念は、我々の人体への理解を変えざるを得ない認識に繋がるものであり、「人体は細胞でできており、ウイルスなど微生物の侵入を受けている」というのが従前の認識であったが、この一〇年で様変わりし、「人体は細胞と細菌、菌類、そして圧倒的多数のウイルスが同居する超個体(叢)である」ことが検証されてきたという。ヒトの体内には細胞数の一〇倍となる約三八〇兆個ものウイルスが存在し、大半は無害であるが、病原体ウイルスも三二万種も存在するという。こうした視界は生命体としての人間を相対化するのである。

第二に学んだのは「病原体の特定」ということの意味であり、これが「希望」に繋がるのである。今回のコロナ禍は一〇〇年前の「スペイン風邪」と対比されることが多い。第一次大戦期の一九一八〜一九二〇年にかけて世界を巻き込み、世界の死者は四〇〇〇万人に達した。第一次大戦の死者が約一〇〇〇万人というから、その悲惨さがわかる。日本でも内地で四五万人、外地(植民地)で二九万人の死者を出した。

そのスペイン風邪と今回のコロナとの違いは、病原体の特定にある。一〇〇年前、人々は何と闘っているのかもわからず、謎の伝染病に苦闘していた。一九三〇年代に電子顕微鏡が登場するまで、ウイルスは捕捉できなかった。米国の陸軍の研究所が「スペイン風邪は鳥インフルエンザウイルスの変異」と病原体を特定したのは、実に一九九五年だったという。今回のコロナについては、中国武漢で最初の感染者が出て、わずか一週間でウイルスを特定しており、それが中国陰謀説を誘発するほど、早々と病原体は確認されたのである。病原体の特定はワクチンや抗ウイルス剤の開発の前提であり、その後の展開で予想外に早くワクチン開発が進んだ理由もここにある。

表1　コロナ禍の日本の家計構造　（万円/月）

	2019年	2020年	ピーク（1990年以降）
勤労者世帯可処分所得（2人以上の世帯）	47.7	49.9 除 給付金 47.1（試算）	49.7（1997年）
全世帯家計消費支出（2人以上の世帯）	29.3	27.8	33.5（1993年）

（出所）総務省統計局「家計調査」

日本のコロナ対応——政策科学的検証

日本のコロナ対応は、初期対応から奇妙なほど稚拙な政策判断がなされたといえる。二〇二〇年二月二七日、いきなり全国の小中高等学校の休校要請がなされた。教育現場からの要請ではなく、官邸主導で強行された。重症化リスクの高い高齢者対策ではなく、まず「児童・生徒」を対象にした措置がとられたのである。そして、マスク二枚と一〇万円の給付金であり、不吉な迷走の前兆であったが、日本のコロナ対応における問題を三点抽出しておきたい。

①　三次にわたる補正予算とその使われ方

コロナ対応のために、政府はこれまで三次にわたる補正予算を組んだ。一次補正（二〇二〇年四月三〇日成立）二五・六兆円、二次補正（同年六月一二日成立）三一・八兆円、三次補正（二〇二一年一月二八日成立）一九・二兆円と、総計七六・六兆円となるもので、東日本大震災から一〇年間に投入した復興予算三七兆円の倍以上の規模になる。

この補正予算に基づく「事業規模」は、一次補正一一七・一兆円、二次補正一一七・一兆円、三次補正七三・六兆円の総計三〇七・八兆円で、対GDP比重五七%はG7でも最大とされていた。

ただ、その実効性、中身と運用については多くの疑問を残す結果となっている。二〇二一年三月末の予算執行額を見ると、医療関係支援（医療機関の病床確保など）に四・二兆円、医療関係以外（特別定額給付金一二・七兆円、持続化給付金五・五兆円、雇用調整助成金三・二兆円、ＧｏＴｏキャンペーン〇・五兆円など）に約二九兆円となっており、多くは医療関係以外に使われたことがわかる。

経済対策も重要なことは理解できる。だが、国民すべてに一〇万円を配った「特別定額給付金」の一二・七兆円が際立つが、その政策効果は甚だ疑問である。資料を確認してみたい（表1）。二〇二〇年の勤労者世帯可処分所得は、統計上は前年比で月額二万二〇〇〇円も増えた。一世帯平均三・三人として、三三万円の給付金が入ったからである。だが、全世帯家計消費支出は月額で前年比一万五〇〇〇円も減っており、給付金を使わず貯め込んだということである。経済刺激策としても、困窮者対策の社会政策としても「一律一〇万円給付」は失敗だったのである。勤労者世帯の可処分所得がピークだったのは一九九七年、家計消費支出がピークだったのは一九九三年、ともに四半世紀も前のことであり、如何に日本の家計が貧困化したのかを考えさせられる。

② 国産ワクチン開発の遅れの意味

「何故、日本は国産ワクチンを作れないのか」という疑問を、海外の識者から受けることが多くなった。日本の研究開発力と産業技術力に自信と誇りを抱いていた多くの日本人は、外国のワクチン供給を待つ国になってしまったことに深い失望を感じている。

専門家と話をすると、国産開発の遅れに関して「ワクチン・ギャップ」という説明に出くわす。一九九二年の東京高裁の司法判断として、種痘など予防接種の副作用による死亡・後遺症をめぐる訴訟で、ワクチン接種後一カ月以内の副反応を含む有害事象に関して製薬会社と国の責任が認められた。これによりワクチン開発に腰が引け、空白期間が生じ、今日まで引きずっているというものである。

確かにそうした要素も否定できないが、主要国が資金を集中投入してワクチン開発に取り組んだのに比べ、日本の対応は消極的だった。一次補正で、「治療薬」として首相自らが会見で言及した「アビガン」に一三九億円投入したのに対し、アンジェス、第一三共、塩野義製薬、ＩＤファーマなど、少なくとも四つのプロジェクトが動いていたワクチン開発には総計一〇〇億円が投じられたにすぎなかった。

「こんなに早く世界のワクチン開発が進むとは思わなかった、ワクチンが最終兵器ではない」というのが日本の専門家の判断であったが、二〇二〇年の秋口には世界では「ワクチン戦争」という言葉が使われるほど開発は加速していた。ファイザーやモデルナなど「ｍＲＮＡワクチン」（ウイルスの遺伝子情報を基に抗原タンパク質を造り、ヒトの細胞内で免疫を誘導するメカニズム）が主役に躍り出ているが、このｍＲＮＡワクチンの開発の経緯を調べると、日本の何が問題なのかが浮かび上がる。この研究開発はカタリン・カリコ博士の粘り強い努力の賜物で、ウィスコンシン大学、ペンシルバニア大学の三〇年にわたる基礎研究の上に、二〇一〇年からはドイツのビオンテック社での研究が結実したものである。

医学分野の研究には、基礎研究と臨床研究がある。日本の場合、京都大学の山中伸弥教授がｉＰＳ細胞研究でノーベル生理学・医学賞を受賞したことで、再生医療に極端な期待が持たれ、生身の患者に立ち向かう臨床研究への支援体制が薄くなったことを指摘する専門家も少なくない。基礎研究と臨床研究を繋ぐ「死の谷」といわれる部分に光を当てることが医療行政の役割だが、コロナ禍は日本のワクチン戦略（開発・獲得戦略）と医科学政策の拙さを証明したといえる。

③　コロナ病床が増えない理由――日本の医療システムの壁

緊急事態宣言を繰り返しながら、何故コロナ病床は増えないのか。この間、何度となく「医療崩壊迫る」という報道が繰り返されてきたが、二〇二〇年五月から二〇二一年六月までの間に、コロナによる入院患者は四・二倍になったにもかかわらず、コロナ病床は約二倍にしか増えていない。また同期間に重症者は六・五倍になったにもかかわらず、重症者病床も二倍にしか増えていない。そもそも、OECDの参加国において人口比の病床数は日本が最も高い水準にあるとされてきた。だが、全病床に占めるコロナ病床の比重は英米の一割に満たないという（日本経済新聞、二〇二一年二月二三日付）。理由は医療機関の連携不足で、民間病院のコロナ患者受け入れが進まないためとされるが、五五〇日経っても改善が進まないことは、医療行政の重大な欠陥を物語っており、「コロナ専門病院」の建設も進まない不可解な状況が続いているのである。

「感染が確認されたのに入院もできない」という軽中等症患者への対応が不安を増幅している。自宅やホテルに感染者として留め置かれている人たちへの医療システムはきわめて不透明で、如何なる投薬・治療行為、経過観察がなされているのか、保健所の能力の限界もあり、掌握できていないというのが大都市部の現実である。五五〇日における政策科学的な進化が見られないということが問題なのである。

専門知から全体知へ――レジリエンスの大切さ

日本における専門知の限界、科学ジャーナリズムの劣化を深く考えさせられたのもこの五五〇日であった。二〇二〇年四月一五日、「理論疫学者」と自己認識する専門家が「対策をまったくとらなければ、国内で八五万人が重症化し、四二万人が死亡する可能性がある」という見解を厚労省での記者会見で発表した。「リスク・コミュニケーション」という手法らしく、最悪の被害想定を示すことで国民の行動変容を促す意図とされるが、この「四二万人」という数字が独り歩きをし、その後の展開の中で専門家の見解を国民が信じなくなる契機となった。臨床の現場で患者に向き合ったこともない理論疫学者の統計手法における確率論が、課題解決への視界を狭めてしまったといえる。この時点で、米国でのコロナの死者が二万人を超していたが、たとえば、米国でのコロナ死の社会学的要因たる「格差と貧困」「人種差別」の現状に視界を広げれば、日本で「四二万人の死者」という予想が荒唐無稽なものであることに気づいたであろう。残念なことに、日本にはこうした専門知の限界をチェックする科学ジャーナリズムが存在しない。二一世紀に入って新聞(一般紙)の発行部数は一五〇〇万部減少し、科学班が急速にリストラされていったからである。

事実が証明している。二〇二〇年の日本でのコロナによる死者は三四六六人であった。不幸なことに、二〇二一年に入ってから死者が急増し、七月中旬に一万五〇〇〇人を超したが、それは前述の「ワクチン」「コロナ病床」への政策対応の劣後がもたらしたもので、政策科学的根拠のない専門家による「恫喝」は、むしろ行動抑制の妨げになることを示したのである。「専門知のありかたや政治と科学の関係」を真剣に模索するならば、指導者の下に多様な「専門知」を「総合知」に高め、さらに「全体知」の中での優先事項を意思決定することのできるシステムを探求すべきである。

政治的意思決定における「全体知」とは何か。理想的には、「政治主導・官邸主導」の政治力学の中で、日本の意思決定の中枢たる政治指導部が国民や専門家よりも一次元高い「全体知」を有し、政策の優先順位が判断されるべきなのだが、残念ながら、この国は官邸とそれを取り巻く周辺の知的レベルと、利害関係に基づく意思決定に埋没しているといわざるを得ない。政策判断に不可欠な「全体知」として、歴史時間における進路認識と世界を見渡す意思に加え、人間の内なる価値を真摯に探究する精神性を挙げておきたい。コロナ禍における日本の指導者の沈黙の意味は、錬磨した「全体知」がないことに由来すると思われる。

コロナ禍の中で、最も気になっている数字に触れておきたい。それは自殺者の増加である。二〇二〇年の新型コロナでの死者は前述のとおり三四六六人だが、自殺者については二万二二二人にのぼり、前年比七九七人増であった(表2)。とくに若者の自殺に注目すべきで、資料のごとく「一〇代、二〇代、三〇代の死因の一位が自殺」であり(表3)、直接コロナに関係ないように見えるが、鬱々とした時代の空気の中で、生きていくことに希望を見出せない若者が増えていることは否定できない。

自殺の原因は安易には論じがたいが、コロナが、戦後日本が作り上げてきた社会システムの虚

表2　日本における死因順位（2020年）

順　位	死　因	死亡数（人）
第1位	悪性新生物〈腫瘍〉	378,356
第2位	心疾患	205,518
第3位	呼吸器系の疾患	172,704
	肺炎	78,445
	誤嚥性肺炎	42,746
	新型コロナウイルス	3,466
	インフルエンザ	954
第4位	老衰	132,435
第5位	脳血管疾患	102,956
第6位	不慮の事故	38,069
	交通事故	3,713
	転倒・転落・墜落	9,581
	⋮	⋮
	自殺	20,222

（出所）厚生労働省「2020年人口動態統計（概数）」（2021年6月発表）等

表3　日本における死因順位【年代別】（2020年）

	10代	20代	30代	40代
第1位	自殺	自殺	自殺	悪性新生物〈腫瘍〉
	761人	2,414人	2,510人	6,691人
第2位	不慮の事故	不慮の事故	悪性新生物〈腫瘍〉	自殺
	283人	500人	1,507人	3,417人
第3位	悪性新生物〈腫瘍〉	悪性新生物〈腫瘍〉	心疾患	心疾患
	193人	387人	574人	2,581人

（出所）厚生労働省「2020年人口動態統計（概数）」（2021年6月発表）等

弱な部分を衝いてきていることを感じる。戦後日本は産業と人口の大都市圏集中を実現し、産業力による「豊かさ」を実現したが、一方で「過密の中の孤独」を深め、生存危機を意識せざるを得ない愁嘆場におけるレジリエンス（心の耐久力）を虚弱化させたともいえる。

日本人のレジリエンス、すなわち心の耐久力、回復力が求められる時代である。生き抜く心の耐久力にとって大切なのは生身の人間社会とのつながり（接点）であり、人間はそこに希望を見出すのである。それ故に大人社会の責任は重い。どんなに厳しい時代環境でも、そこに生きる大人たちが筋道の通った挑戦をしている限り、後進は希望を失わない。時代が「虚偽、虚栄、偽善、欺瞞の空気」を漂わせている限り、不安と不条理に追い詰められるであろう。

ラリー・ブリリアント他五人の専門家による「新型コロナの不都合な真実――永続化するウイルスとの闘い」（Foreign Affairs Report、二〇二一年七月号）は「ＣＯＶＩＤ-19は根絶できない。忍耐強いウイルスに対する長くゆっくりした闘いが続く」という認識を示し、動物由来の感染症は多様な形で存続し続けるであろうし、集団免疫もワクチン効果もグローバルには限界があり、「グローバル・ヘルスシステムの刷新」が必要なことを主張している。コロナ禍の長期化の中で、時代の空気が「否定・怒り・苛立ち・絶望・諦念」に傾きがちだが、科学的な視界を取り戻し、世界および日本の医療制度・ヘルスシステムの再構築に向かうことをこの中間総括の課題としておきたい。

（２０２１・９）

第2章　ウクライナ危機とロシアを見つめる眼

1　プーチンの誤算

　プーチンがロシアの大統領として国際舞台に登場したのは、二〇〇〇年の沖縄サミットであった。ソ連崩壊から九年、エリツィンを継ぎ、この元ＫＧＢ諜報員が登場した時、世界のメディア論調は、混迷するロシアの象徴としてこの新指導者を報じていた。その八年後、洞爺湖サミットには、プーチンは当初の任期を終え、メドベージェフが大統領として参加したが、プーチンは首相に留まり、「皇帝」といわれるほど実権を握っていた。

　そうさせたのは、エネルギー価格の高騰であった。二〇〇〇年初のＷＴＩ（ＮＹ原油先物価格）は一バレル二五・六ドルであったが、二〇〇一年の９・11同時多発テロを転機として、イラク戦争など中東の地政学的不安を背景に、油価は上昇を続け、二〇〇八年七月には一四五・三ドルに跳ね上がっていた。その間、プーチンはエネルギー産業の国有化を進め、政権と自身の浮上材料としたのである。皮肉にも、9・11の恩恵を受けたのはプーチンであった。

軍事大国・経済小国ロシアの悲哀

冷戦の終焉とソ連崩壊後、既に三〇年が経過したが、依然としてロシアは軍事大国、核大国である。世界の戦略核弾頭は一万二七〇〇発とされるが、そのうち、ロシアが保有する弾頭(実戦配備可能な予備分を含む)は五九七七発で、約半分を占める。米国は五二四四発、中国は四一〇発である(米科学者連盟、二〇二二年)。また、世界の武器輸出の約二割がロシアからであり、米国からの約三割と双璧をなす。つまり、極端な核・軍事大国なのだが、それを支える経済基盤はきわめて小さい。

冷戦終焉の直前の一九八八年、世界GDPに占めるソ連の比重は八%となっていたが、一九七〇年代には一二%程度の比重を維持していた。ところが、冷戦後の通貨ルーブルの崩落によりプーチン登場の二〇〇〇年にはわずか一%に落ち込んでいた。プーチンが君臨するに至ったロシアだが、エネルギー産業に過剰に依存する構造は改善されず、産業力は高まらず、二〇二二年の世界GDPに占めるロシアの比重は二%にすぎない。世界GDPの国別ランクで、ロシアは一一位で、一〇位の韓国の後塵を拝している。

この軍事大国・経済小国という断絶が「ウクライナ・ジレンマ」を生んでいるといえる。つまり、核戦争を誘発しかねないNATOとの直接軍事対決を回避し、経済制裁によってウクライナへのロシアの侵攻を抑止するという「ジレンマ」に苦闘し続けている。二〇二二年二月二四日の侵攻開始から五〇日という経過を総括するならば、ウクライナの戦争被害も悲惨だが、ロシアの予想外の苦戦が際立つ。「首都キーウ陥落、ゼレンスキー政権崩壊」という想定を断念し、ウクライナの東部二州に集中し、「勝ったことにして収束」に持ち込もうとしているように思われる。面目を保つ形での収束に追い込まれているともいえる。

プーチンの暴走を触発した要因として、米バイデン政権の責任を問う声もある。二〇二一年八月のタリバンによるアフガニスタン制圧に対し、バイデン政権は何もできず、世界の地域紛争に介入する意思がないことを示した。それがロシアのウクライナ侵攻の誘因になったという見方も否定できない。ただし、皮肉にもプーチンの強引な軍事侵攻が、NATOの結束を促し、「経済制裁」というソフトパワーを結集させることになった。「経済制裁など効かない」とする見解もあるが、グローバル経済の相互依存構造に参入してしまったロシア経済にとって、このシステムから排除されることの影響は深刻である。二〇二一年比でマイナスが予想される実質GDP成長率、通貨ルーブルへの信認の喪失、ロシア国債の債務不履行リスクの高まりなどを視界に入れるならば、今後のロシアGDPの世界経済に占める比重が、一・〇%以下に落ち込むことは間違いない。

ロシアの国民生活も深刻な事態を迎えるであろう。ロシアの二〇二一年の一人当たりGDPは一万一〇〇〇ドルと、ほぼ中国並みであるが、今後も徐々に下落していくと推定され、途上国のレベルになるということである。「市場経済」に参入した冷戦後の三〇年で、多くのロシア国民が大衆消費社会に引き込まれ、都市部では、マクドナルド、スターバックスから日本のユニクロや丸亀製麺までが進出し、洒落た西側のブランドが並ぶショッピング・モールでの消費行動を享受する状況を迎えていた。それが今、潮がひいたごとく消えつつある。配給券を求めて長い行列ができていた憂鬱な時代への逆流が迫っている。

二〇二二年三月のロシアの消費者物価は前月比七・六％上昇とされているが、ルーブルの交換価値の下落に伴う輸入インフレのインパクトが襲うのはこれからである。自国の通貨が信頼を失うことの悲劇を味わうことになるであろう。外貨を稼ぐロシアの輸出の八五％は一次産品、とくに化石燃料（石油、石炭、ＬＮＧ）であり、軍事・原子力以外、産業力を持たない。医薬品から日用雑貨、生活を支える基礎物資まで輸入頼りであり、この虚弱な産業構造をプーチンの二二年間は変えることができなかった。

それにしても、何故プーチンはかくも無謀な「特別軍事作戦」という名の戦争に踏み込んだのであろうか。指導者プーチンの決断を突き動かしたものは何か、大きな疑問が残る。ロシア専門家はプーチンを取り巻く側近グループを「シロヴィキ」と呼ぶ。たとえば、パトルシェフ安保会議書記、ナルイシキン対外情報庁（ＳＶＲ）長官など特異なインナーサークルで、プーチンと同じくソ連時代のＫＧＢの諜報将校の出身者によって占められており、「プーチン・ドクトリン」といわれるプーチン王朝の政策思想を支える存在とされる。

プーチン・ドクトリンとは何か。基軸は「世界は弱肉強食、力こそ正義」という価値観で、頼れるのは「核と軍事力」というハードパワーへの信奉である。冷戦後のレジームの変更、すなわちソ連邦時代の版図・勢力圏の回復を志向し、大国として敬意が払われるロシアへの回帰を熱望する「リスペクト・シンドローム」に陥っているといえる。

かかるドクトリンに立って政策を展開したプーチン政権にとって、経済は政治権力に動かされるべきものであり、利権と権益を求めて擦り寄る経済人を手玉にとって「オリガルヒ」といわれる財閥企業群を束ねてロシア経済を支配してきた。また「ロシア版ダボス会議」(経済・投資フォーラムなど)を開催し、欧米や日本の経済人を呼び込み、ロシアへの投資を促してきた。恫喝すれば経済はついてくるという思惑が、ロシア制裁の包囲網の中で崩れ、水が引いたようにロシア離れを起こしている。誰もロシアを信用しなくなった。経済は信頼に基づいて動く。信頼という見えざる価値を支えるのがソフトパワーなのである。

国境なき民族としてのウクライナ

ウクライナは、ユーラシアの歴史の中で国境線に翻弄され続けてきた。現在のロシアの原形ともいえるキエフ・ルーシ(キエフ朝ロシア)のウラジーミル大公がビザンツ帝国の皇帝バシレイオス二世の妹アンナと結婚してキリスト教(ギリシア正教)に改宗したのが九八八年で、そこがスラブ民族へのキリスト教の東方展開の起点であった。その後、一三世紀のモンゴルの興隆により、ウクライナはキプチャク・ハン国の版図となり、一二九九年には正教の「主教座」がキエフからモスクワに移った。「タタールの軛」といわれた時代であり、モスクワが「第三のローマ」という自意識を抱く展開となった。キプチャク・ハンは一四世紀半ばには、ロシアの諸公国を支配下に置き最盛期を迎えた。

タタールの軛を断ったのが初代のツァーリとなった雷帝イワン四世であり、一五五二年(カザン・ハン国の陥落)であった。その後、一九一七年のロシア革命に至るまで、ウクライナはロマノフ王朝ロシアの版図に組み入れられながら、ポーランド、ドイツ帝国(プロイセン)、オーストリア・ハンガリー二重帝国(ハプスブルク)、オスマン帝国の綱引きに翻弄され続けた。その力学の中で、ウクライナ史の深層に埋め込まれたのがユダヤという要素であった。

一七世紀、ポーランドの貴族が国内に増えたユダヤ人と契約(アレンダ制という信託開拓制度)を結び、ウクライナの農業開発に利用したことにより、ウクライナにユダヤ人が増加した。一七二一年、ピョートル大帝によって「ロシア帝国」と呼称するに至ったロシアは、リトアニア、ポーランド、ベラルーシ、ウクライナにかけて帯状の「ユダヤ人強制移住地域」を設定した。それにより、ウクライナには「ハレーディーム」と呼ばれる超正統派ユダヤ教徒(旧約聖書、タルムードを信奉する黒装束の原理主義ユダヤ教信者)が集積することになった。日本では森繁久彌の当たり役となったミュージカル『屋根の上のバイオリン弾き』はウクライナを舞台にしたユダヤ人の物語であり、ショーレム・アレイヘムの小説を原作とし、逆境の中でのユダヤ人の逞しさ、ユーモアが心を打つ作品であった。

二〇〇三年からの四年間、私は経団連のウクライナ研究会の委員長として、「オレンジ革命」後のウクライナを何度となく訪れた。強く印象づけられたのはこの国の科学技術研究基盤の確かさであり、たとえばキエフ工科大学がソ連時代の宇宙開発や原子力工学技術を支えたという事実であった。米国に先駆けてソ連が人工衛星を打ち上げた(一九五七年)のも、チェルノブイリがウクライナに存在した理由も腑に落ちた。そして、その背景に「知をもって離散史を生き延びたユダヤ人」の集積があることを知った。冷戦後、一〇〇万人以上のユダヤ人が旧ソ連からイスラエルに帰ったとされるが、多くはウクライナからであった。

今回のロシアの侵攻という危機を迎え、ウクライナが予想外の耐久力を示している要因の一つとして、ウクライナ史に埋め込まれたユダヤという要素を注視すべきであろう。ユダヤ系の大統領ウォロディミル・ゼレンスキーを支援する国際世論の形成力は驚くべきもので、西側諸国やイスラエルの国会向けにゼレンスキーのリモート配信を実現する背後には、ジョージ・ソロス、ヘンリー・キッシンジャー、ヴィクトル・ピンチュクなど米英での大物ユダヤ系人物を中心とするネットワークが動いていることを実感する。また、始まった停戦交渉の仲介者として、プーチンに近いオリガルヒ(財閥)の一翼を占めるユダヤ系実業家、ロマン・アブラモヴィッチが登場し、ウクライナ側の停戦条件としての「ウクライナへの多国間安全保障」の構成者案として、国連五大国に加えトルコとイスラエルが提示されていることなど、如何にウクライナがユダヤ系ネットワークを駆使しているかを暗示している。また、ゼレンスキーを支えるミハイロ・フェドロフ副首相兼デジタル変革相が展開するアップル、グーグルなどDX企業をウクライナ側に引き寄せる情報戦略は見事で、SNS、衛星からの情報、ドローンなどを駆使して「新しい情報戦争」を有利に展開しているといえる。総じて、欧米においてユダヤ系人材が強い影響力を持つのはデジタルと金融の世界であり、これらの分野を突き動かすソフトパワーでロシアへの圧力を強めていることは間違いない。

究極のソフトパワーともいえる国際世論の形成力に関し、プーチンの悪夢ともいえる動きがある。ロシア軍による民間人虐殺などの事態が報道され始め、「戦争犯罪」の断罪というシナリオが動き始めた。二〇〇二年にオランダのハーグに「大量虐殺、人道に対する罪、戦争犯罪、侵略犯罪」を処罰するための国際刑事裁判所（ＩＣＣ）が設立された。日本を含む一二三カ国が加盟しているが、米国、ロシア、中国は加盟していない。国連から独立した機関で、国連の安保理がＩＣＣ検察官に付託した場合には非加盟国にも管轄権が行使できることになっているが、安保理には「五大国拒否権」という壁もあり、ロシア断罪でＩＣＣが現実的に機能するとは思えない。

だが、プーチンが恐れるべきは米国主導の「国際特別法廷」であろう。つまり、ユダヤ人大量虐殺や人道に対する罪を裁いたニュルンベルク裁判であり、東京裁判再びということである。ＩＣＣの枠組みを超えて、ロシアの非道を糾弾する国際世論は高まっており、仮にこうした特別法廷が動き、プーチンをはじめとする戦争責任者が訴追されて「有罪」と判決が出された場合、どうなるだろうか。逮捕、収監される可能性はないとしても、国の指導者が犯罪者とされて国外にも出られない事態が続く意味は重い。また、歴史の中で「戦争犯罪者」と評価されることは国家の指導者として恥辱以外のなにものでもない。

（２０２２・６）

2　ロシア正教の意味

ウクライナへの軍事侵攻という暴挙に踏み切ったロシアの大統領プーチンは、ウクライナ侵攻後の演説で、ロシア人を「愛国者」か「くず、外国への裏切り者」に二分し、自らの路線を支持する人を「愛国者」とする思考回路を示した。それでも、侵攻後の複数の世論調査において、ロシア国民のプーチン支持率は七割を超す。この指導者と国民の深層心理に踏み込むこと、これがウクライナ危機への視界を拓く。それには「ロシア正教」に対する認識が不可欠だと思う。

東方キリスト教への視界の必要性

中東での情報活動をしていた一九八〇年代、キリストが処刑されたエルサレムのゴルゴタの丘に建つ聖墳墓教会を訪れた時の衝撃は忘れがたい。この教会は、キリスト教を受け入れたローマ皇帝コンスタンティヌス帝の母ヘレナが、三二六年に聖地巡礼に訪れて十字架を発見、三三六年に教会を建てた(一一世紀に増改築、一九世紀に破壊、再建)というもので、キリスト教の原点ともいうべき建造物である。

この教会に足を踏み入れて強く感じた違和感は、この聖なる場所がさまざまな教会・会派によって分断管理されており、その頃の私のキリスト教理解からはキリスト教世界の中心にあると思っていたローマ・カトリックが管理しているスペースが教会の一割にも満たないという事実であった。圧倒的スペースを占めるのはギリシア正教であり、その他、エチオピア正教、コプト正教、アルメニア正教、シリア正教などが管理スペースを有し、棺や十字架など、それぞれキリスト所縁の聖遺物を配しているのが印象的だった。プロテスタントがエルサレムに別の教会を建てていることは知っていたが、聖墳墓教会で感じた違和感が、キリスト教理解を深める「気づき」になった。

「キリスト教を創ったのはパウロだ」という言葉があるが、一度もイエスに会ったことのなかった聖使徒パウロが、紀元三七年(キリストの死後四年)に天の声によって「キリスト者への回心」を遂げ、「神はユダヤ人の神でしかないのか」という問いかけを発し、民族・性別・階層を超えたすべての人の神であることを主張したのが「神」を普遍化する基点となった。パウロはギリシア、ローマと地中海地域に布教して歩いた人物だが、アテネのアレオパゴスの丘に立ち必死に説教するパウロの姿(新約聖書・使徒行伝第一七章)こそがキリスト教の世界化の原点ともいえる。

その二五〇〇年も前、ギリシアでは「アテネ民主制」が花開き、プラトン、アリストテレスなど思索する人を生んだ。そして、アレクサンドロス大王によってインドにいたる「ヘレニズム文化圏」を築いたその総本山にパウロは単身挑みかかったわけである。そもそも「キリスト」とはギリシア語で「救世主」を意味する言葉であり、新約聖書もギリシア語で書かれた。ギリシア語が広域ユーラシアの普遍的言語だったからである。

ギリシア正教の「正教」は、Orthodox(オーソドックス)の訳語で、正統なキリスト教という自負が込められている。日本人は、ザビエルによるカトリック伝来、明治期以降の米国からのプロテスタントの布教という歴史を背景に、ローマ・カトリックとそれへの異議を唱えたプロテスタントがキリスト教の主流という認識を有しがちである。つまり、西ローマ帝国の残影ともいえる独、仏、伊、英国というゾーンが欧州だと思い込んでおり、現在のイスタンブールを起点とする東ローマ帝国（ビザンツ帝国）が見えないということが世界認識を歪めているのである。

そのビザンツ帝国の国教となったのがギリシア正教であり、ロシアの原形とされるキエフ・ルーシ（公国）のウラジーミル大公が、ビザンツ皇帝バシレイオス二世の妹との婚姻を機にギリシア正教の洗礼を受けたのが九八八年で、それがロシアを含むスラブ民族へのキリスト教浸透の始まりであった。キエフ大公がキリスト教に改宗した背景については諸説あるが、現在のロシアの高校の歴史教科書であるA・ダニロフ他の『ロシアの歴史』（明石書店、二〇一一年）は「公の権力を強化させるために宗教を必要とした」と述べ、ビザンツ教会はローマ教会とは異なり、教会が皇帝の権力に帰属していたことを理由としている。このことは、今日のロシアを理解することにも通じる。

ところで、現在の欧州の宗教分布図（国別多数派）とNATOへの加盟国の地図を重ねるならば、一九九一年のソ連崩壊後、新たに加盟した国を加えたNATO圏の東端とロシア他のNATO非加盟国の境界が、西方教会（カトリック、プロテスタント）と正教系の東方教会の分岐ラインにほぼ重なることがわかる。さらに、東方教会系でも、ルーマニア、ブルガリア（二〇〇四年）、北マケドニア（二〇二〇年）などがNATO加盟を果たしており、「第三のローマ」として正教系の中核を自認してきたロシア正教の目線からすれば、ウクライナのNATO加盟は、ロシアだけが孤塁を守るという悲壮感を刺激するのである〔追記：その後二〇二三年にフィンランド、二〇二四年にスウェーデンの北欧二カ国が加盟した〕。

ロシア正教の特質――犠牲と受難

ロシアには人口の半分以上の約七五〇〇万人のロシア正教の信者がいるとされ、東方正教会では最大の信者数である。一九一七年から一九九一年のソ連崩壊まで、社会主義体制下にあったロシアでは、「宗教はアヘンだ」という無神論者レーニン、スターリンの影響もあり、教会は弾圧され、資産没収、活動規制など苦難の時代を送った。そのソ連邦の諜報員（KGB職員）だったのがプーチンであり、その人物が敬虔なロシア正教徒だという事実に驚かされる。

プーチンは「社会主義」に一切の共感・郷愁も示さない。中国が今も「社会主義的市場経済」を掲げ、マルクス生誕二〇〇周年記念式典（二〇一八年）などを続けているのとは好対照である。ロシアの統合理念として掲げるのは「正教大国」であり、ロシア正教によって国民を統合し、祭政一致国家を実現しようとする意思を鮮明にしている。

プーチンの国民向けスピーチは、聖書を引用することが多い。ウクライナ侵攻後の「クリミア併合八周年記念式典」でのスピーチでは、ヨハネ福音書を引用して「人が自分の友のためにいのちを捨てること、これよりも大きな愛はだれも持っていません」（第一五章一三節）と語る。戦争で同胞のために命を捨てる兵士を讃える文脈に聞こえるが、ヨハネ福音書の前後の脈絡を確認するならば、「わたしが命じることをおこなうなら、あなたがたはわたしの友です」(同一四節)とあり、つまりイエスの友ということである。プーチンの中でイエスと自身が「同化」しているのである。都合のいい引用というべきで、同一二節には「わたしがあなたを愛したように、あなたがたも互いに愛し合うこと、これがわたしの戒めです」とあることを忘れてはならない。

これほどまでに宗教心にこだわるプーチンが、何故ウクライナの同胞を殺せるのか、何故人権や個人の尊厳を踏みにじれるのか、疑問を感じる人が多いはずである。私にはロシア正教的価値意識が屈折した形で投影されているように思える。西方キリスト教が、宗教改革、英国におけるピューリタン革命、フランス革命、米国独立戦争などを経て、民主主義や人権思想を触発したのに対して、ロシア正教は「力への同調性」(犠牲の美化)と「霊性と神秘性への志向」(受難の礼賛)を重視する傾向を有するように思われる。

ロシア正教に関する史実を読み込むと、当惑と違和感を覚える。たとえば、九八八年にキエフ・ルーシのウラジーミル大公がギリシア正教に改宗したことは既に述べたが、そのウラジーミル大公の息子たちの後継争いにおいて、弟二人が無益な血を流すことを避けて従容と死を選び、その受難を讃えて「列聖」されたという話が出てくる。また、ロシア革命に際し、ロマノフ王朝最後の皇帝ニコライ二世と家族など八六〇名が処刑されたが、二〇〇〇年には受難者として「列聖」されている。こうしたロシア正教の底流にある心性として、「不条理な死」を「受難として礼賛」して「列聖」する価値観が潜在しているように思う。おそらくキリストの死と二重写しになっているのであろう。

一四世紀のビザンツ帝国のギリシア正教の総主教グレゴリオス・パラマス(一二九六〜一三五九年)の主著であり、東方教会の神学の支柱となった「聖なるヘシュカストたちのための弁護」などを収めた『東方教会の精髄　人間の神化論攷』(知泉書館、二〇一八年)を読むと、正教系キリスト教の教義には「人間の霊性」を限りなく探究する傾向が埋め込まれており、それは自己犠牲をも恐れず自らを神にまで昇華させる心性が窺える。

政治権力と結びついた民族宗教

さらにもう一点、ロシア正教には、徹底したロシアの民族宗教であり、ロシアの政治権力と結びついて生き抜いてきたという際立った特質が加わる。廣岡正久の『ロシア正教の千年』(講談社学術文庫、二〇二〇年)は、ギリシア正教について、「教皇を頂点に戴く、超民族的で普遍主義的な「ローマ・カトリック教」とは異なり、民族教会を基本原則とする」と述べるが、ギリシア正教を基点とする東方教会の中でも、ロシア正教は民族主義と結びつき、ロシア愛国主義を形成するエネルギー源になってきたといえる。

一五四七年、初代「ツァーリ」を公式称号とした雷帝イワン四世は、ビザンツ帝国(一四五三年滅亡)の後継者を意識し、「モスクワは第三のローマ」としてローマ帝国の双頭の鷲を紋章とした。ロシア正教はロマノフ王朝の権威付けの基盤となり、一五八九年には、モスクワ総主教はコンスタンティノープルから独立、ロシアの国家宗教となる。

一九一七年のロシア革命以後、社会主義体制下においてロシア正教は苦難の時期を過ごすのだが、ヒトラーがソ連に攻め込んだ「大祖国戦争」(独ソ戦)において、セルギー総主教がスターリンを支援して貢献したことにより存続を確保し、大戦後もソ連邦下を生き延びることができた。そして、冷戦の終焉後は「正教復権」の動きを強め、プーチンによって「正教の国教化」が進行したといえる。二〇〇〇年の大統領就任直後のプーチンは、当時の全スラブの正教の尊敬の対象であったプスコフ洞窟修道院の長老ヨアン神父(一九一〇～二〇〇六年)を訪れ、自らの使命を確認したという。「東でも西でもない」ユーラシアの中心としての「ロシアの役割」の再確認だったという(アレクサンドル・カザコフ『ウラジーミル・プーチンの大戦略』東京堂出版、二〇〇二年)。「正教」をロシアの統治理念とする意識の覚醒である。

ウクライナ侵攻によって国際的にも孤立し、「邪悪な存在」として歴史に名を残しかねないプーチンにとって、現在のロシア正教のキリル総主教は精神的支え(メンター)といってよいであろう。おそらく、「ルースキー・ミール(ロシア世界)」思想、即ち「大ロシア主義」を鼓舞し、ウクライナ侵攻にエールを送るこのロシア正教の指導者は、一三八〇年にタタールの軛に呻吟していたロシアを解放する戦い(クリコーヴォ平原の戦い)に挑んだモスクワ大公ドミートリーを激励して勝利を予言した、ロシア正教の聖セルギイの伝説をプーチンに思い起こさせるのであろう。

日本への教訓——権力と民族宗教が一体化する危険

民族宗教と国家権力が一体となって「愛国と犠牲」を美化し、それを外への攻撃に向ける時、国の運命は制動を失い暗転する。現在、ロシアで進行する事態を見つめていると、宗教的な情念に駆り立てられた権力者が合理的な自制心を失い、力での解決を求める情況、この時代の空気こそ戦争に向かった一九三〇年代の日本と近似していることに気づかされる。

何故、展望なき無謀な戦争に駆り立てられるのか——。日本人はプーチンのロシアがウクライナで展開している非理性的な行為を注視しつつ、日本近代史の教訓を再確認すべきであろう。私は二〇二一年に『人間と宗教あるいは日本人の心の基軸』(岩波書店)を上梓し、人類史における宗教の意味を、「戦後なる日本」を生き、世界経済の現場を動いてきた自分自身の体験に照射しながら、現代日本人の心の基軸を問い詰めてみた。実は、一番苦闘したのは、明治維新から敗戦までの約八〇年間の「宗教と政治」の特異な関係性への評価であった。

明治期といわれるこの時代の日本は二重構造になっている。「尊王攘夷」を旗印に討幕に成功した新政府は「天皇親政の神道国家」の建設を目指した。民衆に根付いていた仏教さえも「廃仏毀釈」で葬ろうとした。だが、欧米列強と向き合う中で、近代国家としての体制を整備する必要を痛感し、内閣制度導入(一八八五年)、大日本帝国憲法発布(一八八九年)、国会開設(一八九〇年)と動いた。「諸事神武創業の始に原き」(王政復古の大号令)として「天皇親政の神道国家」の建設を目指した明治期日本は、近代国家という擬態への軌道修正を図りながら、基底には国家神道を統合の価値基軸とする「国体」(「有司が万機を議論し、神格化された天皇が専制する体制」)を抱え込んでいたのである。まさに民族宗教と国家権力の一体化を目指したのである。

この危うさが対外的孤立の中で制御力を失い露呈したのが戦争に向かう一〇年間であった。それは「天皇機関説事件」(一九三五年)から「国体明徴声明」、「二・二六事件」(一九三六年)、「統帥権干犯問題」を想起すればわかる。昭和軍閥の専横が戦争をもたらしたという視界は狭い。圧倒的に多くの日本人が「愛国行進曲」を熱唱して、共同幻想の中で戦争へと突き進んだのである。「見よ東海の空あけて　旭日高く輝けば……」から始まるこの歌は、「起て一系の大君を　光と永久に戴きて　臣民我等皆共に　御稜威に副わん大使命　往け八紘を宇となし　四海の人を導きて正しき平和うち建てん……」と続く。冷静になれば気恥ずかしくなる言葉が連なるが、この熱狂がまったく無謀な戦争を支えたのである。

明確にしておかねばならないことがある。私自身を含め、多くの日本人の心には故郷の自然や祭祀や初詣の思い出と重なった氏神様への想いがあるはずである。そうした「八百万の神々」を大切にする健全な神社神道と、政治権力と一体化した国家神道は違うということである。国家が民族宗教によって「愛国と犠牲」を美化し、排外主義を鼓舞して暴力的侵略さえも正当化する陶酔に浸ることは、結局「国を滅ぼす」ことになるのである。

世界の論壇も、ロシアの狂騒と八〇年前の日本の類似性を指摘し始めている。プーチンを「無謀な戦争」に駆り立てた構図について、ブルッキングス研究所シニアフェロー、ロバート・ケーガンも、真珠湾攻撃直前の日本との類似を指摘している(Foreign Affairs Report、二〇二二年五月号)。当時の日本にとって米英との協調は「小さな日本」に戻ることで、「見果てぬ夢」に浸る日本の指導者には耐え難い屈辱だった。ケーガンはその「見果てぬ夢」をもたらした構造解析に踏み込んではいないが、それこそが国家神道によって形成された「神国日本」の幻想であり、日本人は「近代史の教訓」を忘れてはならない。憲法改正などの動きの中で、教育勅語など明治期の国家による価値基軸への回帰や国権主義への共感を示す人たちもいるが、戦後七七年を経た日本人の叡智が問われているのである。

（2022・7）

3　近代史におけるロシアと日本

江戸期の約二五〇年間、日本とロシアの関係は不思議なほど密度の濃いものであった。「脳力のレッスン」でも「世界を見た漂流民の衝撃――韃靼漂流記から環海異聞」（『世界』二〇一五年七月号）で書いたが、鎖国といわれる状況下の日本で、日本人の漁民や船乗りが漂流して海外に漂着した事例は、確認できるものだけで三三九件、そのうちロシア関連（樺太・千島、カムチャッカ、アリューシャン、沿海州）が二一件（荒川秀俊編『日本漂流漂着史料』気象研究所、一九六二年）で、驚くべきことに四人のロシア皇帝が日本人漂流民を引見している。

一七〇二年に大阪出身の漂流民、伝兵衛がピョートル大帝に謁見、その後サンクトペテルブルクに日本語学校が設立されることになった。次に、一七三四年には薩摩の漂流民、ゴンザとソウザが女帝アンナに謁見、ゴンザは世界初の露和辞典を編纂することになる。一七五四年にイルクーツクに移転するまで、漂流民がサンクトペテルブルクの日本語学校を支え、ロシアに骨を埋めた。さらに、一七八三年には伊勢の漂流民、大黒屋光太夫がアリューシャン列島に漂着、エカチェリーナ二世に謁見し、帰国を許されて一七九二年のラックスマンの根室来航とともに帰国している。そして一八〇三年、奥州の若宮丸の漂流民、津太夫他四人がアレクサンドル一世に謁見し、日本人初の地球一周を体験して翌一八〇四年にレザノフによって長崎に送り届けられている。通商を求めてのラックスマン、レザノフの来航は、ペリー浦賀来航の半世紀前であり、日本近代史の扉は、実はロシアの「北の黒船」が揺さぶったのである。

大航海時代の波に乗って、ポルトガル、スペイン、そしてオランダが一六〜一七世紀にかけて日本に接近してきたのとはまったく異なる文脈で、ピョートル大帝以来のロマノフ王朝のアジアへの関心と野心が、一八世紀末になって日本の扉を叩いたのである。

ロシア近代史の苦闘——「大改革」の時代

一八五三年、米国のペリー提督が浦賀に来航した年、ロシアではクリミア戦争が勃発した。中東一神教の聖地エルサレムの管理権問題を端緒に、ロシアがオスマン帝国領内に侵入した。ギリシア正教に認められていたオスマン帝国傘下のパレスチナにおけるキリスト教の聖地管理権が、カトリックのローマ教皇を支援するフランスのナポレオン三世の圧力で失われかけたことが開戦理由であったが、背景にはニコライ一世の下でのロシアの南下政策があった。翌一八五四年にはオスマン帝国を支援する形で英国とフランスがロシアに宣戦、黒海沿岸を戦場に戦闘は続き、一八五六年のパリ条約での「ロシアの敗北」という形で決着した。とくに、五万人のロシア軍が立て籠もるクリミアのセヴァストポリ要塞を六万人の英・仏・土の連合軍が三四九日間包囲し、陥落(一八五五年九月)させた攻防戦は伝説として語り継がれている。今日でもロシア人がクリミアにこだわる伏線がここにある。

クリミア戦争の敗戦によってロマノフ王朝は「ロシアの後進性」を思い知らされた。敗北の失意の中で急死したニコライ一世を継いだアレクサンドル二世による「大改革の時代」を迎えるのである。大改革の当初の目標が農奴解放と鉄道建設であった。

一八六一年、「農奴解放令」が出された。一八六〇年代央の時点で、ロシアにおいては綿織物や製糖などの分野で一定の工業化も進み始めてはいたが、全人口の約八割が農民で、その約半分が農奴(領主地農民)、その他「国有地農民」「皇室御料地農民」なども存在していたが、総じて農奴・農民の立場は隷属的で悲惨なものであった。農奴解放令もあくまで皇帝主導の上からの改革であり、貴族・領主層の権益に配慮した改革はかえって領主と農民の対立を深め、「領主殺し」など、社会不安の震源となり始めた。

結局、農奴解放も民主的改革には至らず、資本主義的産業化の萌芽の中で西欧に触発されたインテリゲンチャ青年による「ヴ・ナロード」(人民のなかへ)運動が始まり、社会主義革命への導線になっていく。一八七〇年代になると、ヴ・ナロード運動は、資本主義を飛び越えて一気に社会主義革命へと進む「革命的ナロードニキ運動」(武力闘争化)へと変質し、一八八一年三月には、「解放帝」といわれたアレクサンドル二世も爆弾テロで暗殺され、「皇帝殺し」が現実化してしまった。

ロシアの鉄道建設については、モスクワ―サンクトペテルブルク間の六五〇キロが一八五一年に開通し、一八六五年に三五〇〇キロだった鉄道総距離が一八七四年に一万八二〇〇キロと、驚くべき勢いで敷設が進められたのである。

一八六七年、日本が明治維新を迎え、欧米列強に触発され、必死に近代国家への体制づくりと格闘していた時代を巨視的視界で捉えるならば、まさにロシアの「大改革」と並走していたことがわかる。興味深い事実だが、日本人としてこの時代のロシアを目撃したのが「岩倉使節団」であった。一八七一（明治四）年一一月に横浜を出発した岩倉使節団は、米欧を視察した後、一八七三年三月にロシアのサンクトペテルブルクに到着、四月三日にアレクサンドル二世に謁見している。大久保利通はベルリンから先行帰国していたが、岩倉具視、木戸孝允、伊藤博文は「大改革」を指揮していたロシア皇帝と面談したのである。久米邦武が残した『米欧回覧実記』（第六一〜六五章）は驚くほど的確、かつ鋭くロシアの本質を見抜き、次のように記す。

「其政は専制の下に圧せられ、其化は古教の内に迷ひ、其富は豪族の手に収められ、人民一般の開化は、猶半開の地位を逃れず」

久米邦武は、ロシアの政治体制がロシア正教による政教一致の絶対君主としての皇帝を戴き、「法教はまったく器具に弄して、此仮面を以て愚民を役使する」体制になっていると捉えている。米国から欧州列強を見てきた日本の若き指導者たちは、「欧州で最も不開なる国」としてロシアの後進性に失望を抱いたようで、それはラックスマン（一七九二年、根室来航）、レザノフ（一八〇四年、長崎来航）と「北の黒船」によって揺さぶられてきた幕末日本にとって、最も現実的な脅威と思ってきたロシアが「欧州の片田舎、辺境」にすぎないことへの心理的揺らぎだったといえる。

日本の「明治近代化」も動き始めた。新政府が幕府から引き継いだ横須賀海軍工廠が日本最初の造船所として稼働したのが一八六八年で、一八七二(明治五)年にはフランスの協力で富岡製糸工場が稼働、同年九月には東京新橋—横浜間の鉄道開通(一八八九年に東海道線が全線開通)と「文明開化」の槌音が響き始めた。つまり、日露両国は、同じタイミングで列強模倣の「富国強兵」「殖産興業」、そして対外拡張路線を歩んだのである。

日露近代史の相関——対照的で深層底流では共振

一八六〇(万延元)年、遣米使節団と咸臨丸が太平洋を渡った年、ロシアは、ウラジオストクの建設を開始した。この街の名はロシア語で「ウラジ・ヴォストーク」(東方を征服せよ)を意味し、ロマノフ王朝の極東への野心を剝き出しにしているといえる。一八五八年、クリミア戦争での敗北により南下政策は挫折、アレクサンドル二世は「東進」に転じた。一八五八年、アイグン条約で中国(清朝)にアムール河以北を割譲させ、一八六〇年には北京条約で沿海州を獲得し、極東開発に踏み込み始める。

人口過疎の極東開発に向けて、ロシア・ウクライナからの農業開拓移民を投入し始めた。一九世紀末までに九万人が極東ロシアへ移住したとされるが、背景には一八六一年の農奴解放令があった。解放された農奴が新天地を求め、極東に向かったとされるが、極東への入植者には兵役の免除、土地の二〇年間無料貸与(開墾した土地の買い受けも可能)という特典が付与されたという。とくに、国境警備を兼ねるコサックの移住が促進され、アムール州と沿海州で一六万平方キロの国境沿いの土地がコサックに割り当てられた。一八八三年以降はオデッサとウラジオストクを結ぶ義勇艦船が移送することになり、黒海からインド洋・太平洋・日本海と海路での入植が主流となる（左近幸村『海のロシア史――ユーラシア帝国の海運と世界経済』名古屋大学出版会、二〇二〇年）。対岸の北海道への「屯田兵」入植と相似形だったといえる。

極東ロシアにはウクライナ出身者が集積した。現在、極東ロシアの人口は約六五〇万人といわれるが、約半数近くが先祖はウクライナ人だという。農業開拓移民としての移住に加え、ロシア革命時、および第二次大戦期のヒトラーのロシア侵攻（大祖国戦争）に際し、モスクワに抗った多くのウクライナ人が「シベリア送り」になったためだという。極東ロシアのウクライナ系の人が「人口の浸透圧」で、樺太、北海道、満州に越境し、「白系ロシア人」として生きた。昭和の名横綱、大鵬の父親もウクライナ人であった。

ウクライナと日本の宿縁は続く。日露戦争（一九〇四～一九〇五年）は、一九世紀後半に日露双方が進めた「大改革」と「富国強兵」が朝鮮と満州を舞台に激突したといえる。日清戦争に勝利した日本に対してロシアはドイツ、フランスと共に「三国干渉」をおこない、遼東半島を返還させ、見返りに清国から東清鉄道の敷設権、旅順、大連などを手に入れ、極東進出の意図を露わにし始めた。

一八九一年に着工したシベリア鉄道は一九〇四年に完成するが、その完成以前の開戦を有利と日本は判断した。日露戦争で日本人はロシア人と戦ったと思っていたが、実は極東ロシア軍には多くのウクライナ人が投入されていた。たとえば、旅順要塞の攻防戦で最前線を指揮していたコンドラチェンコ少将、旅順港を拠点としたロシア海軍太平洋艦隊のマカロフ提督、『坂の上の雲』

の秋山好古将軍と対峙したコサック騎兵を率いたミシチェンコ将軍は皆ウクライナ人であった。

日露戦争後の対照的な進路

日露戦争後、二〇世紀の世界史の中で、ロシアと日本は対照的な進路を辿る。

ロシアは社会主義革命の道へと踏み込み、ソ連邦下の七〇年を過ごし、ソ連崩壊(一九九一年)を迎える。日本は新参の帝国主義国家としての性格を強め、「親亜」を「侵亜」に反転させて、「大東亜共栄圏」の夢を追い、敗戦を迎える。どちらも、近代史における挫折を体験するのである。ここでは、プーチンのロシアの行動にも関わる「ロシア革命」の評価について言及しておきたい。

革命の指導者レーニンは、一九一七年の二月革命時にドイツ軍の支援を受けて「封印列車」で帰国するまで、ミュンヘン、ジュネーブ、ロンドン、パリと二〇年近くを西欧社会で過ごした人物であり、ユダヤ人思想家マルクスに傾倒した職業革命家で、「ロシア主義者」からすれば、プーチンの常套句でもある「外国の回し者」となる。何故、プーチンがロシア革命後の社会主義に共感を示さず、「正教大国ロシア」を語るのかを考察する必要がある。プーチンのような「ロシア主義」(ロシア正教に支えられたロシア民族主義)の視界からは、ロシア革命も国際シオニズムに立つユダヤ人主導の革命に見えるのであろう。

一九二二年、ソ連成立の年に英国で出版されたユダヤ研究の定番本とされるヒレア・ベロックの“The Jews”(邦訳『ユダヤ人』祥伝社、二〇一六年)は、ロシア革命が「ユダヤ的性格」を持っていることを分析している。つまり、一〇〇年前の英国の知識階級の間では、ロシア革命は「ユダヤ人革命」と捉えられていた面があり、未熟な「産業資本主義」段階にあったロシアにおいて、資本家を打倒する暴力革命が成功したのも、革命運動の中核となってユダヤ人が駆り立てたためとする認識が提示されているのである。

ロシア革命の主役の一人、トロツキー(一八七九～一九四〇年)はウクライナのオデッサ出身のユダヤ人であった。亡命先のロンドンでレーニンと出会い、革命後は軍事委員として赤軍の創設に尽力した。一九二九年にスターリンと対立して追放され、メキシコで暗殺された。ソビエトとは「会議」を意味するが、「人民が主体的に意思決定に参画する仕組み」として社会主義革命の基本的装置とされ、一九一八年に農民ソビエトと労兵ソビエトの統合がなされたが、こうした志向は国際シオニズム運動の思想と親和性を持つものであった。国際シオニズム宿願のカナンの地におけるイスラエル建国(一九四八年)に際し、国造りの基本とされた「キブツ社会主義」(集団農業共同体)と共鳴する形で、ソ連がいち早くイスラエルを国家として承認したのも、国際シオニズムと社会主義の相関を示すものであった。

プーチン的世界観、大ロシア主義から見える「ロシア革命」の時代は、こうした脈絡の中に置かれるものであり、プーチンがウクライナ侵攻後、ことさらに「愛国と犠牲」を美化する背景には「西欧化」と「シオニズム」(ユダヤとその背後にある米国)を忌避する心理があることが窺える。

一方、日本の二〇世紀以降の歴史は屈折している。二〇世紀の初頭、日露戦争から第一次世界大戦後の一九二三年まで、日本は英国との日英同盟を基軸に「戦勝国」としての体験を重ね、日英同盟解消後は、列強との多国間ゲームに翻弄されて消耗し、満州国問題で孤立して真珠湾への道に迷い込んでいく。敗戦後は一九五一年から現在まで日米同盟を基軸とする七〇年間を生きる。日本は二〇世紀以降の一二〇年間のうち、実に九〇年以上をアングロサクソンの国との二国間同盟で生きたアジアの国という特異な性格を持つ国なのである。間に挟まった約三〇年間は、思い出したくもない戦争の時代であり、「アングロサクソン同盟は成功体験だった」という固定観念がしみ込んでいるかにも見える。だが、「G7の一翼を占めるアジアの大国」を自負しても、「名誉白人的立ち位置」に自己満足し、「米国に過剰依存、過剰同調する国」として、アジアから敬愛されない国という危うさを日本は露呈し始めている。

不思議な現実だが、「米国との同盟強化」を声高に語る人が、戦争責任者を合祀した靖国神社を敬い、戦前の「国体」に郷愁を抱き続け、いつ偏狭なナショナリズムに回帰するかもしれない怪しさを内包しているのを、アジアの識者は首を傾げながら見つめている。日本の国際的存在感の前提であった経済力を直視すれば、世界GDPに占める日本の比重は、ピーク時(一九九四年)一八%であったが、二〇二二年は四%にまで落ちこんだ。この「埋没する日本」という現実を冷静に認識し、未来を構想する時、重要なのはアジアとの関係である。二〇二二年の貿易総額に占める米国との比重は一四%、アジアとの貿易比重は五〇%であった。一〇年後、このアジアとの貿易比重は間違いなく六割を超えているであろう。アジア・ダイナミズムを如何に制御し引き付けるのか、これが重要なテーマであり、日米同盟だけを頼りに日本の安定を図ることはできない。「西欧化に成功したアジアの国」のように見えて、日本の国際関係の基盤は実は硬直的であり不安定である。

論じてきたごとく、日露は対照的な近代史を歩んだように見える。だが、踏み込んで深層底流を見つめるならば、「西欧」との微妙な断層を抱え込み、閉塞感に苛まれると痙攣するという意味で、共通の歴史意識を内在させていることに気づく。ともに、西欧に憧れ、影響され、西欧化を試みるが、結局、西欧の正式のメンバーになれず、西欧との関係が思うに任せぬ状況になると、逆上して民族主義に回帰する局面を迎えかねないのである。西欧のようで西欧でなく、アジアのようでアジアでない危うさが日露近代史に共通する要素なのかもしれない。

（2022・8）

第3章　対米関係再検討への基軸

1　バイデンの米国と正対する日本外交の構想力

全方位外交という言葉があるが、安倍政権の「官邸主導外交」は無残なまでの「全方位失敗外交」に終わった。トランプに振り回され、「イージス・アショア」の結末に象徴される防衛装備品の買い入れとカジノ資本導入の頓挫という日米同盟の矮小化、「北方領土」の拙速な解決にこだわった挙句、失望に至ったロシア外交、硬直したままの韓国・中国との関係、すべて残念な結果となった。

TPP、RCEP(地域的な包括的経済連携協定)、日欧EPAなど自由化の枠組みへの参加などを安倍外交の成果とする説明もあるが、コロナ禍が問いかけるものは、新自由主義、グローバリズムの限界であり、食料自給率の異様なまでの低さやマスク、防護服まで海外に依存する日本の危うさである。自由化を原則にするにせよ、国民の安全や安心を確保する賢明さが求められるのであり、その意味でも新たな次元での外交構想が問われている。コロナ禍によって世界が新たな局面を迎える中で、まずは日本にとって最重要といえる米国との関係から日本の進路を再考してみたい。

米国社会「分断」の深い闇

二〇二〇年の米大統領選挙の開票をめぐる報道で、連日のごとく見せられたのは、米国の地図が「赤いアメリカ」と「青いアメリカ」に塗り分けられる映像であった。「赤」とは共和党トランプが勝利した州、「青」とは民主党バイデンが勝利した州である。日本人としてこの地図を見つめると、「日本人は赤いアメリカを知らない」ことに気づく。二〇一九年の日本人出国者二〇〇八万人のうち、日本から米国に渡航した人は三七五万人だが、その九割以上はハワイ、グアムなど「島のアメリカ」と西海岸のシアトルからロサンゼルス、サンディエゴにかけてのゾーン、そして東海岸のボストン、ニューヨーク、ワシントンDCにかけて、つまり「海岸線のアメリカ」である。ここはすべてバイデンが勝った青いアメリカである。つまり、大方の日本人が実際に触れているアメリカは「青いアメリカ」であり、トランプを支える「赤いアメリカ」の本音は見えにくいのである。

バイデンの全米での総得票は八一二八万票、トランプは七四二二万票で、七〇六万票差の勝利であった。前回二〇一六年の選挙でも、全米の得票ではヒラリー・クリントンが約三〇〇万票多かったが、州ごとの選挙人獲得という選挙制度がトランプの勝利をもたらした。今回の選挙人の獲得は、バイデン三〇六、トランプ二三二（当選に必要な過半数は二七〇）であった。

バイデン勝利の最大の要因は投票率の高さだったといえる。実に六六・七％であり、前回二〇一六年の六〇・一％に比べて六・六ポイントも高く、有権者数二億三九〇〇万人として一五八〇万人も投票が増えたことになる。一九〇〇年の大統領選挙での七三・七％以来、一二〇年ぶりの高投票率であった。

CNNの出口調査を基に投票行動を分析すると、米国社会の「分断」の意味が見えてくる。白人の五八％はトランプ、四一％がバイデンに投票した。性別では男性の五三％がトランプ、四五％がバイデン、女性の五七％がバイデン、四二％がトランプと、対照的である。年齢別では、一八〜二九歳までの若者は六〇％対三六％でバイデン支持、三〇〜四四歳はバイデン五二％対トランプ四六％であったが、四五〜六四歳はトランプ五〇％、バイデン四九％と支持が逆転、六五歳以上はトランプ五二％、バイデン四七％となる。つまり、バイデン当選を支えたのはマイノリティ、女性、若者ということになる。

注目すべきは、敗北したとはいえ、トランプに七四二二万票が投じられたという事実である。そのトランプ獲得票の約八二％、六〇四〇万票が白人票と推定される。驚かされるのは、白人でプロテスタントの七二％がトランプに投票したという。かつて、米国の主導層をWASP（ホワイト、アングロサクソン、プロテスタント）と表現していたが、その層の本音はトランプに共鳴しているということである。

二〇一六年のトランプ当選に関し、中西部の「錆び付いた工業地帯」（ラストベルト）の「プア・

ホワイト」（白人貧困層）の不満とエリートへの怒りが、ポピュリズムに火をつけたという説明がなされたが、今回、全米の白人プロテスタントの七二％がトランプに投票したことは、プア・ホワイトだけではない白人層全体の深層心理が「それでもトランプ」にあることを示すものといえよう。

結局、トランプ現象とは「ホワイトナショナリズム最後の痙攣であった」と総括される。前回の大統領選挙において米国の人口構成における白人の占める比重が六割を割った。二〇一九年段階で白人の比重は五八・三％、マイノリティの比重は四一・七％となった。あと三〜四回の大統領選挙を経て「米国は白人の国ではなくなる」可能性が高い。"Black Lives Matter" などと人種差別反対の運動が盛り上がるほど、「ここは俺たちの国ではなかったのか」という苛立ちが理性を超えて白人層の心理を突き動かし、本音の代弁者としてトランプ支持へと向かわせるのである。

米国の「抑圧的寛容」

トランプ型米国の心理と構造については「脳力のレッスン」中の「ポスト・コロナの世界秩序」（『世界』二〇二〇年一〇月号）でも論じたが、大統領選挙が終わった局面で、あらためてホワイトナショナリズムの根強さに驚かされる。ホワイトナショナリズムの心理をあえて凝縮するならば、「抑圧的寛容」という言葉が当てはまるといえる。自分が圧倒的に優位にある時には寛大で思いやりのある存在が、自分が凌駕されるかもしれないと感じる瞬間を迎えると、嫉妬心と猜疑心の塊となって拒絶反応を示す心理である。

今回の大統領選挙において、米国はトランプという権威主義ポピュリズムを封印するギリギリの復元力を示した。「アメリカ・ファースト」の自国利害中心主義に開き直るトランプから、国際社会のリーダーとしての役割意識を取り戻したいという選択をしたといえる。だが、この国の分断の闇は深い。米国が「自由と民主主義を掲げる理念の共和国」として、第一次大戦後の世界秩序の基本枠たる国際連盟・国際連合、ＩＭＦ・世界銀行といった体制を支える力を失っていることは否定できない。日米関係においても、「縮むアメリカの苛立ち」に巻き込まれていくことを覚悟しなければならない。もはや米国への過剰期待と過剰依存は許されないのである。

米中対立に引き裂かれない日本への視座

二〇二〇年一〇月末、中国共産党は第一九期中央委員会第五回全体会議（五中全会）において、ポスト・コロナへの基本方針を確認した。ここで、いくつか注目すべき方向性が見えてきた。まず、党幹部人事の発表はなく、習近平政権が二〇二二年以降、第三期に入ることは確定的となった。二〇一八年に憲法を改正してまで国家主席の任期制限を撤廃しており、習近平体制の長期化は既定路線ではあるが、香港問題に象徴される「中国の強権化」と、習近平という指導者の個人的性格は相関しており、習の独裁が強まることは必ずしも中国の安定を意味しない。むしろ、統治の不安を内在化させたと見るべきであろう。

それ故に、「コロナのトンネルをプラス成長で駆け抜ける中国」の指導力を際立たせるべく、経済での実績のためにアクセルを踏もうとしている。二〇二一〜二〇二五年の五年間の成長目標を年平均実質五％台とする、というのである。さらに、その一〇年先の二〇三五年までに一人当たりGDPを三万ドルとし、中間層の厚みを実現するという目標を提示した。現在は一万ドルを超えており、それを三倍にするという目標設定は、中国における貧富の格差という問題の深刻さを示し、社会不安を引き起こしかねないという懸念を政権も意識しているということである。

また、内需拡大を強く意識した「内外需循環」という方針を出してきた理由は、中国に対する世界の警戒心を背景にした「脱中国」という空気に対応したものといえる。「武漢ウイルス」といわれるコロナへの中国の対応への不信、香港の「一国二制度」の圧殺(二〇二〇年六月「国家安全維持法」施行、一二月に香港での民主活動家への実刑判決)への嫌悪など、中国に対する世界の目線は厳しさを増している。

「中国包囲網」というべき動きも顕在化しており、一〇月六日の米・日・豪・印の四カ国外相会合は米国主導の中国封じ込めの試みの一環で、そのキャッチコピーが「自由で開かれたインド太平洋」である。ただ、事態は複雑で、ASEAN諸国や韓国などは、中国の危うさを認識しつつも、米中対立には巻き込まれたくないという姿勢を保持している。したたかな中国は、一一月、RCEPに参加した。さらにTPPにさえ参加する意思を表明し始めている。

日本政府はTPPとRCEPといった「自由化」の多国間スキームの実現を外交成果としているが、TPP11とRCEP15の違いを直視する必要がある。RCEPには、TPPに入っていないASEANの六カ国(タイ、インドネシア、フィリピンなど)が加わっているように見えるが、日本は既に二〇〇八年に「日・ASEAN包括的経済連携協定」を実現しており、実態は中国と韓国が増えたにすぎない。

日本は、韓国とは徴用工問題を背景とする「安全保障上の対韓輸出規制強化」をめぐる通商摩擦に直面しており、中国については、この国を国際社会の多国間協調の枠組みに組み入れることは基本的には正しい方向といえるが、RCEPが「紅い経済圏」(中国にとって有利な通商圏)に変質することを危惧する見方もあり、単純ではない。中国は上海協力機構のようなロシア、イランをも巻き込んだ独自の経済圏形成にこだわるが、一方で最も有望なアジア太平洋地域の経済圏に参入する必要性を認識していることは間違いない。

日本としては、何よりもコロナ禍という試練を受け、これまで推進してきた新自由主義に立つ「自由貿易」のスキームを戦略的に見直すべき局面といえよう。先述のごとく、食料自給率の低さ、マスクや防護服など医療分野の基本財さえ海外に依存する現実を踏まえ、国民生活の安全・安定を考えた賢明な産業政策が求められる局面にある。

あらためて直視すべき数字がある。コロナを通じた中国への貿易依存の高まりである。二〇二〇年の日本の貿易総額における中国の比重は二六・五%(前年は二三・八%)と増えている。同年の米国との比重は一四・七%(前年は一五・四%)で、日本産業は中国との貿易に頼ってコロナを抜けようとしているのである。政治的には「米国と連携して中国の脅威を封じ込めよう」と動いているかに見えて、経済産業的には中国への依存を深める方向に進んでいるところに日本のパラドックスがある。米中対立に振り回されず、対立リスクを制御する知恵が日本には求められるのであり、それなくしては自己矛盾の中で迷走することになる。

「同盟重視」の新たな局面とは

西側メディアの論調にはバイデン当選に対する安堵と楽観が見られるが、短絡すぎると言わざるを得ない。もちろん、国際協調重視のバイデンの路線は歓迎されるべきであり、環境問題におけるパリ協定への復帰、WHOへの回帰、イラン核合意への復帰、NATOへの復帰などが想定されているが、米国が国際秩序をリードする余力を失っていることは確かであり、先述の米国内の分断は、米新政権が国民世論の安定した支持を受けながら進むことの難しさを暗示している。

また、「同盟重視」といっても「同盟国の衰退」を前提とすることを確認しておきたい。ワシントンから聞こえてくる認識は、「米国の衰退」というよりも、「同盟国の衰退」であることに驚かされる。我々は、第二次大戦後の世界秩序の中核であり、「ポスト冷戦」時代には唯一の超大国といわれた米国の衰退が問題だと思いがちだが、ワシントンの視界からは、ユーラシア東端の日本と西端の英国という同盟国の衰退が「米国の衰退」と相俟って進行していると映る。確かに、二〇〇〇年に米英日のGDPの世界比重は四九・六%と世界の半分を占めたが、二〇一九年のそれは三四・〇%にまで圧縮している（追記：二〇二一年時点で三一・〇%である）。一〇年後には三〇%を割ることは確かで、このことが「米国の思うにまかせぬ世界」をもたらしているともいえるのである。

日本にとっての「同盟重視」の持つ新たな局面を考えさせる事態が既に動き始めている。それはワシントンにおける「ジャパン・ハンドラー」といわれる、日米同盟で飯を食う人たち、「日米安保マフィア」の復権である。現状否定を前提としたトランプ政権においては「日米安保の現状を固定化する存在」としてジャパン・ハンドラーは排除されていた。その意味で、トランプ政権は米軍基地縮小、地位協定改定を持ち出す好機でもあった。だが、安倍政権はそれを持ち出すことなく、むしろトランプの理不尽な同盟コストの負担増の要求に過剰同調するだけに終わった。

二〇二〇年一一月一二日、バイデン当選に祝意を送る形で、菅、バイデン電話協議がおこなわれた。バイデン側から「尖閣諸島は日米安保の対象」というメッセージが出され、日本側からは「本領安堵を受けた御家人の喜び」のごとく受け止められ、「日米同盟の強化」をもって応じたことが、翌日の各紙朝刊の一面で報じられた。苦笑いであり、バイデンの周りに「日本人にはこれを言っておけば喜ばれる」という助言をする人がいることを示している。

前掲の論稿「ポスト・コロナの世界秩序」において、私は日米同盟の現実を再考する素材として、尖閣問題を取り上げた。そして、これまでも歴代の国務長官、国防長官などが、「尖閣は日米安保の対象」「条約の義務を履行する」「同盟責任を果たす」と発言してきたが、一九七二年の沖縄返還協定以降、中国に配慮して尖閣が日本領であることにはコミットしないことに触れた。バイデンは、従来の米国の姿勢を繰り返したにすぎないのである。

もし菅政権に多少なりとも外交力があるならば、バイデンに対して瞬時に「それは尖閣の日本領有を認め、沖縄の米軍が共同防衛に当たることを意味するのか」と踏み込まなければならない。メディアもそのことを質すことなく、表層の報道をするという愚を続けてはならないのである。

そして一二月七日、アーミテージ元国務副長官ら超党派の有識者グループが、「日米同盟強化」に向けての報告書をまとめた。日本側の受け皿ともいえる日本経済新聞は九日付で「米知日派が協力促す報告書」として報じ、「日米、機密共有で中国包囲」という見出しをつけた。知日派を親日家と誤解するのが日本の常である。実は、このグループの報告書は二〇〇〇年以来、四回出されてきており、今回が五回目である〔追記：二〇二四年四月に六回目が出された〕。「集団的自衛権の行使容認」「有事法制の整備」「武器輸出三原則緩和」など、今世紀に入っての日米同盟強化、軍事的一体化への一連の政策提起はこのグループが提起し、日本側の利害を共有する人たちが呼応してきたといえる。今回の報告は、明らかにバイデン新政権の対日政策を意識したもので、米英豪など英語圏五カ国の機密共有システム(「ファイブ・アイズ」)に日本を加えようという、この流れこそ、米国の戦争に日本が自動的に巻き込まれていくことを意味する。

さらに、ワシントンの一部に日米同盟の次なるステップとして、中距離核戦力(INF)を日米共同管理で持つことを促す議論(リチャード・ローレス元米国防総省副次官「核保有国の北朝鮮と日本——INFオプション」『Wedge』二〇二〇年一二月号)などが出始めていることに驚かされる。中国、朝鮮半島情勢を睨み、日本の実質的核武装(核の傘への日本側負担増)へ誘導する意図が窺える。「日米の軍事的一体化」の先の危険なシナリオに気づく必要がある。

問われる日本の外交構想力

戦後七五年、冷戦後三〇年が経過、冷戦を前提に構築された「日米安保体制」が今日も継続し、ほぼ占領軍時代の「地位協定」を保持したまま米軍基地が存続し続け、日本人の心理には「中国の脅威から日本を守ってくれるのは米国」という固定観念が沈潜し、自立自尊への道はむしろ後退しつつある。「米国の保護領日本」を受容する心理から日本人はいつ目覚めるのか、バイデン政権と正対することができるか否かで、二一世紀日本の運命は見えてくるであろう。

これからの日本に横たわる中国との最も大きな課題としての尖閣問題を「軍事力ではなく、外交力で解決するシナリオ」を模索し、日米関係を考察してみたい。まず、中国が尖閣の領有権を主張する根拠に耳を傾けてみたい。中国は核心的利害としての「台湾は中国のもの」という認識の先に「台湾領域」として尖閣の領有を主張しており、日清戦争後の下関条約(一八九五年)で日本に奪われた台湾が一九四五年のアジア太平洋戦争後に中国に返還されたことにより「中国領」になったという認識である。だが、二〇二〇年に亡くなった台湾の李登輝元総統が「歴史的に尖閣諸島が台湾領だったことはない。台湾漁民が漁をする地域だったが」と再三発言していたごとく、尖閣は琉球の領域であった。

中国が沖縄の領有権にさえ野心を抱いているのであれば「尖閣領有」を主張する本音は別次元のものとなるが、それも歴史的に正当性はない。一九四三年一一月のカイロ会談の際、戦後処理に関して、ルーズベルトが蔣介石に琉球領有を欲しているかを打診したのに対し、台湾の中国返還は明確に要求したが、「琉球は国際機関の中美共管に委託」と主張(蔣介石日記)している。理由は「沖縄は日清戦争以前に日本に帰属していた」ことと米国の沖縄への関心(戦後の東アジア展開の基点として)に配慮したためという。

日本としてなすべきは、自信を持って、まず日本、米国、台湾の間で尖閣問題への共通認識を確認し、それをもって静かに中国と向き合うことであり、国連の安保理事会などを通じ、国際社会に日本の立場を語り続りることである。「武力をもって紛争解決の手段としない」ことを憲法に掲げる日本は、外交力と錬磨しなければならない。吉田茂は若き外交官に対し「経綸に欠ける」と叱責していたというが、日本の政治に求められるのは「二一世紀の世界史における日本の役割」に挑む構想力である。

(2021・2)

2 尖閣問題の本質と外交的解決策の模索

二一世紀日本の国際関係を展望するにあたって、この問題だけは正視せざるを得ないのが、「尖閣問題」である。日本が抱える外交課題の中で、現実に武力衝突、つまり望みもしない戦争のリスクがある唯一の課題といえるのが尖閣問題だからである。日本は尖閣、竹島、北方領土という三つの領土問題を抱えるが、そのうち竹島は韓国、北方領土はロシアが実効支配しており、日本側が行動を起こさない限り軍事衝突に至る可能性は低い。だが、尖閣は違う。習近平政権下の中国の尖閣への圧力は尋常ではない。

日本の海上保安庁にあたる海警局を、二〇一八年七月に国務院のラインから中央軍事委員会の傘下に移し、準軍事組織化を進め、二〇二一年二月の「海警法」で武器使用可能な組織とした。一万トンを超す世界最大級の巡視船(「海警2901」と「5901」)を二隻就航させ、武力衝突を想定した体制を固めつつある。

台湾も、蔡英文政権は大陸側中国本土との緊張の高まりもあり、国民党の馬英九政権時の「保釣（尖閣を守る）運動」の熱気はないが、「尖閣は台湾領」という認識を示しており、事態は複雑である。

実は、尖閣の領有が日中台間の争点として問題化したのはそれほど昔のことではない。問題の淵源は一九六八年秋、日韓台の科学者を中心とするＥＣＡＦＥ（国連アジア極東経済委員会、現在のＥＳＣＡＰ＝国連アジア太平洋経済社会委員会）の調査団が、台湾の北東二〇万平方キロの海底区域に石油資源が豊富に埋蔵されている可能性を報告したことにある。中国領有論を明清時代からの歴史的古記録を持ち出して最初に論拠付けたのは一九七〇年八月二二日付の台湾『中央日報』への尖閣列島問題に関する研究者の寄稿であった（緑間栄『尖閣列島』ひるぎ社、一九八四年）。また、中国政府が公式に尖閣諸島に対する領有権を主張したのは一九七一年一二月の「外交部声明」が最初であった（芹田健太郎『日本の領土』中央公論新社、二〇〇二年）。

一九七八年一〇月、日中平和友好条約の批准書交換式のために来日した鄧小平副首相は、尖閣領有権問題について「一〇年棚上げにしてよい」と先送りを発言し、日中経済協力を優先させた。「次の世代が知恵を出す」という「愚公山を移す」的な中国人らしい視界が印象的であった。

二〇〇〇年に日本の四分の一（世界六位）にすぎなかった中国のＧＤＰは、二〇一〇年には日本を抜き世界第二位となった。強勢外交に転じた中国の思惑を投影するかのように、二〇一〇年九月、中国漁船が尖閣付近の日本領海内で海上保安庁の巡視船に衝突する事件が起こった。流出したビデオで見れば明らかに意図的な衝突であり、尖閣を問題化しようとする中国の意図が窺える。

さらに、二〇一二年に登場した習近平政権は、台湾との関係の緊張を背景に尖閣危機の増幅を図っており、それが前述の二〇一八年の「海警局」の体制変更であり、「中央軍事委員会―人民武装警察部隊―海警局」というラインに入り、準軍事組織とした。さらに、二〇二一年に入っての法改正で「武器使用」が可能な位置づけとなった。

鄧小平の棚上げ発言から四〇年以上が経ち、今、緊張の中で日中相互の知恵が問われているのである。あらためて、この問題の本質を再考し、武力ではなく外交的に解決する筋道を模索したい。以下は、多様な先行研究の成果を吸収し、全体知の中でこの問題を考察する試論である。

「固有の領土」という日中双方の主張への冷静な評価

日中双方が尖閣を「固有の領土」と主張している。固有の領土とは何か。英語では“Inherent part of Japan”と表現され、Inherent は「生来の、本来の」という意味だが、国際法理上の概念ではなく、プロパガンダ、つまり政治的概念である。まず日本が使い、一九七〇年代以降、中国や台湾なども使い始めた概念である。だが、東アジアの海洋史は決して単純ではなく、柔らかな視界が必要になる。そうした視界から日中双方の主張を検討してみたい。

日本の主張は「尖閣は沖縄県に帰属する固有の領土であり、日中間に領土問題はない」ということに尽きる。「尖閣は沖縄県に帰属」という論理の前提としての「沖縄は日本の固有の領土」という認識を複雑な東アジア海洋史の中で再考しておきたい。もちろん沖縄県が現在日本に帰属していることは国際法理からも正当な認識であるが、「固有の領土」というには歴史は曲折している。

江戸期、琉球国は日中両属の独立国であった。薩摩藩に「附庸」として支配される一方で、中国（清朝）に朝貢を続け、中国の冊封体制にも組み入れられる「両属国家」であった。ペリーが浦賀に来航した時、ペリーは五回も琉球に立ち寄り、一八五四年には米国にとって正式の国家間条約として「米琉修好条約」を結んでいる（「脳力のレッスン」、「江戸期の琉球国と東アジア、そして沖縄の今」『世界』二〇一五年四月号参照）。

本土の廃藩置県（一八七一年）から遅れること八年、一八七九年に明治政府は太政官令で「廃琉置県」（琉球国の廃止と沖縄県設置）を強行した。「琉球処分」である。この時、清国は抗議の意思を示しているが、日本は断行した。その五年後の一八八四年、福岡の実業家古賀辰四郎が尖閣諸島に調査団を送り、漁業、鼈甲（べっこう）、アホウドリの羽毛採取事業の可能性を探り、魚釣島の貸与を申請したが、この時点では、清国に配慮して認可しなかった。

尖閣諸島についていえば、一八九五年一月に日本が領有（沖縄県への編入）を決めるまで、国際法上の「無主の地」（Terra nullius）たる無人島であった。伊藤博文内閣の閣議決定であり、「先古の法理」に基づく当時の国際法理としては正当な決定であったといえる。翌一八九六年、日本政府は尖閣諸島の四島を古賀家に三〇年間無償貸与することを決め、魚釣島、久場島には母屋、貯水場、船着場などが建設され、四年間に一三六人が移住したという。一九三二年には、古賀家は国有地四島の払い下げを申請、有料払い下げが決まった。

一八九五年、日清戦争後の下関条約で台湾が日本に割譲され、東アジアの海洋に日本の覇権が確立されて以来約半世紀、静かな海であった東シナ海、そして沖縄にも転機が訪れる。第二次大戦の終結を見据えて、一九四三年一一月におこなわれたルーズベルト、チャーチル、蔣介石によるカイロ会談である。「蔣介石日記」などカイロ会談の資料を当たると、戦後処理に関して、台湾の返還を求めた蔣介石は、沖縄に関しては「日清戦争以前に日本領だったこと」を理由に「中美共管の国際機関の信託統治」を求め、米国が沖縄に基地を持とうとしていることに配慮して中国への併合を求めなかった。沖縄にとって、後述する戦後の米国による統治に繫がる運命の一瞬であった。

この歴史の曲折を冷静に辿るならば、尖閣を「固有の領土」とするのには疑問が残るが、「日本の正当な領土」といえる。

「台湾四〇〇年」の複雑な歴史

次に、中国が「尖閣は中国固有の領土」と主張する論拠を考察しておきたい。中国は歴史的検証として、一六世紀半ばの『籌海図編(ちゅうかいずへん)』などの古文書を根拠に、明朝の時代から尖閣諸島は台湾に付属する中国の固有の領土だと主張している。それが一八九五年の馬関条約(下関条約)で尖閣を含む台湾が日本領となったが、一九四五年、日本の敗戦でポツダム宣言の領土条項に基づき台湾が日本から返還され、それに帰属する尖閣も中国に戻ったというのが中国の主張である。

だが、東アジアの海洋史を精査するならば、そもそも「台湾は中国固有の領土」と言い切れるのかという疑問を抱かざるを得ない。「台湾四〇〇年」という視界で振り返るならば、この島の歴史は複雑である。一六二四年にオランダ東インド会社が台湾を占拠し、南部にゼーランディア城を築いた時、当時の清国政府はマカオ、澎湖諸島を攻撃・占拠しようとしたオランダに対して、「台湾は域外」として台湾への退去を求めており、部族分立により中国に朝貢する統治体制のない台湾を中国の域外（台湾は「東蕃」として「外国列伝」の対象）と認識していた。そのオランダを駆逐する形で、「反清復明」を掲げる明朝の遺臣たる鄭成功が台湾を支配したのが一六六一年で、ようやく一六八三年になって、清国が台湾を版図とした。その後、前述のごとく日本が統治下に置いた期間が五〇年、さらに、一九四九年に本土から国民党の蒋介石が台湾に逃れて今日に至る七二年と、「台湾四〇〇年」のうちの半分近くの期間にわたって、本土中国の政権とは異なる形で実効統治がなされており、単純に「台湾は中国固有の領土」とするには無理があるといえる。

「一つの中国論」が、中国本土のみならず漢民族を中心とする中国本土から台湾に流入した人たちによっても共有されていることがわかる。日本人としていえることは、台湾の将来は、今、そしてこれから台湾に生きる人たちが主体的に判断すべきことであるという一点である。そして「尖閣」についていえば、「尖閣は台湾に帰属」という中国の主張こそ、この問題の解決の重要な与件を示唆しており、台湾抜きではこの問題を論ずることはできないということである。

戦後日本の国際信義の基点としてのサンフランシスコ講和条約

「古文書よりも国際法理」、これがこの試論が拠って立つ基本姿勢である。歴史的アプローチも大切だが、古文書解釈をめぐる水掛け論に堕す危険もある。大切なのは日本が守るべき国際法理、そして国際信義を見つめ、如何なる判断が正当かということである。

米国は、第二次大戦の戦後処理において、沖縄を領有する意図はなかった。

一九四一年八月のルーズベルトとチャーチルの間で合意され、一九四二年一月の連合国共同宣言で確認された大西洋憲章における「領土不拡大」という基本原則を守ることが、ソ連や中国の動きを牽制することになると判断していたためである。ただし戦争終結後、沖縄の日本への施政権返還を主張する国務省と、東アジアにおける戦略基地を恒久的に確保するため米国による排他的統治(国連信託統治など)を続けたいとする国防総省の対立が続き、一九五〇年に国務長官特別補佐官となったJ・F・ダレス(一九五三年から国務長官)の調整によってもたらされたのがサンフランシスコ講和条約における「第三条」であった(宮里政玄『アメリカの沖縄政策』ニライ社、一九八六年)。

日本にとってサンフランシスコ講和条約は、敗戦後の日本が国際社会に復帰する前提となる約束事であり、これを誠実に守ることが国際社会への信義である。つまり、領土問題を含め、この条約で確認されていることが、日本の国際公約であり、国際社会に関わる基点である。

その講和条約の第二条(b)は、「日本国は、台湾及び澎湖諸島に対するすべての権利、権原及び請求権を放棄する」とあり、第三条「日本国は、北緯二十九度以南の南西諸島(琉球諸島及び大東諸島を含む。)……を合衆国を唯一の施政権者とする信託統治制度の下におくこととする国際連合に対する合衆国のいかなる提案にも同意する。このような提案が行われ且つ可決されるまで、合衆国は、領水を含むこれらの諸島の領域及び住民に対して、行政、立法及び司法上の権力の全部及び一部を行使する権利を有するものとする」とある。

このサンフランシスコ講和条約に基づいて、一九七二年の沖縄返還まで米国による沖縄統治が始まる。注目すべきは、この間、米国は自らが統治する沖縄の範囲をどう認識していたかであるが、たとえば米国民政府布告第一一号「琉球列島の地理的境界」(一九五一年一二月公布)、さらに一九五三年一二月、奄美諸島の返還にともなって出された米国民政府布告第二七号「琉球列島の地理的境界」などにおいて、北緯何度何分、東経何度何分などを明確に示し、米国が施政権を行使している沖縄地域を特定しており、尖閣諸島はその中に明確に含まれている。

また、米国は沖縄を統治していた期間、尖閣の領有者である古賀家に対して「借地料」を支払っている。米国民政府は一九五八年七月、久場島の所有者たる古賀善次と、射爆場として利用するため軍用地賃貸借契約を結び、毎年五七六三ドル(一九六三年からは一万五七六ドル)の支払いを沖縄返還まで続けている。

当然のことながら、米国による沖縄統治と一九七二年の沖縄返還協定は表裏一体である。沖縄返還協定は厳密に日本に返還する地域を規定しており、「北緯二八度東経一二四度四〇分、北緯二四度東経一二二度、北緯二四度東経一三三度、北緯二七度東経一三一度五〇分、北緯二七度東経一二八度一八分、北緯二八度東経一二八度一八分」という六つの座標の各点を結ぶ直線によって囲まれる地域となっており、この中に尖閣諸島が入ることは地図を見ても明らかである。

サンフランシスコ講和会議には大陸の中華人民共和国も台湾の中華民国も参加していなかった。だが、翌一九五二年に台湾(中華民国)は日本との間に平和条約(日華平和条約)を締結、サンフランシスコ講和条約を追認している。この条約は、日本国と中華民国の戦争状態を終了させる(第一

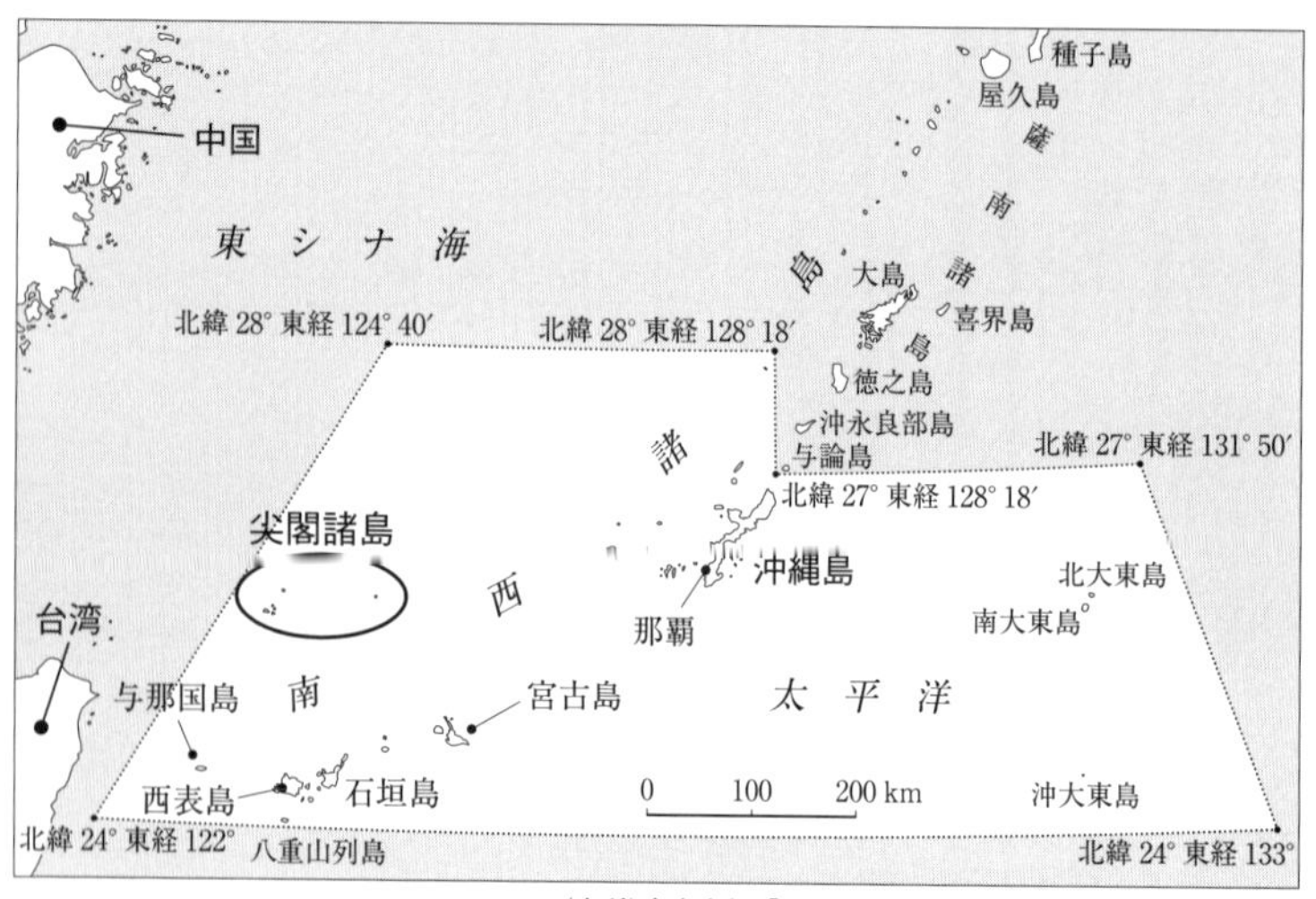

（出所）寺島実郎『大中華圏』（NHK 出版）をもとに一部改変

尖閣諸島周辺図

条）ためにサンフランシスコ講和条約第二条に基づき、「台湾及び澎湖諸島」並びに「新南群島及び西沙群島に対するすべての権利、権原及び請求権を放棄する」ことを確認しており、つまりサンフランシスコ講和条約の受け入れが前提となっているのである。当時の国連において「中国」を代表していた台湾の政権が、サンフランシスコ講和条約を受け入れていることの意味は大きい。しかも、一九四五年から一九七二年までの尖閣を含む沖縄を米国が統治していた時代に、台湾および中国が尖閣問題で異議を申し立てたり、抗議の意思表示をしたことはない。

　戦後の台湾の歴代指導者の中で、李登輝元総統は「尖閣が台湾領だったことはない、ただし台湾の漁民が漁をする地域だったたが……」と繰り返し発言していたが、台湾にとっての尖閣問題は微妙である。本田義彦『台湾と尖閣ナショナリズム』(岩波書店、二〇一六年)は、二〇一二年九月、日本政府が尖閣諸島の国有化に踏み込んだ後の台湾の「保釣運動」の高揚を解析・報告するものである。

この年の四月、ワシントンで石原慎太郎都知事が「尖閣の東京都による買収」と発言した。中国の圧力への一矢と民主党政権への鞘当てという意図もあったのであろう。それが、同年九月の野田民主党政権による尖閣の国有化に繋がった。どちらも国際的視野と説明力に欠けるものであった。国際社会に経緯・背景・意図を徹底的に説明する努力がなされることはなく、中国だけでなく台湾の反発も誘発してしまった。当時の台湾の馬英九総統は、本土との融和政策(海峡問題への対応)を進めており、中国と連携する「保釣運動」に共鳴する立場であったが、国際法の専門家でもあり、この問題の「問題化」を避けたい日本側の意図をしっかりと説明すべきであった。

米国の「あいまい作戦」の罪深さ

尖閣は日中問題だと考えがちだが、実はこの問題を複雑なものにしている要因として、米国のこの問題に対する姿勢があることに気づかなければならない。

不可解かつ理不尽なことだが、米国は沖縄返還以降、今日現在に至るまで尖閣に対する日本の領有権を認めておらず、「領有権には中立」という立場を続けているのである。

二〇二〇年一一月一二日、バイデンの当選を祝う日米首脳の電話会談で、バイデンは「尖閣は日米安保の対象」と発言、メディアを含めて日本側は「これで尖閣は沖縄米軍が守ってくれる」かのごとき理解で、安堵の空気を高めた。だが、尖閣に対して「同盟責任を果たす」「日米安保の対象」という発言は、これまでも米国の高官から繰り返しなされたことで、問題なのは「施政権と領有権は別」という米国の姿勢なのである。

二〇二一年二月二六日、国防総省カービー報道官は記者会見で、「尖閣は日米安保第五条の対象」になるが「領有権には特定の立場とらず」と、従来の姿勢を変更しないことを再確認している。米国のあいまい作戦は続いているのである。

また、三月一六日には日米の「2＋2」といわれる外相・防衛相会談が東京でおこなわれ、再び「尖閣は日米安保の対象」と確認されたとされるが、「何故、領有権を認めない地域に共同防衛責任が生じるのか」と、日本側が問い質す機会を失っていることに気づくべきである。軍事力による尖閣防衛（米国の抑止力期待）に躍起になる前に、外交力を錬磨・展開すべきなのである。

沖縄返還まで明らかに自らが施政権を持ち統治していた尖閣諸島に対し、唐突に米国は「領有権には中立の立場」をとり、施政権と領有権（主権）を分離し始める。本来、施政権は領有権に基づいて存在するはずで、これは奇怪な態度変更である。背後にある構造を探ると、一九七一年という年の緊迫感が伝わってくる。この年、六月一七日が沖縄返還協定の調印であった。一方で、七月九日には米大統領補佐官のキッシンジャーが秘かに北京訪問、七月一五日にはニクソン大統領の訪中計画が発表される（翌一九七二年二月二一日にニクソン訪中実現）。さらに、一〇月二五日の国連総会で、中国（中華人民共和国）招請・台湾（中華民国）追放決議がなされる。つまり、米中国交回復に向けての激動期であった。

こうした事態を背景に、ニクソン、キッシンジャーの「陰謀」にも近い戦略的判断が動いた。

台湾と中国に配慮し、「施政権と領有権の分離」という論理に至ったのである。

蔣介石は一九七五年四月まで生きていた。国連からの台湾の追放が迫る苛立ちの中、沖縄の日本への返還に当たって蔣介石は米国に異議を申し立て、尖閣は台湾の領土であると圧力をかけ始めた。カイロ会談の亡霊が蘇ったようなものである。先述のごとくカイロ会談での戦後処理をめぐる蔣介石の判断は、「沖縄の中国領有」を自制し、「国連信託統治による米中共管」を期待するものであったが、その後の経緯は中華民国(台湾)にとって不本意なものとなっていった。その蔣介石の眼差し、そして国交回復を目指す中国本土との関係を配慮し、ニクソンとキッシンジャーは「尖閣の領有権には中立」という不可解な理屈を思いついたのである(矢吹晋『尖閣衝突は沖縄返還に始まる——日米中三角関係の頂点としての尖閣』花伝社、二〇一三年)。

こうした米国の姿勢に日本側が無頓着だったわけではない。たとえば、一九七二年三月二一日、参議院・沖縄及び北方問題に関する特別委員会における社会党の川村清一議員による「尖閣への米国の姿勢についての質問」に対して、福田赳夫外務大臣は「尖閣の領有権に関してあいまい、中立的姿勢をとる米国への不満」を表明し、「厳重に抗議する意思」を語っている。その後、牛場信彦駐米大使に指示し、米国務省に日本の立場の説明と支持を求めたが、米国側は姿勢を変えず、その後、日本政府も沈黙してきたという経緯が伝えられている(豊下楢彦『「尖閣問題」とは何か』岩波現代文庫、二〇一二年)。

日本外交の試金石はこの「あいまい作戦」を正すことに始まる。「日米同盟強化」は軍事同盟だけを強化し、軍事力による抑止という罠に陥ることになる。まずは外交力で平和的に危機を克服する努力が大切で、国際社会での日本の主張の「正当性」を確立することである。

日本の静かなる外交戦略

日本のとるべき静かで確かな外交戦略を考えてみたい。まず、米国と正対し、東アジア戦略総体の中での尖閣問題の方向付けを試みることである。米国の「あいまい作戦」が尖閣問題を複雑化し、中国、台湾に誤ったメッセージを与えていることを正すことである。

そして、その米国との協議の中で「台湾海峡の緊張」に関し、この問題を、武力をもって解決することに日本は一切関与しない基本姿勢を明らかにすべきである。あらためて言うまでもなく、台湾には米軍基地は一つもない。したがって、台湾海峡で武力衝突が起こり、米軍が台湾支援で動くことになれば、沖縄・グアムの米軍基地が拠点となる。「日米の軍事的一体化」などと言っていると、日本が米中軍事衝突に自動的に巻き込まれかねないのである。日本は「武力をもって紛争解決手段としない」という日本国憲法の基軸を守り抜くべきで、これは中国と向き合う上で基盤となるであろう。

次に、台湾、中国との意思疎通を深め、尖閣問題を安定化させる努力をするべきである。まずは、台湾と真摯に向き合うべきである。本土の中国も「台湾に帰属する尖閣」と主張していることに重要な意味がある。台湾との間で、尖閣を紛争化せず、台湾の漁業者に配慮する形での明確な合意ができれば、これは本土の中国と協議する上での大きな基盤になる。

第三に、国際社会に対し、この問題の正当性をしなやかに訴える努力を続けるべきである。たとえば、尖閣問題について国連(安保理事会)への日本の領有の正当性を説明する意見書を提出することも検討されるべきであり、G7やG20などの機に「この問題は外交力で解決されるべし」という基本姿勢をあえて説明するなどのしたたかさが求められよう。そして、究極の日本の選択は、国際司法裁判所への提訴である。

常識的には、「領土紛争の存在」を主張する中国が国際司法での解決を提案するのが筋で、「領土問題は存在しない」とする日本から国際司法の判断を仰ぐことは、中国の主張にも一定の正当性があることを認めることになるから避けるべしという見解もある。だが、現実に武力衝突になりかねないほど中国が圧力をかけている状況で、国際機関や国際司法を通じて日本が問題を平和的に解決したいという意思を示す行動をとることには、重要な意味がある。国際司法裁判所は「付託合意がなければ裁判に応じない」体制になっており、現実的選択ではないとする人もいるが、付託をめぐる論議を通じて日本の主張を国際社会に明確化する過程にはなる。

『世界』二〇二一年三月号の「軍事化される琉球弧」という特集には心打たれた。かつて「本土決戦の捨て石」として戦場とされた沖縄が、今、中国の脅威に向き合う日米軍事同盟の基地として「日米一体化」の舞台となりつつあることを検証し、負の歴史を繰り返さぬための問題意識の覚醒を促している。まさにこの負のパラダイムに引き込まれないために、尖閣という軛を冷静な外交力で解決する知恵が問われる。そして、もし、我々の世代で解決できないのであれば、さらに次世代に環境の経年変化を踏まえた解決を委ねるというのも一つの選択肢であろう。何よりも、益のない武力による東アジアの混乱は避けなければならない。

(2021・5)

考察2 民主主義と資本主義の相関性

第1章 民主主義の歴史を考える

1 中国・国家資本主義という擬制

資本主義社会のありかたの探究は、民主主義との関係性を視界に入れることになる。経済における資本主義と政治における民主主義という形態は、最良とは言い切れないが、批判を浴び続けながらも次善の存在として生き延びており、しかもこの二つは微妙に相関していると思われる。

古代アテネの民主制から西欧における近代民主制、そして現代日本における民主主義の現状を考察しても、専制の拒否と民衆の政治参加には必ずそれを支える経済基盤が存在し、とりわけ責任ある参画には経済構造的裏付けが要件となることに気づく。ここでは、現代中国の「人民民主主義」、ギリシアの都市国家デモクラシー、近代史における欧米での民主主義、そして日本における明治近代化以降の民主主義、とりわけ我々が生きてきた戦後の大衆民主主義と経済構造との関係に焦点を合わせて、体系的考察を積み上げていきたい。

人民民主主義は何故「専制化」するのか

ブラックジョークのようだが、中国も北朝鮮も建前上は「民主主義国家」である。北朝鮮の正式国名は「朝鮮民主主義人民共和国」であり、中国も憲法上は「人民民主主義独裁の社会主義国家」ということである。人民民主主義とは何か。社会主義国家においては、人民を代表する「朝鮮労働党」「中国共産党」が一党支配で国家を統治しており、「階級矛盾を克服した人民が支配する体制」になっているという。どちらも、第二次大戦後の国内の混乱・抗争の中から権力を奪取して樹立された体制であり、資本主義の矛盾が深まって労働者革命が成功したわけではない。

一九一七年のロシア革命以来、「資本家による搾取からの労働者の解放」を掲げ、社会主義革命の先頭を走ってきたソビエト連邦が一九九一年に崩壊して三〇年、すっかりマルクス、レーニンとも決別し、プーチン体制下でロシア正教を統治理念に掲げる「正教国家」に回帰した。対照的に、中国は「社会主義的市場経済」というあいまいな自己規定の中を進み、二〇一八年には「マルクス生誕二〇〇年」と祝賀するなど社会主義へのこだわりを見せるが、実体はマネーゲームに傾斜した市場経済に嵌(はま)っており、あえて言えば「国家資本主義」という体制にあるといえる。

何故、解放者だったはずの共産党、労働党が支配者・抑圧者として人民への「専制」体制に行き着くのか。おそらく、それは政治権力が固定化し、党官僚がヒエラルキーを差配すると、必然的に非効率と腐敗が生じ、正当性を喪失する事態に至るということであろう。結局は、公正で自由な競争、専制を牽制する権力分立、多数による意思決定を尊重する仕組みが社会システムとして優位性を持つことが、「冷戦の終焉」に至る二〇世紀の教訓だったといえる。北朝鮮の「三世代世襲の民主主義」は語義矛盾としても、経済的に強大化し、政治的に専制化する習近平政権下の中国をどう評価するのか、熟慮が求められる。

中国の「人民民主主義」に戦後の日本人が幻惑された瞬間があった。一九六〇年代末から一九七〇年代初頭にかけて、東西冷戦期の二つの主役だった米国とソ連への幻滅、すなわち米国のベトナム戦争での醜態とソ連のプラハの春への介入に幻滅した世界の若者が抗議の運動を繰り広げていた頃、大きなうねりではなかったが、ゲバラやカストロとともに毛沢東は微かな光を放っていた。

全共闘運動が早稲田のキャンパスに吹き荒れていた一九六〇年代末、大学近くにあった学生寮「和敬塾」の窓に「造反有理」という手書きの紙が貼り付けられていたのを思い出す。「毛沢東思想は沈まぬ太陽だ」という叫びには共鳴できなかったが、「裸足の医者」(人民に奉仕し、人民のために駆けつける医者)という表現に象徴される人民重視の社会を目指すという中国のメッセージは、高度成長期に差しかかり、経済至上主義に邁進する日本において、「もう一つの体制選択」として、一定の関心が払われていた。また「農業と工業のバランスのとれた開発」という中国の経済政策思想は、農業を安楽死させて工業生産力で外貨を稼ぐ国を目指していた日本との対照において、興味を惹きつけられるものであった。

色褪せる「人民のための社会形成」

大陸中国との国交のない時代で、私自身も日中学院に通い、入門編の中国語を学びながら中国情報に目を向けていた。数百円で手に入る中国製の万年筆は「英雄」という名前がついていたが、数日でインクが漏れ、使い物にならなかった。安物というイメージの中国製品への失望の中で、「人民のための社会形成」は次第に色褪せ、一九六六年から始まった「文化大革命」なる毛沢東思想礼賛の狂乱は、一九七六年の毛沢東の死と四人組逮捕まで続いていたが、日本の高度成長が軌道に乗る中で忘れ去られていった。

一九八九年の天安門事件は、冷戦の終焉が迫る局面において、社会主義陣営の崩壊への中国共産党指導部の不安に由来する逆上だったといえる。鄧小平による「改革開放」路線の途上であったが、学生たちの「民主化要求」を圧殺したのは、社会主義革命の幻想が崩れ去ることへの怯えがあったためであろう。その後、一九九七年のタイを震源とするアジア金融危機、さらに二〇〇八年のリーマン・ショックが中国を浮上させる転機となった。世界経済の落ち込みを支える中国の成長力への期待が高まった。後述する「剛性泡沫」の導線といえるが、中国政府が主導するインフラ投資、金融緩和、不動産の市場化が「官製バブル」という状況を作り、世界はそれに依存した。

そして習近平の登場である。この人物が指導者として登場した二〇一二年、私は『大中華圏――ネットワーク型世界観から中国の本質に迫る』を出版し、第五世代リーダー習近平という人物に関し、その泥臭さに「毛沢東の影」を感じ、「農村下放体験」(文化大革命期の一六歳から七年間にわたる陝西省への下放)がこの人物を理解する鍵だという認識を語った。あれから一〇年、さらなる長期政権を狙う専制的指導者と化した習近平を考える時、この政権の本質を捉える上で示唆的なのが、東京財団政策研究所の研究者、柯隆の『「ネオ・チャイナリスク」研究』(慶應義塾大学出版会、二〇二一年)である。その中で柯は「紅衛兵たちのヘゲモニー」という表現で、文化大革命期の紅衛兵が習近平政権の中核を固めている事実を指摘している。

習近平自身が、文化大革命の犠牲者でありながら、「農村下放体験」を通じて、文化大革命の潜在意識的共鳴者になった。そして、彼の政権を取り巻くように紅衛兵たちが蘇っている事実認識は、何故、この政権が権力への執着を見せるのかを理解する上で重要である。

私は連載「脳力のレッスン」を通じ、冷戦後の世界において、それまでの主軸だった産業資本主義から「金融資本主義」と「デジタル資本主義」が核分裂したことを論じてきた。当然ながら、中国もこの時代潮流の部外者ではいられなかった。夏の北京五輪、リーマン・ショックを経て、まさに習近平政権にバトンが渡る頃から金融資本主義は一段と肥大化し、デジタル資本主義はデータリズムを進化させ、それを主導するプラットフォーム企業群(ビッグ・テック)は巨大化していった。中国も単純な「世界の下請け工場」ではなくなり、深圳などを舞台に「金融とデジタルの相関」の中からＢＡＴＨ(バイドゥ、アリババ、テンセント、ファーウェイ)と呼ばれる中国版プラット

表　名目 GDP 構成比(2020年)

	民間消費支出	政府最終消費支出	総固定資本形成	財貨・サービス純輸出
中国	38%	16%	43%	3%
日本	54%	21%	25%	▲0%
米国	67%	15%	21%	▲3%
ドイツ	51%	22%	22%	6%
英国	61%	22%	17%	0%

(出所)総務省「世界の統計」

フォーム企業群が力をつけていった。習近平政権はこの状況に対し、当惑しながらも政治主導の「国家資本主義」的対応を強めた。それが今日の中国の基本構図であり、「農業と工業のバランス」を考えていた時代とは違うのである。

中国経済の現実――国家資本主義の内実

主要国の名目GDPの構成比(表)を注視するならば、中国のGDP構成(二〇二〇年)は、総固定資本形成四三%、政府消費支出一六%と、政府によるインフラ投資と支出がGDPの六割を占め、民間消費支出は三八%にすぎない。対照的なのは米国であり、民間消費支出がGDPの六七%を占め、政府消費支出は一五%、総固定資本形成は二一%と、民需主導の経済構造である。日本とドイツがその中間といえ、民間消費支出の比重が五割台、政府消費支出と総固定資本形成の比重がそれぞれ二割台となっている。中国が如何に政府主導の経済になっているかがわかる。

二一世紀に入ってからの持続的成長によって、中国の一人当たりGDPも一万ドル(二〇二二年、一万二〇〇〇ドル)を超し、先進国圏に参入したといえるが、セミマクロ的に点検すると、この国の経済が抱える問題としての格差と貧困が見えてくる。まず、「格差」であるが、都市労働者の平均年間収入(二〇一九年)を見ると、産業別(非民間企業)の最高収入は情報通信・ソフトウェア関連で一六万一三五二元なのに対し、最低収入は農林・牧畜・漁業が三万九八四〇元と四分の一にすぎない。また、省・都市別では最高収入が北京の一六万六八〇三元で、最低は河南省の六万七二六八元と、極端な格差が存在することがわかる(注:中国国家統計局の発表では二〇二〇年の中国のジニ係数は〇・四七で、日本の〇・三七に比し、貧富の差は大きい)。

次に「貧困」であるが、中国の統計は掌握し難いが、李克強首相が二〇二〇年五月の全人代後の記者会見で、「中国には、月収一〇〇〇元(一万五〇〇〇円=年収一八万円)以下の人が六億人いる。地方都市では家も借りられない状態」と発言し、習近平政権が掲げた二〇二〇年末までの「全面脱貧」という方針が実現不可能なことを認めた。この発言が伏線となり、二〇二一年八月には「共同富裕」の実現という方針が提示され、一一月の「歴史決議」(習近平の指導者としての歴史的役割を評価し、長期政権への布陣)へと繋がっていった。

だが、「共同富裕」を実現するための政策論を注視すると、中国の限界が見える。富裕税や累進課税といった政策ではなく、中国版の巨大IT企業に対する「強制的な寄付」や「公務員給与の引き下げ」へと向かうのである。この国の税体系が公正にできておらず、政治的な恣意によって「負担と分配」が左右されていることを投影していると言わざるを得ない。

持続的経済成長の中で中国でも「富裕層」が増加してきた。仮に人口の四%が富裕層だとしても、実数では約五六〇〇万人、日本の人口の半分に迫る人たちが富裕層であり、「爆食中国」といわれるごとくその消費パワーは凄まじいものがある。だが、どうして富裕層が生まれたのか踏み込んで観察すると、「株と不動産バブル」をテコに富裕化が進行したことがわかる。「剛性泡沫」という中国語がある。泡沫とはバブルのことで、中国の金融・不動産市場の特性を「暗黙の政治による保証に支えられたバブル」と捉えるもので、上海交通大学とカリフォルニア大学の金融論の教授である朱寧が『剛性泡沫』(二〇一六年、邦訳『中国バブルはなぜつぶれないのか』日本経済新聞出版社、二〇一七年)で用いている。国家が主導する持続的金融刺激政策、公地であるはずの土地の借地権制度による実質私有化、巨大なインフラ投資などによる「官製バブル」を意味する。

ブランコ・ミラノヴィッチは『資本主義だけ残った――世界を制するシステムの未来』(みすず書房、二〇二一年、原題 Capitalism, Alone、二〇一九年)において、現代中国の経済システムに関し、「政治的資本主義」という捉え方をしている。まず、「中国は資本主義か」という問題を提起し、典型的な資本主義の定義としての「三つの概念」――①生産の大半が民間所有の生産手段たる資本・土地を用いる、②労働者の大半が賃金労働者である、③生産や価格決定の決断の大半が分散化されている――に基づき、中国は資本主義システムにあるとする。つまり、鄧小平が「生みの親」となって「政治的資本主義」を育て、「①民間部門の活力を生かし、②官僚による能率的支配を進め、③一党支配体制下での資本主義への移行を達成」した、という認識を示している。

確かにこの認識は「改革開放」後の中国経済を捉えているようにも思えるが、いくつかの疑問も残る。まず、中国において「資本と土地」が民間所有の生産手段といえるか。土地の私有が認められない中国で、「定期借地権」に近い方式で土地取引がおこなわれるようになり、それを地方政府が財源として経済拡大を促してきたわけだが、それこそが腐敗とバブルの土壌となり、格差を肥大化させた面も否定できない。また、労働者の大半が賃金労働者かもしれないが、一般的労働者が富裕化しているとはいえず、それは先述の「産業別の賃金格差」によって明らかである。

バブルによる経済基盤では民主主義は育たない。株と不動産バブルで豊かになった中国人と実際に触れ合って感じる印象は、これらの人たちの関心は、国や社会のありかたではなく、もっぱら自分と一族の繁栄と安全であり、不都合が生じた時、「国を捨てても地球の果てまでも生き延びること」である。それが、これまでも在外華人・華僑を増やしてきた背景であった。

中国の民主化の鍵を握る華人・華僑

二〇一九年末の対中直接投資の累計(中国商務年鑑)は約二・二九兆ドルになるが、地域別では香港(五二・二%)、シンガポール(四・五%)、台湾(三・〇%)と大中華圏(華人・華僑圏)で約六割を占める。日本からは五・一%、米国からは三・八%であり、気になるのは「自由港」(モーリシャス、ケイマン、バージンなど)が一一・五%を占めることで、さまざまな形で外資の取り込みに在外華人・華僑が関係していることが推定される。

世界には約八〇〇〇万人、ASEANだけで約三六〇〇万人の華人・華僑が存在している。在外華人・華僑の約九割は広東、福建、海南の三省の出身とされ、それは主に漢民族が多いことを意味する。異民族支配(モンゴルによる元、満州族による清)という中国の歴史を背景に漢民族が海外移住を余儀なくされたという事情がある。中華民族の中核を自負する漢民族にとって、「中華民族の歴史的復興」を掲げる習近平政権には共感を覚えるものがあった。
　この華人・華僑のネットワークが、本土の中国にとって持続的成長を支える源泉でもあった。ところが、このところ習近平政権による香港の民主化勢力の弾圧、さらには台湾への強圧的姿勢に対し、在外華人・華僑の失望は深い。先述の拙著『大中華圏』において、私は中国にとって大中華圏は「両刃の剣」であることを論じた。かつて辛亥革命(一九一一年)を主導した孫文が、客家ネットワークを中心にした在外華人・華僑に支援されたごとく、中国本土を変革する潜在要素として在外華人・華僑の目線は重要なのである。香港から海外に移住する「亡命者」の動向に中国が神経質なのはそのためである。中国の内部矛盾、対立が臨界点に達すると、政治を動かす要素として海外からの華人・華僑の存在が浮上するのである。

（2022・4）

2　古代アテネの民主制の基盤

　政治史の常識として、民主主義の淵源はギリシア都市国家にあるとされてきたが、ベンジャミン・イサカーン他編の『デモクラシーの世界史』(東洋書林、二〇一二年、原題 The Secret History of Democracy、二〇一一年)など近年の研究によれば、必ずしもギリシアが民主主義の故郷とはいえないという。メソポタミアやインドにも、多くの人が参画して意思決定をするという民主主義的志向の萌芽が見られ、ギリシアに伝播した周辺の異文化からの多様な共同体統治モデルがアテネの民主主義をもたらしたとすべきであろう。

だが、それにしても二五〇〇年前のギリシアに「民主制」が成立していたことは、民主主義の本質を考える上で刺激的である。「国民主権」を掲げる民主主義国家となった戦後日本を生きた私にとって、初めてアテネを訪れて、アクロポリスに立ち、パルテノン神殿を見上げて、アゴラ(広場)を歩き回った時の「ここが民主主義の原点か」という感慨は深かった。

民主主義の源流から――付きまとう衆愚制批判

民主主義、つまりデモクラシーの語源は、「デモクラティア」(Demokratia)にあり、人民(デーモス)と支配(クラトス)を結合させ、「民の支配」という意味であるという。もちろん、ギリシアにおいても、民主制が突然生まれたわけではなく、王制から貴族制へと移行し、ＢＣ五九四年にはソロンが貴族と平民の対立を調停する改革(隷属的農民の負債を帳消しにする)をおこなった後、ＢＣ五六一年にはペイシストラトスが僭主制を確立するなど、曲折を経た上での民主制であった。

ＢＣ五一〇年にアテネの民衆が、独裁的僭主ペイシストラトス一族を追放し、都市国家アテネは「民会」を舞台とする民衆による意思決定が重きをなす体制となった。追放された僭主一族の当主たるヒッピアスが助けを求めたペルシア軍との戦い(マラトンの戦い)にアテネ軍が勝利(ＢＣ四九〇年)し、民主制を守った。こうした流れを主導したペリクレス(ＢＣ四九五~ＢＣ四二九年)が「市民権法」を制定したＢＣ四五〇年頃がアテネ民主制の最盛期であり、その後、ＢＣ三三八年にアテネがマケドニアの支配下に入り、アレキサンダー大王が登場する頃、ギリシアの民主制に終止符が打たれたといえる。つまり、一八〇年間ほどアテネ民主制の花が開いたのである。それを記録したのが「歴史の父」とされるヘロドトス（BC四八四〜BC四三〇年）の『歴史』（岩波文庫、一九七二年）であり、市民が結束して超大国ペルシアを破ったアテネ民主制の輝きの記録ともいえる。

私が強く関心を抱くのは、アテネの民主制を成立させた「平民」の経済生活を支えた基盤である。古代アテネの守護神が女神アテナであり、パルテノス（乙女）であった。パルテノン神殿は「乙女の神殿」という意味である。アテナは、ローマでは女神ミネルヴァと同一視され、勝利と知恵のシンボルとなっていった。鎧兜を身に着けて槍を持った女神は、知恵の象徴としてのフクロウを連れ、槍で大地を突いてオリーブの木を生えさせたという。このオリーブこそがアテネの富の源泉でもあった。つまり、農業を基盤とした交易が都市国家アテネの経済を支えたのである。

BC八世紀、ギリシア人の地中海地域への植民活動が始まり、シチリア、南イタリア、リビアなど北アフリカへと広がり、それらの地域との交易を通じて富裕化が進行、経済的に自立した「平民」の登場をもたらした。アテネの民主制は自己完結したものではなく、地中海周辺への植民活動と並行して成立したのである。ケンブリッジ大学教授のデイヴィド・アブラフィアの地中海史研究の集大成ともいえる『地中海と人間』（藤原書店、二〇二一年）は、アテネの民主制が「国内に民主政を採用し、国外には帝国的支配で臨む構造になっていた」ことを解析している。重要だったのは穀物の確保で、アテネおよびその周辺に推定で約三四万人の人口を抱え、自ら産出することができたのは八万人分程度であり、黒海からシチリア島まで植民地を供給源とせざるを得なかったという。

さらに多面的に考察するならば、アテネは植民地域だけでなく、アテネを中心とする民主制同盟国(BC四七七年成立のデロス同盟)から富を収奪する構造になっていたことに気づく。「民の解放」と「ペルシアとの戦い」の名の下に、同盟国の負担を求め、その傘下の富裕層への課税強化を図るという構造は、スパルタを盟主とする寡頭制諸国と対照的であり、これがBC四三一年からのギリシアを二分するペロポネソス戦争の導線となっていくのである。

アテネの民主制以来、哲学の祖たるソクラテス(BC四六九〜BC三九九年)を民衆裁判で追い詰めて毒杯を飲ませたことにより、民主主義は常に衆愚制批判に晒されてきた。ソクラテスは、「汝自身を知れ」を哲学的思考の基点に置く人物であり、「知恵に関して、自分は何の価値もない者だと悟った者こそが最も知恵のある者」として、客観的思考(ロゴス)の支柱となる帰納法の概念を創生した。このソクラテスの自覚こそ、人類の思惟の進化を象徴するものといえる。こうした人物が登場したこと自体が、人類史におけるアテネの意味を考えさせる。

民主主義は、常にポピュリズムを通じた衆愚制への傾斜と、民主的手続きを経た専制という二重の危険を抱え込んだシステムである。それでも、この制度の価値を想う時、チャーチルの次の言葉を思い出す。「民主主義は、これまで試みられてきた他の統治形態のすべてを除けば、最悪の統治形態である」。

『民主主義の源流——古代アテネの実験』(講談社学術文庫、二〇一六年)において、古代ギリシア民主主義の研究者たる橋場弦は、民主制というものの生命について、「われわれ一人一人の市民は、人生の広い諸活動に通暁し、自由人の品位を持し、己れの知性円熟を期すること」を「ギリシアが追うべき理想の顕現」と語ったトゥキュディデスの言葉（『戦史』二巻）に注目し、「自分の専門領域に閉じこもる無機的人間が社会を構成するようになると、民主政は生きることをやめる」と言い切る。

アテネの民主制が今日的意味での民主制とは異なることはいうまでもない。身分、性別を超えた市民の参画ではなく、厳密には「選民・寡頭民主主義」というべき制度かもしれない。アテネにおいて意思決定に参加できた平民とは、男性自由民であり、女性、隷属農民（農奴化した隷属民）、奴隷、在留外国人は排除されていた。当時のアテネの人口約三三万のうち、成人人口は約二〇万人、そのうち約五万〜六万人が意思決定に参画した「平民」と推定される。

アテネの民主政治の原点を見つめ直して、民衆の意思決定への参画を機能させるには三つの要素があることに気づく。おそらく、これは今日にも通じる民主主義の基本要素であろう。一つは、民衆の経済基盤であり、生活を成り立たせる自立・安定した経済基盤が存在しなければ、民衆の政治参加は危うい利害関係を投影したものに終わる。二つは、指導者の質であり、アテネにおいてもペリクレスのような指導者が存在したからこそ、扇動とポピュリズムに堕すことなく、制動のきいた民主主義が機能したことに気づく。三つは、民衆の知的レベル、すなわち民衆の目線を「専門領域に閉じこもる無機的人間」や歪んだ指導者に扇動されない「知」に向かわせる絶えざる努力が求められる。

同時代史の視界から——人間の意識の芽生え

アテネの民主制と同時代の地球全体に目を向ける時、気づくことがある。アテネ民主制の黄金期といえるBC五〇〇〜BC四〇〇年の頃は、パレスチナでは中東一神教の基点たるユダヤ教が生まれ、インドではブッダが生きた時代（BC四六三〜BC三八三年）と重なり、中国は春秋戦国期で、儒教の祖、孔子（BC五五一〜BC四七九年）が生きた時代であった。人類史において、ほぼ同時期に「ギリシアの民主制」と「世界宗教」が胎動したことは偶然であろうか。この時期の人類史に何か共通のモメンタムが動いたのであろうか。

私は、『人間と宗教　あるいは日本人の心の基軸』をまとめる過程で、人類史における宗教の淵源に関する文献研究を集約し、約二〇万年前にアフリカ大陸に登場したホモ・サピエンスが、約一〇万年前頃から認知革命の中で「自らを見つめる内省能力」を身につけ始め、約六万年前からのユーラシア大陸移動（グレートジャーニー）を通じて「自然との対峙・格闘・共生」によって自然の中に人智を超えた「聖なる霊性」を感じ、神々の意思を認知し始めたという捉え方を論じた。

そして、約一万年前とされる「定住革命」によって、決まったコミュニティに住み、農業や交易に従事すると、その仕組みを動かすヒエラルキーや支配・被支配の関係が常態化、王制、専制、貴族政治、寡頭政治の原型が生まれ始めた。そして、その中の軋轢を生きるための規範・秩序が必要になり、その地における神々の指示を受け入れる心性が醸成されていった。

考えてみれば、民主制は「人間自身が自らの運命を決定する力を持ちうる」という前提の上に成り立つ制度であり、本質的に人間に信を置くものといえる。アテネ民主制の華ともいえるプラトンの『ソクラテスの弁明』などを読み返せば、二四〇〇年前のギリシアにソクラテスのような論理・哲理に弁舌を振るう哲人などというジャンルの専門職が存在していたことに感慨を覚える。

また、仏教の原点ともいえるブッダの仏教は、絶対神に帰依する宗教ではなく、あくまで自己の内奥の苦悩を見つめ、その克服を目指すことにおいて「主知主義」であり、人間の思索能力の可能性を信ずるものである。それはブッダ最後の言葉とされる「自燈明、法燈明」に象徴される。

さらに、孔子の儒教も、「修身斉家治国平天下」、つまり人間の生き方を貫く真善美を探究することにおいて、人間の主体性を信じるものであり、受け身で神の意思を受容する宗教ではない。つまり、二五〇〇年前の人類社会に人間の主体的「意識」が芽生えていたということである。

この思索を深める上で注目すべき文献が、プリンストン大学の心理学者ジュリアン・ジェインズの『神々の沈黙――意識の誕生と文明の興亡』(紀伊國屋書店、二〇〇五年、原著一九七六年)である。「三〇〇〇年前まで、人間に「意識」はなかった」という驚くべき仮説を検証したもので、人類史を再考させる重要な問題提起である。古代文明における人類は神々の下での人間という「二分心」の持ち主として、右脳に働きかける神々の声を聴いて生きていたが、約三〇〇〇年前頃から人間に主観的意識が芽生え、神々の声に感応する心が後退したというのである。この本の第二部第五章に「ギリシアの知的意識」という章があり、ギリシアにおいて人間の主観的意識が芽生えたことを、BC八世紀のギリシアの詩人ホメロスの英雄叙事詩『イリアス』などを解析することで検証を試みているのである。

ジェインズの仮説を受けて再考してみると、確かに、四〇〇〇～五五〇〇年前のメソポタミアにシュメール文明が残した人類最古の文字によるシュメール神話を読んでも、多様な神々と人類の意思疎通が描かれていることに気づく。有名な「ギルガメシュ神話」も典型的な英雄譚だが、人間は神々の意思によって動く存在として二分法で捉えられている。そして、「ノアの箱舟」伝説のごとく、人間の増長が「人智を超えた神々の怒り」を招く物語が語り継がれていたのである。

認識(Recognition)と意識(Consciousness)は違う。観察・学習・理解するプロセスから生まれるのが認識であるが、意識は人間の深い心性で、真善美などの価値に感応する心の動きである。神々の意思に従って生きる受容性から脱し、人間が主体的意識を抱き始めた時期を約三〇〇〇年前とする「仮説」は、さらなる検証と論議が待たれるが、人類の定住革命が始まって以降の人類史で、アテネの民主制と世界宗教の誕生がほぼ同時化したことには、人類の意識の進化という共通の要因があったのではという思いを深める。

(2022・5)

3 近代民主主義の成立要件と二一世紀における模索

「民主主義の危機」が叫ばれ、「民主主義の機能不全」が語られる中、重心を下げた民主主義の再考を試みている。とくに、民主主義とそれを成立させる要件としての経済的基盤の関係にこだわり、現代中国の「国家資本主義」と「人民民主主義」の構造的解明(本章1)、アテネの古代民主制を成立させた経済基盤の確認(本章2)と論稿を重ねてきた。これまでの考察で確認できたことがある。一つは、民主主義の成立には社会的意思決定に参画する「民」を支える経済基盤の確立が必要で、古代アテネにおいても、アテネ市民層を成立させる地中海経済圏における経済基盤が存在していたことである。さらにもう一つは、「民主主義＝民衆（デーモス）による支配」は民衆の意思決定力への信頼によって成立するのであり、それは人類史における人間の「意識」の深化（自らの運命を自らが決める志向）と相関していると思われ、世界宗教（仏教、中東一神教）の誕生とアテネ民主制の黄金期が約二五〇〇年前に同時進行したことは偶然ではないと思われることである。どちらも、人間の心の深奥において、自らの存在の意味を主体的に問いかける意識の高まりが基点となっているのである。

近代資本主義と民主主義の相関性

次に確認しておきたいのは、近代民主主義とその経済基盤である。日本においては、一九四五年の敗戦後、「戦後民主主義」が唐突に持ち込まれ、日本人はあらためて「資本主義と民主主義は相関していること」を認識させられた。戦前の明治期日本にも、資本主義と民主主義は一定の意味において存在した。「殖産興業」の旗印の下に、国家主導の産業開発が進み、「日本資本主義の父・渋沢栄一」に象徴される日本型資本主義が芽吹いたことも確かである。だが、資本主義と民主主義の相関という観点からすれば、明治期日本のそれはあまりに歪んでいた。明治憲法の下に一定の民主主義（国会開設、代議制、内閣制度、法治主義）は存在したが、国体の基軸は「天皇親政」を希求する国家主義、国権主義によって貫かれていたのである。

欧米社会が積み上げてきた「資本主義と民主主義の相関性」を日本人が理解する上で大きな役

割を果たしたのが大塚久雄であった。大塚が「資本主義と市民社会――その社会的系譜と精神史的性格」(『世界史講座 第七』弘文堂書房)を書いたのは一九四四年であり、戦時中であった。その後、「近代化の歴史的起点――いわゆる民意の形成について」(『季刊大学』創刊号、一九四七年)において議論を深め、「民主主義と経済構造」(『思想』一九六〇年一一月号)で西欧における近代民主主義の成立とその基盤としての経済構造の相関性を検証した。戦後日本の「政治の季節」が最も熱気を孕んだ六〇年安保を背景にこの論稿は書かれたのである(これらの論稿は『資本主義と市民社会』に収録、岩波文庫、二〇二一年)。

大塚は「民主主義と経済構造」において、『ロビンソン・クルーソー』の著者ダニエル・デフォーの『イギリス経済の構図』(一七二八年)を紹介しているが、英国の産業ブルジョワジーの代弁者でもあったデフォーは、一八世紀初頭のオランダと英国を対比し、オランダ共和国は国際中継貿易で繁栄を築いてきたとして、「経済の基幹をなす循環が対外依存的である」ことがオランダの弱点だと指摘する。これに対し、英国経済は「広範な勤労民衆を底辺に国民経済のほぼ全面が一つの共同の利益に結び合わされる構造を形成している」とし、議会制民主主義の定着が生まれる経済基盤がそこにあったことを強調した。

確かに、一七世紀から一八世紀にかけての欧州史を俯瞰するならば、とくに北ヨーロッパに資本主義と民主主義を両輪とする「近代」が動き始めたことがわかる。宗教改革が吹き荒れた欧州において、最後の宗教戦争といわれた「三十年戦争」(一六一八~一六四八年)を経て成立したウェストファリア条約は、カルヴァン派の公認、スイス、オランダの独立、主権国家体制の確立をもたらした。それは中世的な宗教的権威を基軸とする体制からの解放を意味し、株式会社制による資本主義の起動、新たな社会的主体による近代デモクラシーの胎動という潮流を誘発したといえる。

英国においても、一七世紀は立憲政治（デモクラシー）の発展のための疾風怒濤の歴史であった。国王と議会の対立を背景とし、国王チャールズ一世の処刑にまで至った「ピューリタン革命」（一六四〇～一六六〇年）による共和制への移行と王政復古（一六六〇年）、そして名誉革命（一六八八年）を経て、英国独特の経験知に立つ立憲君主制という形のデモクラシーを確立していく（「脳力のレッスン」『世界』二〇一五年一〇、一一月号）のである。こうしたデモクラシー確立への背景には、英国の経済社会構造の変化があることは確かである。つまり、荘園制の解体の中から台頭した「ジェントリ」（騎士・商人から転身した中小貴族）や「ヨーマン」（独立自営農民）の存在、毛織物工業の隆盛によるマニュファクチュア（産業資本家）の登場などが、主体的な「民意」の形成の基盤になったといえる。

市民デモクラシーの基礎原理とされ、近代を理論として成立させた文献とされるジョン・ロックの『統治二論』は、名誉革命直後の一六九〇年に書かれたものである。市民が主権者となる普遍的市民政治原理を示したものとして、米国の独立宣言、フランス革命における人権宣言、そして戦後日本の日本国憲法にまで強い影響を与えた。戦後日本で社会科学を学んだ者は、松下圭一などの著作を通じて「市民政府論」としてロックの理論に触れたものであるが、日本において「市民政治」の意義が浸透し、民主政治が成熟したかについては、今日的状況を考えても疑問が残る。

英国の歴史学者A・トインビーは『歴史の教訓』（一九五七年）において、英国人にとっての歴史の教訓を「君主制と共和制の闘いを通じた節度を重んじる穏健な態度」と「米国の独立戦争を通じた植民地主義の限界という認識」という二点に集約している。国王を公開処刑する革命を経て「王政復古」を実現、「君臨すれども統治せず」という立憲君主制に辿り着いた英国が、トインビーのいう穏健な保守主義に至った過程を深く理解する必要がある。そして二〇二二年九月、在位七〇年を経て亡くなったエリザベス二世こそ立憲君主制の意味を国民に浸透させた存在であり、我々はウェストミンスターでの国葬への英国民の想いを通じ、それを目撃したことになる。

資本主義の新局面――二一世紀への視界

一七世紀初頭に世界最初の株式会社（イギリス東インド会社：一六〇〇年、オランダ東インド会社：一六〇二年）が登場して以来、世界は近代資本主義というシステムとそれと相関する形で並走した近代民主主義という主潮の中で動いてきた。その近代産業資本主義の大枠が、二〇世紀末の冷戦の終焉後の新局面として「核分裂」を起こし、「金融資本主義」と「デジタル資本主義」という新たなパラダイムを生じさせていることについては「考察3」で論じている。資本と労働と土地という基本要素によって成立してきた産業資本主義は、金融技術の高度化による金融の肥大化とデジタル技術の進化によりまったく新たな局面を迎えているのである。

資本主義は如何なる方向に向かうのか。資本主義の現局面と進路を再考する上で参考になるのは、I・ウォーラーステインの『史的システムとしての資本主義』（岩波文庫、二〇二二年、新版一九九七年、原著一九八三年）であり、とくに冷戦後という時代を踏まえて一九九七年に付け加えられた「資本主義の文明」を含む増補改訂版が興味深い。ウォーラーステインは一貫して資本主義というシステムが内在させる問題、とくに「万物の商品化」と「資本の自己増殖」を批判的に論じてきた。その視界の中で、「二一世紀の資本主義」についての「将来見通し」として、「高度に分権化、平等化された秩序」を志向する世界潮流に資本主義システムが耐えられるのかという問題意識を語っている。

二一世紀に入って既に二〇年以上が経過し、ウォーラーステインの予感は彼の視界の臨界を超す主潮となっていると思われる。冷戦後の資本主義の変質（核分裂）として私が論じた「金融資本主義の肥大化」と「デジタル資本主義の台頭」という状況は、視点を変えればウォーラーステインのいう「万物の商品化」と「資本の自己増殖」の究極の実現形態ともいえる。仮想通貨は貨幣の商品化であり、巨大ＩＴ企業が主導するデータリズムのビジネス化は新次元の「資本の自己増殖」ということである。

そして、こうした資本主義の変質がもたらした「格差と貧困」は「高度に分権化、平等化された秩序」を求める潮流を胎動させている。アントニオ・ネグリとマイケル・ハートの『アセンブリ――新たな民主主義の編成』（岩波書店、二〇二二年、原著二〇一七年）は新自由主義と金融の呪縛からの解放を目指すものであり、「所有を「共」（コモン）へと開く」ために、「多数多様性の政治参画」を実現する形態としての「アセンブリ」（集会、集合の形態）を模索するもので、世界における民主主義のための運動や闘争の組織化に向けた新たな形態を示唆している。

資本主義のありかたへの本質的批判、利潤の極大化（万物の商品化と資本の自己増殖）を目指す資本主義のパトスがもたらすものへの懐疑は、たとえば人類が地球環境に責任を共有して能動的に関与するという視界を拓く「人新世」の議論にせよ、成長よりも公正な分配や共有を重視する「脱成長」の議論にせよ、おおむね欧州の学者、研究者が主導する議論である。さらに、世界を震撼させたコロナ・パンデミック後の世界に関し、フランスの知性とされるジャック・アタリは『命の経済』という概念を提起し、先進国だけでなくグローバル・サウスの将来世代を見つめた公平で民主的な「命を守る経済」の確立を主張し始めている。

つまり、資本主義に構造的批判を試み、本質的な資本主義の改革を語る「新しい時代のマルクス」は、何故か欧州に現れるのである。欧州と米国の資本主義のありかたに関する見方の断層、ここに問題の複雑さと解答の方向性が示唆されているといえる。「米国のビジネスはビジネスだ」という名言があるが、米国で一〇年以上も生活してきた私の実感でもある。骨の髄まで資本主義の国で、資本主義の総本山である。冷戦後の現代資本主義の一つの柱たる「金融資本主義」のプラットフォームが東海岸のウォールストリートであり、もう一つの柱たる「デジタル資本主義」のそれが西海岸のシリコンバレーといえる。

米国流資本主義はきわめてわかりやすく、「株主価値最大化」を目指す資本主義であり、投資効率を限りなく探求する資本主義である。それこそがウォールストリートの論理であり、そのためには「借金をしてでも景気を拡大させること（成長）」を誘導する。一九九〇年代にＩＴ革命を主導した今日の「ビッグ・テック」（ＧＡＦＡＭといわれた巨大ＩＴ企業）がベンチャー企業だった頃、かれらが資金調達できたのは、「ジャンクボンド」(ハイリスク・ハイリターンの債券)のような仕組みが金融工学の成果として生み出されたためであったことを思い起こせば、金融とデジタルの相関が米国の資本主義に活力を与えたことがわかる。それが「分配の格差」と「取り残された貧困層」という影の部分を内包していることも確かだが、「ウォールストリートの懲りない人々」は、躊躇うことなく新たなる金融派生型商品を生み出し続けるであろう。

二一世紀の資本主義の進路は、この米国と欧州の資本主義の断層を如何に埋めるかにかかっているといえよう。さらにいえば、米国は資本主義の総本山であると同時に、自由と民主主義という理念の共和国であった。それぞれの出身地に何らかの事情(抑圧、差別、弾圧)を背負った人たちが、最後の希望を託して移住した「移民の国」であった。その米国が「アメリカ・ファースト」を掲げるトランプ現象に象徴されるごとく、他者を受け入れる余裕を失い、民主主義を正面から否定する分断の国へと変質しつつある。この米国の民主主義の揺らぎは世界秩序の動揺にも繋がり、暗い影を投げかけている。この動揺にどのような復元力を見せるのか、米国の動向を注視せざるを得ない。

だが、何よりも日本人自身が責任をもって向き合わなければならない課題は、日本の資本主義と民主主義をどうするのかである。そのことは、敗戦を機に占領政策を受容する形で動き始めた「戦後民主主義」と「戦後日本型経済産業構造」のありかたについて、根底から再考し、主体的に再構築することを意味する。二一世紀の日本が、「日本モデル」と胸を張れるような経済社会システムを創造できるのか、さらに論を進めたい。

(2022・11)

第2章　戦後民主主義を守り抜く覚悟

1　「与えられた民主主義」を超えて

戦後民主主義の申し子

敗戦後の昭和二二年から二四年に生まれた世代を「団塊の世代」という。この世代こそ戦後民主主義の申し子である。黒く塗りつぶした軍国教育の教科書を用いていた敗戦直後の混迷した教育現場が、一九五〇年代に入って少しずつ落ち着き「戦後民主教育」が姿を見せた頃に小学校に通い始め、日本人として初めて民主教育を受けて育った世代なのである。私自身、一九四七（昭和二二）年生まれで、小中学校時代、教師たちが戦後民主主義への適応に格闘していた思い出がある。

札幌の小学校五年生の時、炭坑街からの転校生だった私が、唐突に生徒会長選挙に立たされることになった。奇妙なほど本格的な選挙運動がなされ、タスキをかけて三年生以上のクラスを回って支持を訴え、全校集会での立会演説会がおこなわれた。教師たちが当選を期待していた本命候補を破り、何故か私が当選、その後、札幌市こども議会の議長にもなり、市議会の議場で模擬議会の議事運営をおこない、当時の教師たちの本音に触れる機会となった。学校の委員、クラス委員になっても、委員バッジは付けさせない。「特権意識を持たせないため」との説明だった。さすがに、「運動会で一等・二等の順位はつけない」ということはなかったが、「平等主義」の徹底が民主教育だとする風潮は存在した。

人口が塊になっていたため、団塊の世代が通過する時、軋みが社会問題として噴出した。「七〇年安保」をめぐる「全共闘運動」も、この世代が学生として主導した運動であった。

計算も展望もない未熟な「全否定」を叫ぶ学園内の運動にすぎなかったが、私は早稲田大学の一般学生として「全共闘運動」と正面から向き合い、一年間にわたる学園封鎖を体験した。社青同(社会党)、民青(共産党)など大人が指導する政治運動や小田実のべ平連(ベトナムに平和を!市民連合)、ノンセクト・ラジカルなど、さまざまな活動家が入り乱れていた。

「左翼黄金時代」のキャンパスでは、私は「右翼秩序派」とされたが、機動隊導入で先輩・友人たちが就職活動に去っていっても、少数の仲間で「大学変革・社会変革」の活動を続けた思い出がある。その後、さまざまな現場を生きてきた友人たちも高齢者にさしかかったわけだが、結局、あの全共闘運動の時どうしていたのかが、それぞれの人生に投影されているという思いが強い。器用に逃げていた者はどこまでも逃げ続ける人生を辿り、逃げずに本質を見つめた者は、一隅を照らし自前の人生を持ち堪えている。

二〇一五年秋、早稲田大学のホームカミングデーで話をする機会があり、その夜、学部卒業時のクラス会がおこなわれた。久々に旧友の話を聞くと、二十数人のうち、少なくとも四人がそれぞれの思いで、二〇一五年夏の安保法制をめぐるデモに参加したという。

団塊の世代が就職し、社会参加し始めた一九七〇年前後は高度成長期で、幸運にも就職の扉は開かれていた。つまり、右肩上がりの時代に企業戦士となったこの世代には「真っ赤なリンゴ」という言葉が囁かれた。「丸山眞男とマルクスの結婚で、表面はアカ(左翼)がかっているが一皮剝けば真っ白だ」というジョークである。その後、バブル期に中間管理職として組織を支える役割を演じ、「ウチの会社」意識の担い手に変質していった。

このことは拙著『リベラル再生の基軸 脳力のレッスンⅣ』(岩波書店、二〇一四年)で書いたが、実は、民主党政権の失敗は「団塊の世代の失敗」でもあった。鳩山由紀夫、菅直人、仙谷由人をはじめ、二〇〇九年から三年間の民主党政権には、一一五人の団塊の世代が大臣・副大臣・党三役として参画した。団塊の世代の特色でもあり、この世代を先頭とする戦後日本人が身につけた、強靱な価値基軸を持たない者の危うい変容性がこの政権の迷走の要因であった。

タテマエとしての理想主義への傾斜、そして要領のよい現実主義への反転。入口の議論では「故郷は地球村」「コンクリートから人へ」といった美しいキャッチコピーが好きで、複雑で厳しい現実に直面するとあえなく変容する。結局、沖縄基地問題から原発問題まで、あきれるほど無責任な変容を我々は目撃することになった。

果たされていない先頭世代としての責任

残念なことに、団塊の世代は戦後日本人の先頭世代としての責任をまだ果たしていない。仮性成熟の世代というべきで、キレイごとの世界を脱して何を成し遂げるかの覚悟ができていないのである。フォークソング、グループサウンズ、ニューミュージックに滲み出る世界観、つまり「優しさの世代」として身につけたものが、私生活主義の独り言で終わるのか。シルバー・デモクラシーという言葉が重みを増し、有効投票の六割を高齢者が占めるという時代に向けて、戦後民主主義の責任世代としてどう折り合いをつけるのか。団塊の世代は、自ら解答を出さねばならない。

また、戦後の残滓というべき課題、安全保障、原発、沖縄基地などの問題を突き詰めるならば、結局のところ米国との関係であり、反米・嫌米の次元を超えて、真剣に日米戦略対話を進める決意と構想が求められる。対米関係の再設計なくしては日本の新しい時代は開かれないのである。

我々は今、日本における民主主義の歴史の中で、戦後民主主義の意味を踏み固め、その進化を図るべき局面にある。まず、戦後民主主義は「与えられた民主主義」という限界を内包しながらも、婦人参政権の実現、二〇歳からの若者への投票権の拡大を柱とする民主化への前進という意味があることを確認すべきである。

戦後民主主義に疑問を抱く人たちの本音には、戦後民主主義は悪平等をもたらしたという論点がある。「女子ども」が衆愚政治を増幅させているという蔑民意識が見え隠れする。つまり、「より多くの国民」の意思決定への参画を快く思っていないのである。それ故に、常に多数派を偽装した選民による意思決定への誘惑が生じる。いうまでもなく、民主主義とは「多数派の支配と少数派の擁護」である。問題はその「多数派」の正当性であり、民主主義を志向する者にとって、現下の日本の政治は正当性を喪失しつつある。

戦後七〇年を経て、戦後民主主義と並走してきた日本人の本音は、普遍的価値としての「民主主義」など存在するのかという冷ややかな心理である。代議制民主主義が機能せず、空疎な職業政治家の巣窟となっているという現実、さらに、「プロレタリア独裁」を正当化する社会主義体制は冷戦の終焉とともに色褪せ、共産党一党支配の下での中国の「人民共和国」体制にも共感できない中で、我々はどのような民主主義を目指すべきなのか。

戦後民主主義は確かに与えられた民主主義かもしれないが、今その真価が根付くか否かの試練の時を迎えている。安保法制から憲法改正に至る「国権主義的国家再編」と「軍事力優位の国家への回帰」を試みる勢力という明確な敵に対峙しているからである。「民主主義への不断の努力」が求められるその時なのである。戦後日本という過程を生きた者が、後世に何を引き継ぐのかが問われている。

（『私の「戦後民主主義」』所収、岩波書店、二〇一六年）

2　戦後日本の大衆民主主義　都市新中間層の今

「敗戦」という衝撃の中で、戦後日本が始まり、戦勝国たる米国によって唐突に日本は「民主主義の国」になった。だが、当時の日本人にとって最大の関心は「食うこと」、つまり食べて生き延びることであった。九四五（昭和二〇）年八月一五日、『貧乏物語』（一九一六年）の著者でマルクス主義者でもあった河上肇は京都に静かに暮らしていたが、次のような歌を詠んでいる。

「大きなる　饅頭蒸して　ほほばりて

茶をのむ時も　やがて来るらむ」

多くの日本人は敗戦を「物量の敗戦」と受け止めた。「大和魂は一歩もひけをとらなかったが、米国の物量にねじ伏せられた」と思いたかったし、そうとしか思えなかったのである。戦後日本がひたすら「経済の時代」を探求する導線がここにあった。戦前の日本政治のありかたへの真剣な省察はなされないまま、強制的に民主主義が与えられ、受け身でしかそれを捉えられなかった。

その後、六〇年安保闘争、七〇年安保・全共闘運動という「政治の季節」の高揚と挫折を経て、「PHP」（繁栄を通じた平和と幸福）を追い求め、「工業生産力モデル」の優等生として「ジャパン・アズ・ナンバーワン」（一九七九年、E・ヴォーゲルの著書タイトル）といわれるに至り、GDP世界二位の国を実現したことに胸を張った。

もちろん、民主主義を理解しようとする真剣な試みもあった。その重要な舞台の一つとなったのが、岩波書店の『世界』であった。敗戦の翌年、一九四六年五月号の『世界』は特集「アメリカ論」を組み、中野好夫の「ド・トクヴィル「アメリカの民主主義」」や清水幾太郎の「カイザーリング「アメリカ・セット・フリー」」などを掲載した。丸山眞男が「超国家主義の論理と心理」を寄稿し、戦前の日本の政治構造の解明を試みたのもこの号であった。

この特集のタイミングは、ＧＨＱによる「主権在民、象徴天皇制」を支柱とする新憲法草案が提示され（二月一三日）、一一月三日に日本国憲法が公布される谷間であり、アメリカ政治研究の必要性を痛感し、民主主義のありかたを模索しようとしていた知識青年や学生（大学進学率はまだ一割以下だった）は貪るように『世界』を読んだという。

日本の戦後民主主義――一足飛びの大衆民主主義

戦前にも一定の民主主義はあった。国会開設後の一八九〇年の第一回総選挙では、「直接国税一五円以上を納める二五歳以上の男子」に投票権が与えられたが、それは人口のわずか一・一％にすぎなかった。最初の「男子普通選挙」（二五歳以上）が実施された一九二八年の第一六回総選挙でも、有権者は一九・八％にすぎなかったのである。

戦後、一九四六年四月の第二二回総選挙は、婦人参政権を実現した「二〇歳以上の男女普通選挙」であり、有権者は人口の四八・七％となり、一気に大衆民主主義の時代を迎えた。そして、二〇一六年の参議院選挙からは「一八歳選挙権」となり、有権者は人口の八三・七％となった（総務省統計局資料）。大衆民主主義が一段と加速したのである。だが、国民の政治参加の基盤が広がることと、民主主義が有効に機能することは別次元である。

戦後民主主義を代表する論者の一人である鶴見俊輔（一九二二～二〇一五年）は、『思想の科学』一九六〇年七月号に「根もとからの民主主義」を寄稿し、目の前で繰り広げられる「六〇年安保デモ隊」の行動を擁護し、「この大衆運動をとおして、日本の政治はその私的な根から新しく出発し、自分たちの肉声を映画やテレビをとおして世界につたえている。世界にとって、それはきくに足る何かなのだ」と論じ、戦後民主主義の未来に期待を示した。

鶴見俊輔は冒頭で「一九四五年八月一五日に、敗戦が来た」と表現しているが、「来た」というのが実感だったのであろう。唐突な「戦後日本の民主化」が「自発性の欠如」という宿命を抱えていることに苦闘し続けたといえる。与えられた民主主義において「市民社会の自立」はなるのか、それこそが戦後日本の宿命のテーマであった。

もう一人、戦後民主主義に影響を与えた人物が丸山眞男である。岩波新書の『日本の思想』は一九六一年に出版され、現在でも一〇〇刷を超すほど読み継がれている。とくに、「六〇年安保の教科書」といわれた論稿が「「である」ことと「する」こと」だ。「国民主権である」という制度的建前と権利に安住するのではなく、「行動する」論理に踏み出すことの大切さを示唆するもので、民主主義とは何かに関して日本人の視界を拓くものであった。私も、北海道の高校生としてこの本を手にした時の高揚感を覚えている。

だが、六〇年安保の挫折を経て、ベトナム戦争での米国への失望、さらにプラハの春を戦車で踏みつぶしたソ連への幻滅を味わい、世界の若者は「一九六八野郎」(パリ五月革命、カリフォルニア世代)となって既存の秩序への反抗を試み、日本でも新左翼の登場と全共闘運動の中で、丸山眞男の市民主義は微温的な「プチ・ブルの議論」として軽視されていった。それでも、六〇年代末から七〇年代初頭の大学は、「丸山眞男とマルクスの結婚」という言葉に象徴される市民主義と社会主義が混在した心象風景の学生たちが主流であった。運動の主役でもあった「団塊の世代」

といわれる戦後生まれの先頭世代は、その後どう生きたのか。それが民主主義の今日的状況と相関しているのである。

戦後民主主義の主役としての都市新中間層

経済の時代を突き進んだ日本において、大衆民主主義を担う主体たる「国民」の経済的・社会的基盤は、産業化と都市化の潮流の中で大きく変容した。一九五〇年、つまり敗戦から五年後の時点で、就業人口の四八・六%は一次産業(農林水産業)に従事しており、国内総生産の二六・〇%は一次産業によるものだった。その後の産業構造の変化によって、一九七〇年の段階で、一次産業の従事者比重は一九・三%、生産比重は六・一%となり、一九九〇年には従事者比重は七・二%、生産比重は二・五%となった。そして、二〇二〇年には従事者比重はわずか三・二%、生産比重は一・〇%となった。

また、産業の都市集中により、人口の都市集中が進行し、たとえば、首都圏の四都県の人口は一九五〇年には一三〇五万人で、全人口の一五・七%だったが、二〇二〇年には三六九一万人と、全人口の二九・三%を占めるに至っている。つまり、戦後の日本は産業構造の変化と人口の都市集中により、膨大な都市新中間層という存在を生み出した。

一次産業から二次・三次産業へ、田舎から大都市へ、この人口構造の変化は、総じて国民を豊かにする移動であった。勤労者世帯可処分所得(月額)は、一九五五年の二万六〇〇〇円から一九七〇年の一〇万三〇〇〇円、一九八〇年の三〇万六〇〇〇円、一九九〇年の四四万一〇〇〇円と急増し、一九九七年の四九万七〇〇〇円でピークアウトするまで増加を続けた。「明日は今日よりも豊か」と思える時代が、一九九〇年代末まで続いていたのである。各種世論調査において、国民の八割以上の階層帰属意識が「自分は中流」と答える一億総中流幻想が生まれたのも当然と思われる時代状況だった。成長の成果が分配を通じて国民生活を潤していくという好循環が機能していたといえる。また、この背景には東西冷戦期における資本主義対社会主義の緊張関係(五五年体制)を軸に、労働組合運動が経営を突き上げていたという要素も指摘できる。

私は、『中央公論』一九八〇年五月号に、「われら戦後世代の『坂の上の雲』」という、自分の原点というべき論稿を寄稿した。戦後近代化と産業化の過程で、日本は大都市圏に産業と人口を集中させ、一定の豊かさの中で「新中間層」というべき「階級意識」を持たず、「中流意識」を持った階層を生み出していた。かつての農村社会における地縁・血縁のしがらみから解放された「都市の新中間層」が、戦後民主主義の担い手になることを期待した論稿でもあり、「全否定」を掲げた全共闘運動から約一〇年後、私自身が産業の現場に身を置きながら、新中間層予備軍として戦後民主主義の前途に果たすべき役割を模索していたといえる。

この四四年前の論稿において、私は都市新中間層の中核となりつつある戦後世代(団塊の世代)が身につけてきた価値観を「経済主義」(経済的価値への傾斜)と「私生活主義」(個人主義とは異なる閉鎖的小市民主義)と見て、そのことがもたらすであろう未来状況に強い懸念を示していた。あれから四〇年、都市新中間層は、日本の民主主義の中でどこに立っているのであろうか。

二一世紀のパラダイム転換——大衆民主主義の今日的危機

二〇〇〇年から二〇二三年の間に、日本では新たな就業人口移動が進んだ。製造業・建設業の就業者が四三六万人減少し、広義のサービス業（金融・不動産業を除く）で八〇八万人の就業者が増えた。サービス業でもとくに医療・福祉（多くは介護）と運輸業で四八二万人を増やしている。サービス業は、製造・建設業に比べ平均年収が約九〇万円低く、この移動が就業者全体の所得を下げている。つまり、二一世紀の就業人口の移動は、国民を豊かにするものではないのである。

また、二〇二三年の雇用者六〇七六万人のうち、非正規雇用者（パート、アルバイト、派遣、契約社員）は二一二四万人で三五・〇％を占める。さらに、年収二〇〇万円未満の「ワーキング・プア」（働いているのに貧困）は一四六二万人で、非正規雇用者の六八・八％を占める。正規雇用者で年収二〇〇万円未満の三一一万人を加え、日本には年収二〇〇万円未満の人が一七七三万人おり、全雇用者の二九・二％を占める。つまり、分配の平準性を特色とした日本は、今世紀に入り「格差と貧困」へと社会構造を変えたのである。

先述のごとく、一九九七年に四九万七〇〇〇円でピークを迎えた勤労者世帯可処分所得は、二〇一一年に四二万一〇〇〇円まで下落、その後二〇二一年には四九万三〇〇〇円となったが、ピーク時と比べてまだ水面下で、現役世代の勤労者の所得が低迷を続け、かつワーキング・プアの比重の高まりが示すごとく、分配の格差が拡大していることが窺える。

この社会構造の変化の中で、戦後民主主義の担い手と思われた都市新中間層の位相も変化した。まず、都市新中間層の第一世代は定年退職を迎え、都市郊外のベッドタウン（東京でいえば国道一六号線沿いのニュータウン、マンション、団地)に高齢者として生活している。会社人間として往復二時間の通勤を続けてきたサラリーマンが、「イエ型企業社会への同一化」(ウチの会社と企業内労組への帰属意識)から解放された空白感の中で、多くは拠り所なき不安の心理の中にあるといえる。

私は二〇一七年に刊行した岩波新書『シルバー・デモクラシー』において、「なぜ高齢者はアベノミクスを支持するのか」を分析している。「経済主義」と「私生活主義」を身につけて企業社会を生きた高齢化した都市新中間層は、次第に「生活保守主義」へと傾斜し、異次元金融緩和で実体経済を膨らませて株高と円安を誘導する歪んだ経済政策に拍手を送るようになった。

理由は明確で、家計が保有する金融資産のうち、貯蓄の約六割、有価証券の約七割は六〇歳以上の高齢者が保有しており、日銀に政治的圧力をかけ、赤字国債を青天井で引き受けさせ、ETF買いで株価を支える政策は、資産を持った高齢者を潤すからである。人口の四割を高齢者が占める時代が迫る中で、若者の投票率が高齢者の半分という状況が続けば、有効投票の六割は高齢者が占めることになるわけで、「老人の老人による老人のための政治」というシルバー・デモクラシーのパラドックスは現実のものとなりつつある。

次に、現役世代の都市新中間層の現状を確認しておきたい。都市新中間層も第二、第三世代に入った。帰る田舎を持たない都市圏を故郷とする存在である。彼らは右肩下がりの四半世紀と並走した。一九九四年に世界GDPの一八%を占めた日本経済は、二〇一〇年に中国に抜かれ、二〇二二年には世界GDPの四%にまで後退した。そして、二〇一一年の東日本大震災、二〇二〇年からのコロナ禍と、戦後日本が作りあげてきたものが盤石ではないことを思い知らされた。レジリエンスが問われる局面を迎えたのである。
不安を背景に内向、保守化へと向かった。絆（キズナ）、連帯、統合、安定を求める空気へと変質していった。変革や改革という言葉が消えていった。「イマ、ココ、ワタシ」しか視界に入らない閉塞感が日本を覆うようになった。そこに「安倍政治」なるものが同軌した。戦後民主主義にとってこの一〇年間の安倍政治とは何だったのか。新たな時代を拓くためにこのことを次に考察したい。

（2022・12）

3　戦後民主主義と安倍政治

吉田茂の国葬を受けて大宅壮一が書いた「吉田が死んで戦後は終わった」（『サンデー毎日』一九六七年一一月五日号）という言葉は、鋭くかつ的確であった。大宅は、吉田茂という人物の本質を「日本の貴族主義や封建主義を象徴するもの」と指摘、「日本帝国主義の忠実な使徒」と断じた。「英米協調派」として民主主義者、平和主義者と思われがちだが、「反軍でも反戦でもなく、権力への抵抗でもなかった。権力欲の極めて強い人物が別個の権力に反発したにすぎない」と言い切った。おそらく、正鵠を射ている。吉田茂は、「臣茂」と記帳していたごとく、国士風教育を身につけた天皇制論者であった。ただし、吉田の足跡を検証して気づくのは、この人物は体験を積み上げる過程で進化している。あの時代を生きた日本人としては「世界認識」を錬磨している。

官僚が上げてくる起案に、「経綸に欠ける」と書いて突き返していたという。

吉田茂は、一九三一年イタリア大使、一九三六年英国大使として、第二次大戦に向かう時代の欧州に張り付き、戦間期の「危機の二〇年」を目撃している。そして、敗戦後の日本を担い、サンフランシスコ講和条約、日米安保条約と、冷戦期の日本を「西側陣営の一翼を担う存在」にもっていった。だが、若い官僚には「この選択しかないと日米同盟に踏み込んだが、君たちは将来に備え選択肢を研究せよ」と諭し、一九五四年には、「独善に陥りがちな米国流」を制御するには「日本の英連邦加盟が望ましい」(『回想十年』全四巻、新潮社、一九五八年)と、独特の世界観を論じている。吉田茂は必ずしも日米同盟至上主義者ではなかった。

安倍元首相とその国葬を見送った二〇二二年晩秋、「戦後民主主義と安倍政治」を総括しておきたい。「怨親平等」の精神性こそ日本人の美徳であることを心に、大宅壮一のようなジャーナリストとしての目線からではなく、政策科学の視界からの次なる日本の進路を探る試みとして論を進めたい。

旧統一教会問題の本質——戦後日本の政治の歪み

旧統一教会問題の本質は、その宗教団体の「反社会性」よりも「反日性」にある。メディアの報道や政府の対応は、高額献金、家庭崩壊、霊感商法、信者二世の悲劇などに照準が合わせられ、この団体への「質問権」の行使と宗教法人としての存続が議論されている。だが、日本への教訓として明確にすべきはこの団体の反日性である。

旧統一教会が韓国で設立されたのは一九五四年で、日本で宗教法人としての認証を受けたのは一九六四年であり、一回目の東京オリンピックの年であった。さらに、この団体の政治活動を担い、韓国の中央情報部（KCIA）の指示を受けて国際勝共連合が設立されたのは一九六八年であった。「六〇年安保闘争」から「七〇年安保・全共闘運動」の谷間であり、世界的には東西冷戦の真っ只中であった。そうした時代を背景に、日本の保守政治家が「勝共連合」と共産主義打倒で共鳴したことはわからなくもない。だが、眼力ある政治家ならばこの団体が日本の国益と相反する存在だと気づいたはずである。

教祖の文鮮明は、韓国は「アダム国家」で、日本は「エバ国家」であり、日本帝国主義の朝鮮半島支配への贖罪として、日本人は韓国に「献金」して償うのは当然という考えと、日本人および皇室を侮辱する発言を繰り返していた。日本の弱者に取り憑いて、「地獄に堕ちる」とまで強迫して確保した献金「年間数百億円」を海外に送金したとされる。日本政府が真剣に調査し、国民に報告すべきはこの「国民の財産毀損」の構造なのである。

米国に文鮮明の釈放嘆願の書簡を送った岸信介

旧統一教会に関し、日本人として直視すべき事実を確認しておきたい。一九八四年、文鮮明は米国において「脱税」の罪状で懲役一八カ月の実刑判決を受けて収監され、コネチカット州の刑務所に一三カ月間服役した。その頃、私もブルッキングス研究所の客員研究員としてワシントンで生活しており、「脱税」の場合、通常は収監を避け罰金を払うのだが、文鮮明は刑務所に入ったという報道に驚いたものである。

文鮮明の収監を受けて、一九八四年一一月に岸元首相は米国のレーガン大統領に文鮮明の釈放を嘆願する書簡を送っている。文鮮明を反共の盟友として助けようとしたのである。この時、日本は中曽根政権下であり、その三年八カ月間、外相を務めていたのが岸の娘婿である安倍晋太郎、外相秘書官はその息子晋三であった。問題は、この書簡が「個人的手紙」として米大統領に届いたのか、外交ルートで送られたのかである。外交ルートであれば「国益」を懸けた要望となる。

中曽根政権時、岸が直系の福田赳夫よりも中曽根を支持していた構図に関し、中曽根が興味深いことを語っている。「岸さんが「中曽根の外交路線は正に自分がやろうとしたことだから中曽根を支持する」と言ってくれていた。自主防衛、アジア外交の基本的な価値観、具体的政策は私と一致していたからね。そして岸さんの娘婿である安倍さんは、岸さん譲りの見方、私の考える路線に沿って外交をやっていた」(『中曽根康弘が語る戦後日本外交』新潮社、二〇一二年)。

その後、一九八七年には東芝機械事件が起こった。文鮮明が創刊(一九八二年)したワシントン・タイムズ紙が火をつけ、ワシントンの右派ロビイストが呼応した典型的なジャパン・バッシングの出来事であった。東芝の子会社、東芝機械がソ連向けに輸出した工作機械とNC装置がソ連の潜水艦のスクリュー音の静粛性向上に寄与したとして、対共産圏輸出統制委員会(ココム)違反として摘発されたものである。「冷戦の終焉」の直前のタイミングの案件であったが、一九八五年のプラザ合意による円高を受けて、「アメリカを買い占める日本」などと、対日脅威論が高まっていたワシントンでは格好の材料として喧伝され、反日デモまでが組織化されたが、背後に旧統一教会の影があることは当時も指摘されていた。

さらに、一九九二年三月二六日、文鮮明は金丸信自民党副総裁の手配による「超法規的入国」（日本および外国で一年以上の懲役刑もしくは禁錮刑に処せられた者は上陸拒否される：出入国管理法第五条四）を果たし、中曽根元首相と会談し、国会議員三一名を前に講演をしている。何故、反日を教義とする団体の領袖を特別の配慮で入国させたのか、素朴な疑問を覚えるが、戦後史を貫き今日に至る保守政治の深層に「根腐れ」が生じていることを痛感させる。愛国を基本理念とする保守政治が、外国の反日団体と手を携えてきた現実に衝撃を覚えざるを得ない。

日本人が本当に論ずべきは、「クレプトクラシー」（権力者が弱者から収奪してカネと影響力を握る仕組み）を規制する「外国代理人登録法」や「公務員による外国のためのロビー活動や代理行為禁止法」の整備である。

二〇二二年の参議院選挙の全国区で、旧統一教会が動かせた票は最大八万票といわれる。候補者を立てた幸福の科学（幸福実現党）は、一五万票を得ても一議席も獲得できなかった。旧統一教会は、政権政党たる自民党を支援することで自民党の総得票を嵩上げし、ボーダーにある候補者を当選させることで、影響力を最大化させたのである。衆議院選挙でも、小選挙区で与野党が競り合う選挙区では、数千票の組織票に繋がる選挙協力は、選挙に弱い候補者にとって「悪魔の誘惑」となるのである。

戦後史の中で再考する安倍晋三

安倍晋三の母であり、岸信介元首相の娘でもあった安倍洋子が「晋三は宿命の子」と語るごとく、安倍晋三という人物の年表を作り、言動を追うならば、人間形成の根底に祖父、岸信介が重く埋め込まれ、その行動を規定し、最後まで因果を引きずっていたことに気づく。

彼自身が「原体験」として語るのが、五歳の頃、六〇年安保のデモ隊が、渋谷の南平台の岸信介邸に連日のごとく押しかけ、「安保反対」「岸を倒せ」のシュプレヒコールを繰り返すシーンである。この怒濤のような民衆行動への恐怖心の中で、少年安倍晋三は「おじいちゃんは絶対正しい」と叫ぶ。少年期に祖父を敬愛する心理など特異なことではない。だが、少年には理解できないほど祖父が社会的批判の対象にされている状況を体験し、それへの反発が澱となって、「デモは不逞の輩」とする固定観念に陥ってしまったのが、この人物の特性といえる。通常、成人してからの体験の広がりで、多様な見方を吸収し世界観を錬磨していくのだが、彼の場合、そうした体験もなく「指導者」になってしまった。そして、祖父の盟友だった文鮮明とその一党との関係を吟味する力もなく、引きずってしまった。

政治記者として自民党の福田派および安倍派を取材してきた人たちの情報（例、野上忠興『安倍晋三 沈黙の仮面』小学館、二〇一五年）を総合するならば、安倍晋三は、「「頑なさ」と「危うさ」が同居した人物」という印象を残している。「頑なさ」は信念の強さにも通じる資質だが、信じている中味が問われるわけで、思い入れの強さが「危うさ」を招きこんでいたといえる。

安倍晋三論には「学歴コンプレックス」（東大卒・エリート官僚嫌い）というエピソードが登場しが

ちだが、大切なのは学歴よりも人生を通じて何を学ぼうと努力したかである。その意味で不思議なのは、大学で社会科学を学んだ人間（成蹊大学法学部政治学科卒）であれば少なくとも身につけるはずの「社会科学的思考」を持ち合わせていなかったことである。ご本人も、含羞を込めて「もう少し勉強しておけば」と発言していたが、私自身、何回か直接対話の機会を得たが、基本的文献も読んでいないという印象が強い。

安倍晋三は一九五四年九月生まれで、私の七歳年下である。戦後日本の最後の「政治の季節」といえる七〇年安保・全共闘運動の時代が終わり、一九七三年四月に大学のキャンパスに登場した「遅れてきた青年」の世代である。先行した「全共闘世代」が、その後の人生を含めて優れていたとは思わない。全共闘世代、つまり団塊の世代が戦後日本の政治を歪めた責任については、再三論じてきた（『シルバー・デモクラシー——戦後世代の覚悟と責任』）。

さはさりながら、大学から角材、立て看板が消え、同好会・サークル活動の時代が到来し、現れたのが「ノンポリのモラトリアム人間」であった。安倍晋三の大学生活も「アルファロメオでの通学とアーチェリー部と麻雀荘の毎日」とされ、『なんとなく、クリスタル』（一九八〇年、田中康夫による小説のタイトル）の世界であったといえる。卒業後も典型的なモラトリアム（自分探し）志向で、一九七七年三月卒業後、一九七九年五月まで米国留学（実際は英語学校と南カリフォルニア大学の聴講生、途中切り上げて帰国）、一九七九年五月から神戸製鋼所入社、約一年間ニューヨーク事務所での嘱託勤務を経て、同社加古川製鉄所配属となるが、数カ月で体調を崩し入院、一九八一年二月から本社輸出部に異動となり、翌年一一月には父、安倍晋太郎の外務大臣就任を機に退職、外相秘書官に就任と、二〇代の基盤構築期に錬磨なきまま「家業としての政治」に入ったといえる。ある意味では、戦後日本が「右肩上がり時代」の産物として創り出した人間であった。

戦後民主主義のリトマス紙としての安倍政治

安倍晋三追悼特集雑誌に目を通し、寄せられた賛辞を集約するならば、「国家観を持った政治家」、「信念と決断の人」（自衛隊違憲に終止符）、「日本人の誇りを取り戻した人」（戦後七〇年談話による自虐史観との決別）となるであろう。また、身近で交流のあった人たちからは、思いやりのある配慮の人という評価を得ているようである。だが、日本を八年以上も率いた政治指導者となると、政策科学において高い次元での厳しい評価がなされなければならない。

何よりも、彼が目指した国家、国体とは何なのか。気づくのは、奇妙なほど「民主主義」への発言がないことである。本人が書いた『美しい国へ』（文春新書、二〇〇六年）で、わずかに「アメリカの民主主義の論理とは」と題し、米国が正統と考える民主主義はきわめて特異な民主主義だという認識を示し、「日本のように一二五代にわたって天皇を戴くという歴史があるわけではない。また、ヨーロッパのように、長い間王権に支配されていたこともない」と語り、そのアメリカの理想主義を日本で実現しようとした、ニューディーラーと呼ばれた進歩的な若手GHQスタッフによって、一〇日間そこそこで書き上げられたのが日本国憲法だという見方を語っている。だが、米国が激しい独立戦争を戦い、南北戦争で屍を積み上げた歴史を経ていることを忘却しているし、戦後民主主義の前提に関する認識が間違っている。日本国憲法の内容は、ジョン・ロックの『統治二論』や「米国独立宣言」、「不戦条約」(ケロッグ・ブリアン条約、パリ不戦条約)などを踏まえた正統な民主主義思想を体現するものである。

また、安倍は同著で「はたして国家は抑圧装置か」と題し、国家と国民を対立した概念で捉えるのではなく、「国民の自由を担保するのは国家」という考え方を示し、「放埒な自由ではなく、責任を伴う自由」の大切さを語る。もっともに聞こえるが、「国民の自由を担保できる国家」を維持するためにも民主主義を機能させねばならないわけで、国家が一歩間違えれば抑圧装置になる例を安倍政治が生み出したことを「自殺者さえ出した森友学園をめぐる近畿財務局の問題」で我々は目撃している。

結局、安倍政治には「戦後民主主義はバチルス(病原菌)」として切り捨てたい本音が見え隠れする。それは、常に「統治者としての視点からの政治論」だからである。「官邸主導政治」として、内閣人事局が省庁の上級人事を掌握することで忖度官僚の群れを生み出し、検察や日銀の人事にまでも過剰介入することで、民主政治の根幹である権力の分立と相互牽制を崩してしまった。

安倍政治が掲げた「日本を、取り戻す。」というスローガンが、戦後民主主義を否定し、戦前の日本への回帰を目指すものであったことを示す典型的事例が、二〇一七年三月の「閣議決定」による教育勅語の「副読本化」であろう。一九四八年六月に衆参両院で「教育勅語等の排除、失効確認決議」がなされたものを閣議決定で覆したのである。

「父母に孝に兄弟に友に……」を語る教育勅語は八割以上が儒教的価値に基づく徳目で、徳育教育は大切だという説明だが、教育勅語の狙いは「一旦緩急あれば義勇公に奉じ以て天壌無窮の皇運を扶翼すべし」という国民意識の形成にある。この戦前型天皇制国家の基本理念を「副読本」ではあっても、議会の承認なく「閣議決定」で再び教材化することを決めたのである。「集団的自衛権の容認」も閣議決定による解釈改憲で押し切ったわけで、議会主義を空洞化させてしまったのである。

「戦後レジームからの脱却」を掲げていた安倍晋三という人物は、自らの死をもって戦後レジームを支えた保守政治の本質を明らかにした。そして、彼自身が戦後レジームの中核であったことを言い残して逝った。我々には、本当の意味で、戦後レジームを克服して未来を拓く責任が残った。

戦後民主主義を支えるはずだった産業資本主義を中軸とする経済基盤が変質し、デジタル情報技術革命が進行する中で、我々は主体的に民主主義のありかたを再考察して、あるべき形へと変革しなければならない。

（2023・1）

考察3　経済・産業再生への進路

第1章　これからの経済を考え抜く

1　日本経済・産業再生への道筋

「ＳＤＧｓ」は時代の旗印、あえていえば呪文となりつつある。「Ｓ＝Sustainable」(持続可能な)「Ｄ＝Development」(開発)を地球の未来に向けての目標にするというもので、二〇一五年九月に国連で二〇三〇年を期限とする目標として採択された。一七色の丸いＳＤＧｓバッジを胸につける経済人も多くなった。だが、建前論を超えてＳＤＧｓの意味を考えている人は少ない。美辞麗句ではすまない覚悟が問われているのである。

ＳＤＧｓの起源は、一九七二年に発表されたローマクラブの報告書「成長の限界」に遡る。国連の「人間環境会議」に合わせて発表された「成長の限界」は、資源の有限性、人口爆発、環境破壊などに警鐘を鳴らすもので、約半世紀前のこの報告書は「地球を一つの星」と認識し、その保全に向かう第一歩であった。だが、この半世紀、地球は爆発的ともいえる成長軌道を走り、世界ＧＤＰは実に二八倍になった（一九七〇年三・〇兆ドル、二〇二〇年八四・七兆ドル、世界銀行）。

日本についていえば、「成長の限界」報告が出た一九七〇年代から一九九〇年代にかけては、右肩上がりの「成長軌道」を走った。そして、その後の三〇年近く、「失速、埋没」という成長なき局面を続けている。したがって、日本人の本音が複雑かつ微妙なのは、「持続可能性」に比重が置かれ、環境保護、CO_2削減の意義も理解できるが、その基盤たる「開発、成長」はどうするのか、その展望が見えないことにある。この先、ゼロ成長、マイナス成長というのであれば、「持続可能性」など心配する必要はない。沈みゆく船の中で美しい理念を語り続けられるのか。新しい視界が問われているのだ。

埋没する日本への「健全な危機感」

日本のＧＤＰの世界ＧＤＰに占める比重が最大だったのは一九九四年であり、一七・八％であった。前回の東京五輪が開催された一九六四年には、世界ＧＤＰにおける日本の比重は四・五％であったから、その後の三〇年間で、日本経済は世界での比重を四倍に高めたということである。その三〇年こそ、日本が「工業生産力モデル」の優等生として突き進んだ時代であり、鉄鋼、エ

表1　IMF世界経済の見通しの改定版
（実質GDP成長率・2021年7月発表）

（%）

		2017年	2018年	2019年	2020年	2021年		
						1月発表	4月発表	最新値
世界		3.8	3.6	2.8	▲3.2	5.5	6.0	6.0
先進国	米国	2.3	3.0	2.2	▲3.5	5.1	6.4	7.0
	ユーロ圏	2.6	1.9	1.3	▲6.5	4.2	4.4	4.6
	英国	1.7	1.3	1.4	▲9.8	4.5	5.3	7.0
	日本	1.7	0.6	0.0	▲4.7	3.1	3.3	2.8
BRICs・新興国	ブラジル	1.3	1.8	1.4	▲4.1	3.6	3.7	5.3
	ロシア	1.8	2.8	2.0	▲3.0	3.0	3.8	4.4
	インド	6.8	6.5	4.0	▲7.3	11.5	12.5	9.5
	中国	6.9	6.7	6.0	2.3	8.1	8.4	8.1
	ASEAN5	5.5	5.3	4.9	▲3.4	5.2	4.9	4.3

＊ASEAN5：タイ，ベトナム，インドネシア，マレーシア，フィリピン．▲：マイナス　（出所）IMF

レクトロニクス、自動車などの基幹産業を育てて外貨を稼ぎ、日本を豊かな国にしたのである。一九九〇年代に入り、既にバブル景気は終わっていたが、なお余燼が燻り、さまざまな指標において、一九九四年から一九九七年に、戦後日本経済は右肩上がりの頂点を迎えていた。日本での書籍販売のピークは一九九六年、新聞（一般紙）発行部数がピークだったのが一九九七年であった。

ところが、これまでも言及してきたごとく、一九九四年をピークとして世界経済の中で日本経済は「埋没」を続け、二〇二〇年の世界経済における比重はわずか六・〇%にまで下落した〔追記：二〇二三年は四%台に下落した〕。背景に、中国をはじめとするアジア経済の台頭があることはいうまでもない。アジア・ダイナミズムを吸収しきれず、相対的に日本経済が沈下し続けているのである。

二〇二一年七月末発表のＩＭＦ世界経済の見通しの改定版（表1）によれば、世界全体の実質ＧＤＰ成長率は二〇二〇年のマイナス三・二％の落ち込みから回復し、二〇二一年は六・〇％成長になると予測されているが、日本については、四月時点での予測三・三％から二・八％成長と、〇・五％の下方修正となった。二〇二〇年のマイナス四・七％からは回復基調にあるとはいえ、欧米主要国に比べ際立って低調である〔追記：二〇二四年四月時点の実績では、二〇二〇年の世界全体はマイナス二・七％、日本はマイナス四・一％、二〇二一年の世界全体は六・五％、日本は二・六％である〕。ワクチン接種の遅れとオリンピックの経済効果の空転によるとされるが、実は、二〇〇八年のリーマン・ショックから二〇二〇年までの日本は実質ゼロ成長であり、長期構造的な低迷を続けているといわざるを得ない。

もし、ＩＭＦの予測値通りに二〇二一年の世界経済が推移したならば、世界ＧＤＰに占める日本の比重は五・八％に低下するであろう〔追記：実績では五・二％となった〕。さらに、コロナのトンネルの先、二〇三〇年を展望するならば、このままの傾向が続けば世界経済での日本の比重は三％台に落ち込んでいくであろう。

「ＧＤＰはＧＤＰにすぎない」として、ＧＤＰ論の限界を指摘する声もある。だが、ＧＤＰは創出付加価値の総和であり、我々が知恵を出し、汗をかき経済活動する総体を捉える概念として一定の意味を持つことは否定できない。高度成長期の真っ只中の一九七〇年、朝日新聞が「くたばれＧＮＰ」という特集を連載し、「経済大国のひずみ」に警鐘を鳴らしたことがある。特集の最後に都留重人が登場して「国民的福祉の数量化」を主張したり、城山三郎が「モーレツ社員の

表2　日本の産業別生産構造・就業者構成比の推移

(年)	国内総生産 産業別割合 (%) 1次産業	2次産業	3次産業	就業者 構成比 (%) 1次産業	2次産業	3次産業
1950	26.0	31.8	42.2	48.6	21.8	29.7
1970	6.1	44.5	49.4	19.3	34.1	46.6
1990	2.5	36.6	60.9	7.2	33.5	59.4
2020	1.0	25.9	73.1	3.2	23.1	73.7

(出所)内閣府「国民経済計算年報」等

馬車馬人生」の風潮に対して「勤続十年で一年の休暇を——創造力が枯れ果てる」と語ったり、高度成長期の断章を思い出させる内容になっているが、企画の前提になっているのが「経済大国日本」であり、その自信と余裕の中での「くたばれGNP」論であった。

経済学のイロハであるが、GDPは三面等価の概念であり、「生産総額」「所得(分配)総額」「支出総額」という三つの価値基準で、循環するシステムとして国民経済を捉えるものである。戦後日本のGDPの産業別の生産構造を産業別の就業者構成の変化とともに注視してみよう(表2)。一九五〇年、敗戦後五年の日本においては、就業者の約半分(四八・六%)は一次産業に従事しており、生産構造においても一次産業が二六・〇%を占めていた。それからわずか二〇年後、一九七〇年においては、二次産業が生産の四四・五%、就業者の三四・一%を占めるに至った。「工業生産力モデル」といわれる戦後日本の産業構造が急速に形成された期間であった。

ところが、二〇二〇年の状況を見ると、二次産業の生産比重は二五・九%となり、三次産業が七三・一%を占め、一次産業はわずか一・〇%という国になってしまった。日本人は「工業生産力モデル」での成功体験を引きずり、今でも日本は「製造業を中核とするものづくり国家」という幻想を抱いているが、現実にはサービス経済化が加速し、しかも「極端に一次産業を圧縮して食料自給率が低い産業構造の国」になっているのである。

日本のカロリーベース食料自給率は三八%であるが、米国のそれは一一五%、欧州主要国はほぼ一〇〇%、先進国中で日本に次いで食料自給率が低いとされる英国でも六割前後の自給率は維持している。とくに二一世紀に入っての「新自由主義的風潮」に踊らされて、「競争力を失った生産性の低い産物は海外から輸入した方がいい」という判断をしてきた日本だが、コロナ禍は新自由主義の陥穽を鮮明にした。

私は、「脳力のレッスン」の「コロナが炙りだした日本の課題と針路」(『世界』二〇二〇年九月号)にて、「日本経済・産業の埋没」と「産業基盤の再構想の必要」を問題提起したが、その後のコロナのトンネルを抜けていく中で、問題意識は深まり、埋没する日本への「健全なる危機感」と埋没の構造の精緻な解明、そして埋没を撥ね返す柔らかく重層な構想力と実行力が求められていることを痛感するに至った。真剣な自己解析が再起動の起点なのである。

コロナ禍に入る直前の時代認識を踏まえた拙著『日本再生の基軸』においても、私は令和日本の基本テーマとして「工業生産力モデルからの進化」を語り始めていた。本稿は、そのための具体的構想を描き出すことへの匍匐前進である。

アベノミクスの総括――異次元金融緩和の陥穽

二〇二〇年春、コロナが日本に上陸し、最初の緊急事態宣言(二〇二〇年四月七日)がなされる頃

表3　アベノミクスの総括

第1の矢「異次元金融緩和」

	2012年平均	2020年平均
マネタリーベース	121兆円	555兆円
貸出残高（銀行計）	397兆円	491兆円

第2の矢「財政出動」

	2012年度	2020年度
政府予算（一般＋特別会計）	487.5兆円	567.5兆円 ※コロナ対策補正76.6兆円含む
政府債務（各年度末）	992兆円	1216兆円

第3の矢「実体経済の中核たる国民生活」

	2012年→2020年
現金給与総額［全産業］	＋0.97％
消費者物価（CPI）	＋5.6％
消費支出［全世帯］	▲2.8％

		2012年	2020年
株高	日経平均株価［終値平均］	9108円	22705円
円安	円ドル相場［年平均］	79.8円	106.8円

（出所）日本銀行，財務省，内閣府等ホームページ

まで、アベノミクスで日本経済が再浮上しているかのごとき錯覚が浸透し、「日本もそこそこにうまくいっているシンドローム」が日本を覆っていたといえる。だが、コロナは日本経済が抱える構造的問題を炙り出した。今は二〇一二年末から続いたアベノミクスの意味とその結末を静かに再考しておくべき局面である。

安倍政権が目指したアベノミクスとは、「デフレからの脱却」を目指したインフレ誘導政策であり、「三本の矢」を掲げていた。**表3**を注視してほしい。まず、第一の矢は「異次元金融緩和」であった。日銀人事にまで政権が強く介入、マイナス金利の導入から量的緩和まで、「金融を異次元に緩和して景気を刺激する」政策が採られた。それにより、マネタリーベースは二〇一二年平均の一二一兆円から二〇二〇年平均で

は五五五兆円へと四・六倍に急拡大した。だが、銀行の貸出残高はその間二四％しか増えなかった。産業現場の資金需要が増えないからである。余ったカネは「マジックマネー」となって株式市場をはじめとするマネーゲームに向かった。コロナで世界中が金融緩和に踏み込む八年前から、日本だけが先行して際限ない金融緩和に突っ込んでいた。

第二の矢は「財政出動」であり、財政規模（政府予算）は二〇一二年度の四八七・五兆円から二〇二〇年度の五六七・五兆円へと増大した。それは、その財源としての赤字国債の増発を招き、政府債務は二〇一二年度末の九九二兆円から一二一六兆円へと増加、政府の借金がＧＤＰの二倍以上という、先進国において例のないほどの債務大国になっているのである。この債務は、結局「後代負担」であり、孫子の代に膨大なつけを回して生きることとなのである。

だが、それでも第三の矢は飛ばず、実体経済の中核たる国民に恩恵は向かわなかった。二〇一二年から二〇二〇年の八年間で、全産業の現金給与総額（サラリーマンの収入）は、わずか〇・九七％しか増えなかった。年間二％の物価上昇目標（デフレからの脱却）は達成されなかったが、消費者物価は八年間で五・六％も上昇しており、生活者には重くのしかかったといえる。それ故に、全世帯の消費支出は、二〇一二年比で二・八％減少しており、国民の経済生活はむしろ縮小したのである。

アベノミクスの失敗をコロナのせいにして責任回避を試みている感があるが、金融政策に過剰に依存した政策では、産業力を高めることはできず、国民経済を救えないという教訓を嚙み締めるべきである。アベノミクスを支えた「リフレ経済学」なる理論は経済の現場を知らない「呪術経済学」にすぎないことを示したのである。アベノミクスが目標とした「二〇二〇年度の名目GDP六〇〇兆円」は五三九兆円に終わった。しかも、この数字は相当な水増しの結果であり、二〇一六年の「SNA(国民経済計算)の基準改定」で「研究・開発の資本化」などGDPを膨らませる統計ベースの変更を実施しているのである。

歪んだ官製資本主義の国へと変質した日本

あえてアベノミクスが恩恵をもたらしたものがあるとすれば、「株高と円安」といえる。実体経済に向かわない余ったカネがマネーゲームの財資となって株高を誘発していることに加え、日本だけの特殊要因がある。政権の意思を背景に、巨大な公的資金が株式市場に投入されているのである。一つは年金基金(GPIF)であり、運用ルールを変えてまで運用資金の約四分の一を国内株式市場に投入している。もう一つは日銀のETF買いであり、中央銀行である日銀が株式市場に「投資信託」という形で資金を注入しており、この二つで、簿価ベースで八五兆円を超す公的資金(二〇二一年三月末)が株高を支えているのである。

アベノミクスは、歪んだ官製資本主義の国へと日本を変質させてしまった。それは、上場企業経営者にとって、実績以上に経営を良く見せることをもたらし、経営の緊張感を弛緩させた。また、株高はその恩恵を受ける人とそうでない人の間に「格差と貧困」を引き起こしているともいえる。個人株主の保有する株の七割は高齢者が保有しており、若い世代には株高の恩恵はない。

円安についても、冷静な再考察が必要である。八年で三割以上も円安に動いたことは、輸出企業にとっては国際競争のハードルを下げるものとして、「大いに歓迎」となるが、自国通貨の交換価値が下がることの意味を熟慮すべきである。主力輸入産品たるエネルギーや食料は三割以上も高くなったことを意味するのである。一九四〇年の一ドル二円の実勢レートで戦争に突っ込んだ日本円は、敗戦によって一ドル三六〇円となった。国際的な円の価値は一八〇分の一に落とされたのである。そこから、一九七一年のニクソン・ショック、一九八五年のプラザ合意と、日本円は切り上げられ、円高へと動いた。背景には、産業界が技術を錬磨し、国際競争力を高める努力を積み上げたことがある。国民経済的には、自国通貨の価値を緩やかに高め購買力を強める方向が健全なのである。ところが、二一世紀に入り、日本産業界は円高を圧力と認識し、ハードルを下げることを期待する方向に向かい始めた。その願望を受けて発動されたのがアベノミクスであった。だが、輸出志向のものづくり国家にとって「円安が有利」とする判断は、「工業生産力モデル」に埋没した固定観念である。

それでも前述のごとく、アベノミクスが目標とした二〇二〇年度の名目GDP六〇〇兆円は達成できず、五三九兆円に終わった。これは二〇〇七年度と同規模である。政府は、エネルギー基本計画をはじめとする長期計画の二〇三〇年度のGDP目標を六六三兆円と置いているが、これからどうやって一二四兆円ものGDPを増やすのか、本章冒頭で触れたごとく、日本にとってはDevelopment（開発・成長）が至難の課題なのである。何故なら、一二四兆円は現在の日本の「虎の子産業」とでもいうべき製造業すべての創出付加価値を上回る規模だからである。「日本人は何でメシを食うのか」という重いテーマがここにある。

アベノミクスの罪深さであり最大の課題は「出口なき異次元金融緩和」という点にある。米国のFRBもコロナ・ショックを背景に異次元金融緩和に動いたが、物価・雇用の動向を見極め、二〇二一年中に量的緩和を引き締め基調に転じようとしている。金融政策の弾力性を維持しているのである。だが日本の場合、異次元金融緩和があまりに長期常態化し、正常化に動くことは至難という状況を作ってしまった。中央銀行が政治化されてしまったのである。

大局観として、コロナ禍を抜けても、金融資本主義の肥大化という潮流は変わらないであろう。米外交問題評議会のセバスチャン・マラビーはForeign Affairs Reportに「マジックマネーの時代は続く」という論稿(二〇二一年八月号)を寄せ、「自国の中央銀行が極端な規模の紙幣を刷り増しても、インフレによって自国通貨の価値が破壊されることはないと信頼している」として「中央銀行FRBはテクノクラート組織で独立性を守り、インフレを安定させてきた」と信頼を語る。だが、中央銀行の「無限金融緩和」と国家の債務膨張の行く先にあるものは決して楽観できるものではない。とくに、日本の場合、中央銀行は柔軟な金融政策の変更ができる状態にはないのである。

産業現場に立つことなく、マクロの金融政策と財政出動だけに依存して経済を浮上させようとするアベノミクスは、実力以上に経済を膨らませて見せようとする虚構の経済政策である。我々は、「健全な危機感」に立って産業現場と国民経済を直視した議論を取り戻し、日本経済・産業が次に歩み出すべき進路、未来構想を探さねばならない。

何をもって「新しい資本主義」とするのか

日本においては、岸田政権が「新しい資本主義」を掲げ、「成長と分配の好循環」を語らざるを得なくなり、「資本主義の危機」が時代のテーマとなっている。だが、何をもって「新しい資本主義」とするのか、話は不透明である。明治維新を経て、日本も資本主義社会に参入して約一五〇年、世界史における資本主義を再考し、資本主義の本質と新局面、そして課題と展望に向き合わなければならない。

そもそも、資本主義という概念は、この制度を敵視する勢力がこれを説明し、論難するために一九世紀に生まれた対置概念である。資本(富と貨幣)の蓄積を最上位価値とする社会制度で、その推進者(資本家)が、労働力や土地、そして情報といった経営資源を「商品化」して剰余価値を生み、さらなる資本蓄積を図る仕組みとされてきた。

そして、近代資本主義の定義としては「財の生産と分配が、主として私的所有を前提とし、法的には自由な個人の間での交換という市場原理に委ねられる体制」という説明が登場し、「個の自由と自立」、つまり民主主義との相関がその成立の与件ともいえ、それ故に「近代の二大支柱」としての資本主義と民主主義という認識が成り立つのである。

ブランコ・ミラノヴィッチの『資本主義だけ残った——世界を制するシステムの未来』は示唆的であり、「何故、資本主義だけが生き延びたのか」という設問は、日本の進路の模索においても重要である。何故なら、資本主義の構造的矛盾を衝き、「脱成長」「人新世」などという議論が交わされる局面において、あるべき経済社会を模索するためにも、認識を深めておくべきテーマだからである。ミラノヴィッチの提起する「民衆資本主義」という方向性に一定の共感を抱くが、多様な社会システムの中で、資本主義が残った理由に関し、人間社会の本質に関するより踏み込んだ考察が必要だと思う。

その意味で、生身の人間社会が抱える「エトス」と「パトス」と「ロゴス」という三つの要素が絡み合い、それ故に善悪を超える次元で資本主義が存続し続けているという事実を注視したい。

資本主義を突き動かすもの——エトスとパトスとロゴス

ミシェル・ボーの『資本主義の世界史』(藤原書店、二〇一五年、原著増補版二〇一〇年)やジェリー・Z・ミュラーの『資本主義の思想史』(東洋経済新報社、二〇一八年、原著二〇〇二年)など、一六世紀から今日に至る近代資本主義の歴史に迫る文献を改めて確認し、熟慮するならば、資本主義を突き動かしてきた三つの要素に気づかざるを得ない。すなわち、資本主義は次元の異なる次の三つの要素が絡み合い、渾然一体となって、その生命力を形成してきたといえよう。

第一の要素はエトスとしての資本主義である。マックス・ウェーバーが『プロテスタンティズムの倫理と資本主義の精神』で提起したごとく、資本主義の基点には、勤勉、克己奮励、契約を守る誠実さ、競争を通じた研鑽などを価値とする倫理性が存在し、営利活動にも宗教的倫理性があることを視界に入れておかねばならない。

こうしたウェーバーの視点に対して、近代資本主義の発展を促したのは、むしろユダヤ教の倫理だったことを検証したのがヴェルナー・ゾンバルトの『ユダヤ人と経済生活』(一九一一年)であった。彼の視点はユダヤ人の離散と移動が資本主義の揺籃期に刺激を与えたというものであった。離散したユダヤ人は中世期欧州において、金融業で実績をあげていった。旧約聖書におけるモーゼ五書の「申命記」(第二三章二〇)が、「異邦人には利息をとってもよい。ただ兄弟には利息をとって貸してはならない」と語っていることに基づき、金融業が正当化され、神の意思で「金貸し」を営む者が増えたのだという。

そして一六世紀、一四九二年のスペインにおけるユダヤ人追放令を受けて、イベリア半島から離散したユダヤ人がオランダに流入し始めた。そのユダヤ教的エトス(神の意思の下で、真摯に勤勉・誠実に生きる)が、絹紡績など繊維事業、たばこ産業、宝石業などで成功をもたらし、産業創生を主導したというのである。ゾンバルトは著書がナチの反ユダヤ主義の教典として利用され、評価の低い面もあるが、欧州における近代資本主義の推進者がユダヤ人と手を携えて歩んだことは歴史的事実として認識すべきであろう。

自身がユダヤ系フランス人でもあるジャック・アタリの『ユダヤ人、世界と貨幣——一神教と経済の四〇〇〇年史』(作品社、二〇一五年、原著二〇一〇年)は、「陰謀論」ではないユダヤの歴史として、資本主義の歴史の主役としてのユダヤ人の存在を「創世記」以来のユダヤ人の経済活動を検証することで説得力を持って語っている。六〇〇ページを超す膨大な本の結語として、アタリは「少なくとも、ユダヤ人、世界、貨幣の歴史は、こうした教訓を教えてくれる。すべての人間は、救われるために他者を必要としているということである」と述べる。「人類史がユダヤ人を必要としてきた」という宣言にも聞こえるが、神の単一性の発見と貨幣価値の浸透(民族離散による逆境を超えて生き残るための全能、無謬、信頼の対象としての貨幣）に果たしたユダヤ人（ノマード）の役割は、少なくとも西洋社会においては誇張とはいえないであろう。

さらに、日本資本主義の父といわれる渋沢栄一が、「道徳経済合一説」を語り、『論語と算盤』において、倹約、布施、報徳、経世済民を説いたのも、エトスとしての資本主義へのこだわりであった。プロテスタントの影響を受けたとはいえない日本において、明治期の資本主義草創期の企業家たちが高い倫理性と文化性を持っていたことに驚かされるが、たとえば、江戸期の町人学者、山片蟠桃（一七四八〜一八二一年）のごとく、儒学・蘭学を深めた文理融合の実学者が高い知見と価値基軸を持っていたという事実は、蟠桃が卓越した経済思想家だったというだけではなく、そうした思想を支える社会構造基盤が既に存在していたということを意味する。江戸期の商業資本たる「商人」たちは、「三井家家訓」に見られるごとく、自らを律する規範性（エトス）を有しており、「武士以上に倫理の太い背骨」を有する経済人が明治期の資本主義の基盤になったことは間違いない。

次に、資本主義を突き動かす第二の要素は、パトスとしての「欲望」である。資本主義の参加者は、企業であれ個人であれ、自己利益の最大化を目指す欲望、情熱を潜在させている。利潤や収入という成果を通じて達成感を味わう本能が、資本主義を活性化させてきたともいえる。株式会社の原点たる一七世紀初頭の英蘭の東インド会社に参じた人たちの心は、リスクを取った投資家と冒険商人の欲と道連れの情念に溢れていた。

ウェーバーは先述の『プロテスタンティズムの倫理と資本主義の精神』において、二〇世紀初頭の米国の資本主義に関して次のように述べる。「営利の最も自由な地域であるアメリカ合衆国では、営利活動は宗教的、倫理的な意味を取り去られていて、純粋な競争の感情に結び付く傾向がある。……将来、この鉄の檻の中に住む者は誰なのか、まったく新しい預言者たちが現れるのか、あるいはかつての思想や理想の力強い復活が起こるのか。それとも――そのどちらでもなくて――一種の異常な尊大さで粉飾された機械的化石と化すことになるのか、まだ誰にも分からない」。そして、ウェーバーは「最後に現れる「末人」たち」に関し、あの有名な言葉である「精神の無い専門人、心情の無い享楽人」という表現をぶつけたのである(『プロテスタンティズムの倫理と資本主義の精神』岩波文庫、一九八九年)。「金儲けって悪いことですか」と開き直った今日のハゲタカファンドの経営者の無機的な表情に、ウェーバーが言った「末人」のイメージが重なる。

「大恐慌」や幾度もの金融危機を経ても、ウォールストリートの懲りない人々による強欲な資本主義はとどまるところを知らなかった。一〇〇年以上が経った今、ウェーバーの予見は見事なまでに当たったといえる。私自身、一九八七年のブラック・マンデー、そして二〇〇八年のリーマン・ショックと金融危機をニューヨークで目撃してきた。次々と登場人物は交代するが、朝七時からのパワー・ブレックファストに始まり、二四時間稼働しているマンハッタンのマネーゲーマーたちの金儲けへの執念に立ち眩みを覚えたものである。この燃えたぎる欲望のパトスこそ資本主義の一つのエネルギー源なのかもしれない。

第三の要素は、ロゴスとしての資本主義であり、近代合理主義に立ち、経営資源の最適な調達と配置、経営効率の改善を探究する怜悧な意思である。技術革新、生産・販売プロセスの改善に取り組み、そのために事業環境変化に関する「情報」に細心の注意を払い、情報通信技術・情報処理技術の開発・導入を図る意思を持った経営が資本主義の歴史をリードしてきたといえる。

AI技術開発の根底に横たわる人間機械論

考えさせられる話だが、近代合理主義の思想的起点ともいえるデカルト（一五九六～一六五〇年）は、五歳で死んだ娘とそっくりの自動人形を作り、トランクに入れて持ち歩いたという。気味の悪い話であるが、実は「人間機械論」（人間は機械のごとく作ることができる）は近代主義者の夢であった。デカルトは無神論者ではなく、「全能の神が人間を創った」ことを信じるキリスト者であった。その前提に立ち、理性を持って合理的な形で「神の存在証明ができる」と挑んだのがデカルトであり、心身二元論の先に「心身は結合できる」として、娘の自動人形は「人造人間」への大真面目な挑戦だったのである。

今、人類は究極の人造人間ともいえるAI（人工知能）の進化に突き上げられている。そして、コンピュータこそロゴスの結晶であり、その進化が資本主義社会を揺さぶるのは必然ともいえる。初期のコンピュータ科学を主導し、「サイバネティックスの父」といわれるノルベルト・ウィーナーは『人間機械論』（一九五〇年）において、通信と制御を一体化する「電子計算機」の開発の目的に関して「人間の非人間的利用からの解放」と語っている。「人間を鎖でつなぎ動力源とする労働」や「頭脳の一〇〇分の一しか使わない単純労働」から解放するためにコンピュータの進歩が求められるとの認識を示していたのである。

ＡＩ技術開発の根底には「人間機械論」的思想が横たわっている。前述のデカルトの自動人形のエピソードではないが、近代は「神」との葛藤でもあった。「絶対神によって創造された人間」という一神教的世界観は、反転すると「科学的に人間は創りうることで神の存在証明になる」という思考回路に繋がる。先端的ＡＩ開発に立ち向かってきた欧米の研究者と向き合うと、一神教的世界観との親和性・相関性を印象付けられる。

資本主義の持続的発展を促したものとして、電信電話機、ラジオ・テレビ、そしてコンピュータ科学の進化とインターネットの普及が指摘できる。これによって資本主義は生産性と効率性を高め、新たな成長へと壁を越えていった。「労働」側からも、情報技術革新が仕事の内容を変え、働き方を変えてきたといえる。それは資本主義のありかたを変えるもので、今回のコロナ禍での「リモートワークの定着」は資本主義社会の転機になるであろう。

あらためて、「何故、資本主義だけが生き残ったのか」という設問を総括するならば、人間の本性に内在する「倫理」「欲望」「理性」に基づき、善悪双方のポテンシャルを誘発するダイナミズムが発揮されているからと言わざるを得ない。

冷戦後の新局面――三つの資本主義への核分裂

我々は約四〇〇年におよぶ近代資本主義の時代を生きてきたことになる。一六〇〇年、関ヶ原の戦いの年にイギリス東インド会社、一六〇二年にオランダ東インド会社が世界初の株式会社としてスタートした。配当を期待する投資家が「冒険商人」を支える仕組みが動き出したのである。

その後、一七世紀の英国に始まった産業革命が世界に伝播し、商業資本主義に代わる産業資本主義が主導する時代を歩んできた。日本も一九世紀後半から開国・維新を経て、綿・絹織物など繊維工業から産業資本主義の時代のうねりに飲み込まれていった。

世界的には、二〇世紀に入ると、英国から米国へと主役が交代、T型フォードの登場に象徴される「大量生産、大量消費」の時代を迎えた。敗戦後の日本は、敗戦を「物量の敗北」と総括し、ひたすら「産業力で外貨を稼ぎ豊かな国になること」を希求して「工業生産力モデル」の優等生の道を走った。鉄鋼、エレクトロニクス、自動車産業を育て、成功体験を経て二一世紀に入った。

拙著『日本再生の基軸』所収の論稿「平成の晩鐘が耳に残るうちに」(初出『世界』二〇一九年六月号)において、私は冷戦の終焉が「金融技術革命」と「情報ネットワーク技術(IT)革命」という二つの意味で世界経済のパラダイムを変えたことを論じた。ここでは、その二つの革命が資本主義の核分裂をもたらし、「三つの資本主義」というべき新局面を形成して、その奔流の渦巻きの中で、我々が立ち尽くしている構造を確認しておきたい。

まず、金融技術革命である。私自身がその時代のニューヨークと並走したことになるが、一九八〇年代末から九〇年代にかけて、ジャンクボンドの帝王マイケル・ミルケンやヘッジファンドの帝王ジョージ・ソロスの登場に代表されるごとく、それまでの産業金融(融資を軸にする銀行業務)とは異なる「行動ファイナンス」が主役になり始めていた。背景には、冷戦の終焉があり、冷戦期に軍事産業を支えた物理・数学・工学などを専攻した理工科系の人材が、軍事産業のリストラの中で、金融の世界に入り、「金融工学」の世界を拓き始めたことが大きな要因であった。

また、冷戦後の新自由主義（規制緩和、自由化、福祉削減、自己責任、緊縮財政）という思潮が、たとえば一九二九年の大恐慌の教訓を受けて長く米国の金融を縛ってきた「グラス・スティーガル法」（銀行と証券の垣根を設定）の廃止（一九九九年）をもたらしたことも大きな転機であった。

さらに、その後の展開を注視すれば、金融工学の成果と喧伝された「サブプライムローン」などのハイリスクの金融派生型商品が二〇〇八年のリーマン・ショックをもたらし、その反省に立って「強欲なウォールストリートを縛る」としてオバマ政権が制定した「金融規制改革法」（二〇一〇年）は、トランプ政権によって揺り戻しの法改正がなされ、葬り去られた。

こうした時代環境を背景に、金融は自己増殖を繰り返した。産業資本主義を支える触媒産業としての金融から「金融工学を駆使した行動ファイナンス」分野を切り拓き、古い金融観からすれば「リスク資産の膨張」と思えるようなジャンクボンド、ヘッジファンド、ハイイールド債、仮想通貨（無国籍通貨）などの世界を肥大化させていった。

肥大化する世界の金融資産

金融資本主義の総本山たるウォールストリートが発信し続けているメッセージを一言でいえば、「借金をしてでも景気拡大」であり、世界の金融資産は、どこまでを金融資産の範囲に捉えるかにもよるが、株式、債券、銀行貸出残高にヘッジファンド、仮想通貨を加えると、世界ＧＤＰ（実体経済）の五倍に迫る勢いで肥大化しており、この安定的制御が資本主義の命運に関わるテーマになりつつあることは間違いない。

つまり、冷戦の終焉を転機として、産業資本主義を中核とする実体経済を遥かに上回る金融経済の肥大化が進行しており、この構造変化はコロナ禍の下の異次元金融緩和と財政出動を背景に加速している。たとえば、二〇一七年から二〇二〇年までのトランプ政権下の四年間で、米国の実質GDPは七・三%増なのに対して、NYダウは五四%上昇しており、このギャップこそが、金融資本主義優位という資本主義の新局面をもたらしているといえよう。ちなみに、日本のGDPは同期間でマイナス四・〇%なのに、日経平均株価は四〇%上昇している。

次に、情報技術革命とデジタル資本主義の台頭である。IT革命から現在のDX(デジタルトランスフォーメーション)に至る潮流をもたらした基点もやはり冷戦の終焉であった。冷戦期、ソ連の核攻撃を想定してペンタゴンによって開発された「開放系・分散系情報ネットワーク技術」(ARPANET)が軍事技術の民生転換(軍民転換)という冷戦後の潮流の一環として商業ネットワークとなって登場したのがインターネットであり、小さなマイクロ・コンピュータがネットワークで繋がることによって大型汎用コンピュータを超える能力を発揮する時代を拓いたのである。

さらに、二一世紀に入って情報技術はデータリズムの時代へと進化した。ビッグデータ、クラウドを利用して「データを握るものがすべてを支配する」というデータリズムの時代を創出し、GAFAM(グーグル、アップル、フェイスブック、アマゾン、マイクロソフト)などシリコンバレーのITビッグ5の株式時価総額が日本のGDPの二倍を超すという事態を迎えた。データリズムを主導するビッグ・テックは国境を越えて活動を浸透させ、「デジタル資本主義」というべき新次元の資本主義を形成し始めた。人工知能が人間の能力を上回るというシンギュラリティが予見される今、デジタル資本主義が資本主義社会の地平を拓く光となるのか、影となるのかはまだ誰にもわからない。

産業資本主義の草創期を突き動かしたのがエトス(倫理)であったとすれば、金融資本主義のエネルギー源はパトス(欲望)、デジタル資本主義のそれはコンピュータ科学の技術基盤を探究するロゴス(論理性)とも整理できる。「冷戦後」という時代は、それまでの産業資本主義主導の資本主義を三つの資本主義に核分裂させたともいえる。我々は三つの資本主義が形づくる三角形の中の渦巻きに巻き込まれて進路感覚を見失っている感がある。とくに日本は、あまりにも「産業資本主義の優等生」という固定観念にとらわれ、冷戦の終焉以後の資本主義のパラダイム転換についていけなくなったといえる。

資本主義の新たな危機の本質は、冷戦後の三つの資本主義への核分裂にあると思う。その混迷の中で、国家資本主義への誘惑が高まる。新しい資本主義の構造的課題と解決に向けて、我々は真剣でなければならない。

(2021・10、12)

2 「脱成長」という視界から新たな産業論へ

「埋没する日本」への危機感を語ってきた。自らが抱える構造的課題を正視する「健全な危機感」を抱くことなしに、再生への基点は見つからないのである。そして、アベノミクスなる、金融政策に過剰に依存し、産業の実体を水増しして見かけを良く見せようとする政策手法が、この国の経済を自堕落なものとし、埋没を加速させた構図を解明してきた。さらに重心を下げ、真に国民を幸福にする経済・産業のありかたを模索していきたい。

技能五輪における埋没の意味

まず、日本経済・産業の再生の進路を探るため、ミクロ的な産業現場の構造的課題を抽出しておきたい。私が憂慮しているのは、「技能五輪国際大会」に対する日本人の関心の低下である。東京2020五輪・パラリンピックが一年遅れで終了した。スポーツマンの五輪で活躍した若者にスポットライトが当たるのは結構なことだが、日本人として忘れてならないのは、技能五輪である。一〇年ほど前まで、技能五輪での金メダル獲得数において日本は世界のトップを競っていた。ところが、二〇一七年のUAE・アブダビ大会では九位、二〇一九年のロシア・カザンでの大会では七位となった(表4)。

不思議なことに、この頃から日本のメディアでは「技能五輪」について一切報道されなくなり、国民は技能五輪の

表4　技能五輪国際大会での日本の成績

2001	2003	2005	2007	2009	2011	2013	2015	2017
3位	3位	1位	1位	3位	2位	4位	3位	9位

第45回(2019年)　開催地：ロシア・カザン

金メダル獲得数の順位

1位	2位	3位	…	7位
中国 (16)	ロシア (14)	韓国 (7)	…	日本 (2)

※日本選手団の成績：金2個，銀3個，銅6個

(出所)中央職業能力開発協会

存在さえ知らないという事態を迎えている。金銀銅メダルを獲る活躍した若者へのインタビュー記事、報道もなくなった。実は、「東京五輪」(二〇二〇年)と「大阪万博」(二〇二五年)と「名古屋技能五輪」(二〇二四年)は、日本が開催を目指す三大イベントとしていたが、名古屋はフランスのリヨンに敗れ、招致に失敗した。

産業界のリーダーと議論すると、「技能五輪での埋没など気にする必要はない。産業の現場はコンピュータで制御する時代で、熟練工など手間をかけて育成する必要はない」と言う人もいる。だが、話はそれほど単純ではない。技能五輪(二〇一九年、カザン大会)の五六種目の中には、貴金属装身具、フラワー装飾、理容・美容、ビューティ・セラピー、洋裁、洋菓子製造、西洋料理、レストランサービス、造園、看護・介護、パン製造、ホテルレセプションなどがあり、一言でいえば、「産業の現場力」が問われているのである。日本の産業の現場力が相対的に劣化していることを否定することはできない。

アスリートの五輪と同様に、産業の現場を黙々として支え技能を磨く青年の活躍に光を当てることは、産業国家日本にとって最優先すべきことである。高齢化と人手不足のなかで、経営者が「現場の効率」を求めてコンピュータ化、DX化を図る意図もわかるが、結局、経済社会の中核は「人材」であり、それを見失い、若者の成功体験を求める情熱をもっぱらスポーツ・音楽・ダンス・ゲームに向かわせていることのツケはあまりにも大きい。

私は、自分のテレビ番組に技能五輪で金メダルをとった青年に登場してもらい、話を聞いたことがあるが、高等専門学校を出て七年間、先輩の厳しい指導に堪えてなんとか技能五輪で優勝できたという話に胸が熱くなった。日本を支えているのはこういう若者の生真面目な努力なのである。

基幹産業のメルトダウンと新産業創生の壁

戦後日本の成長を支え、外貨を稼いで「豊かさ」を実現する牽引車となった基幹産業の現状を直視してみよう。表5を注視してもらいたい。二〇〇〇年からの二〇年間に日本の産業に何が起こったのか。二〇二〇年の「粗鋼生産」は、二〇〇〇年比でマイナス二一・九%となり、「エチレン生産」はマイナス二二・〇%、「自動車生産台数」はマイナス二〇・四%、「自動車販売台数」はマイナス二二・九%と、産業力を映し出す指標において、日本は約二割、圧縮されたといえる。「基幹産業のメルトダウン」が進行しているのである。

経済活動総体を投影する「エネルギー需給」に関しても、二〇〇〇年から二〇二〇年の間に、日本の一次エネルギー国内供給は二一%も減少している。とくに、二〇一一年の東日本大震災の後、省エネの徹底とエネルギーの利用効率の改善が進み、二〇一〇年度から二〇二〇年度までのGDP弾性値はマイナス五・七と、GDPを一%増やしてもエネルギー供給を五・七%減らすことができる形になっているので

表5　21世紀における日本産業—基幹産業の落ち込み

	2000年	2020年	00年－20年比
粗鋼生産	1065億t	832億t	▲21.9%
エチレン生産	7614千t	5940千t	▲22.0%
自動車生産台数	1014万台	807万台	▲20.4%
自動車販売台数	596万台	460万台	▲22.9%

(出所)経済産業省「生産動態統計調査」

ある。

さらに日本の貿易構造を注視してみよう。二〇二〇年の日本の輸出の主力品目は、自動車と自動車部品が総輸出の一八・三%を占め、次いでエレクトロニクス(電子部品、半導体製造装置、電算機類、科学光学機器、電子回路等の機器)が一八・三%、鉄鋼三・八%、プラスチック三・五%、非鉄金属二・三%と、上位一〇品目で四六・二%を占め、この構成はこの二〇年間ほとんど変わっていない。

また、輸入については、化石燃料(石油、液化天然ガス、石炭)が一四・一%、食料が九・八%を占め、総輸入の四分の一、約一八兆円ものエネルギーと食料を輸入しており、この構成も長期にわたり変化はない。こうした貿易構造の固定化は日本の産業構造の硬直性を示しているといえる〔追記：輸出入の構成の傾向は二〇二三年も変わっていない〕。

真摯な問題意識を持つ日本の経済人と議論すると、コロナ禍で起こった二つの事象に深く傷ついていることを感じる。一つは国産小型ジェット旅客機MRJプロジェクトの凍結であり、二つは国産ワクチン開発の遅れである。国産ワクチンの開発の遅れについては、考察1 第1章の2「コロナ危機の中間総括」で論じたが、ここではMRJ挫折の構造を確認しておきたい。

ポスト自動車産業の目玉として、三菱重工を中核としたMRJ開発プロジェクトが動き始めた頃、基本構想は輝いていた。日本の先端的産業技術を注入するとして、たとえば機体に新素材を投入して燃費を飛躍的に改善するなどの構想が語られ、米欧のボーイングやエアバスを凌駕する航空機の登場が期待されていた。だが、米国の型式認証の壁を越えるには、ボーイングが採用している素材を投入したほうが早いといった事態に直面し、設計変更と遅延が続き、結局、コロナ禍を理由に「当面、航空機需要の回復は望めない」として凍結になってしまった。だが、本質的理由を直視するならば、「総合エンジニアリング力の劣後」といわざるを得ない。日本人は、部品、部材、素材、要素技術が一流であることに自己満足する傾向がある。完成体のジェット旅客機を造るには、別次元の総合エンジニアリング力が必要になる。政治的な壁の克服も含め、多様な要素を組み合わせて課題を解決する力が、プロジェクトの完結には不可欠であり、ここに問題がある。

冷静に日本産業の現状を見つめるならば、基幹産業の陰りと新産業創生の失敗によって、日本は既に「脱成長」の局面にあるといえる。しかも、皮肉なことに、日本の場合、右肩下がりの現実の中で右肩上がりの幻想を追い続け、「脱成長」のパラダイムを前向きに制御して、国民経済の厚生を高めることを真剣に模索しているとはいえない。右肩下がり経済の中での「分配の調整」や「公正の実現」は容易ではないのである。

注目すべき経産省レポート「経済産業政策の新機軸」

二〇二一年六月、経産省が「経済産業政策の新機軸」と題する興味深いレポートを発表した。米国、欧州、中国の産業政策を詳細に分析した上で日本が展開すべき産業政策を模索したもので、日本産業の現状に並々ならぬ危機意識を抱いており、その姿勢は評価したい。

レポートの骨格は、政府もリスクを負うミッション志向の「起業家国家」を目指すというもので、民間投資を呼び込む「クラウド・イン」を掲げ、主たる政策フレームとしては、大規模・長期・計画的な財政出動を柱とする生産的政府支出の強化の必要性を訴えている。産官連携、国際標準化、国際連携を狙っての政府支出である。そのための政策評価の基軸として、失敗を恐れぬ挑戦(「フェイル・ファスト」)を評価することを求めている。

高度成長期に海外から指摘された官民連携の「日本株式会社」復活を図ろうとしているようにも見えるが、産業政策を担う経産省の率直な危機感を投影した政策提言であろう。納得できる部分も多いが、課題を残しているといわざるを得ない。一つは、こうした施策の展開には高度な政策能力(企画、執行)と責任体制が必要となるが、忖度官僚が跋扈している現状で、これを推進する人材ありやという疑問である。また、二つは、これだけの産業政策の展開には総合政策体系が不可欠であり、経産省だけでできるものではなく、農水省、国交省、総務省など多くの省庁との連携の推進体制をどうとるのかという課題である。

そして、本質的にいえば、このレポートも基本的に「工業生産力モデル」の延命のための政策論であり、「成長のためにはイノベーションを促す必要がある」という認識に基づくものである。そして、「では、いかなるイノベーションか」というと、ほとんどの未来構想レポートにも共通することだが、定番のごとく「DXとグリーン(環境、脱炭素)」という志向が語られる。間違いとは思わないが、これからの日本産業を活性化する議論として、成長幻想を安直なイノベーション論でごまかすことは避けなければならない。何故なら、既に二〇年以上、日本はこの議論を積み上げ、失敗し続けてきているのである。そこで、ここでは、「脱成長」という視座からの問題提起を正視して、新しいパラダイムでの産業論を考察してみたい。

「脱成長」という視界と歪んだ先行モデルとしての日本

このところ、世界、とくに欧州の経済論壇では「脱成長論」が賑やかである。マルクス・ガブリエルやヨルゴス・カリスあたりの議論を援用して、資本主義の構造的問題点(大量生産・大量消費、長時間労働、分配の不公正と格差、地球温暖化と環境危機など)を指摘して、成長志向の経済社会を見直し、「計画的にスロー経済を創造しよう」という視界である。『世界』も二〇二一年一〇月号で「脱成長」を特集し、「〝右肩上がり〟は、歴史的役割を終えた。地球と我々の生活を壊さないオルタナティブが必要だ」として、「脱成長」がコロナ時代の変革構想だとする特集を組んでいる。構造的に現代の課題を捉えようとする視界に敬意と関心を向けたい。だが、「脱成長」を体系的な変革構想にすることは容易ではない。

まず、残念なのは脱成長を模索する論者のほとんどは、学者・研究者であり、経済産業社会の現場に立つ人からは、ほとんど関心を持たれていないということである。資本主義が差別のシステムとして膨張を続け、「階級格差」「グローバル・サウスからの収奪」「女性からの収奪」「不必要なものの大量生産・大量消費」という構造的矛盾を増幅してきたという認識に立って、私的所有の制限やコモンズ(公共財や共有システムなど)の充実を図るという主張は、突き詰めれば「コミュニズムの復権」に至り、二〇世紀における社会主義革命の失敗という教訓をどう総括し、前に出るのかという壁が存在するのである。強欲な資本主義に苛立って、「制限」「規制」を強化し、富裕税・奢侈税を導入するという方向感も、誰がどういう正当性で規制・統制するのかという政治学（富の権威的配分をめぐる正当性の戦い）を誘発する。つまり、現実社会を生きている人間への忍耐（がまん）と強制を意味するわけで、合理的調整システムを構想する必要があるのだ。

とくに、日本人として脱成長を語る時、複雑な思いがよぎるのは、既に日本経済は、脱成長の先行モデルといえる現実をもがいている、ということである。決して意図したものではないが、既に四半世紀も脱成長の中にあり、成長なき社会において、進むべき未来構想を議論することの難しさを示しているのが日本なのである。

脱成長論もここまできたかと驚かされるのは、ウルリッヒ・ブラントとマークス・ヴィッセンの『地球を壊す暮らし方――帝国型生活様式と新たな搾取』（岩波書店、二〇二一年）である。先進国での「ごく普通の暮らし」、つまり豊かさと自由を求める暮らしを「帝国型生活様式」とし、それがグローバル・サウスからの収奪と差別の温存をもたらし、生態系を破壊して危機を先鋭化させているというのである。ここに生きていること自体が原罪であるかのような論理に帰結し、構造認識はわからなくもないが、この解答の帰結は、「革命」（市民蜂起）か「宗教」（自戒、隠遁）になるであろう。

既に脱成長という局面にある日本経済への冷静な現状認識の上に、それを突き動かすイノベーション論と構造改革を迫る脱成長論を踏まえ、我々は日本の経済産業社会の未来を拓かねばならない。

あらためて確認するまでもないが、戦後日本は「工業生産力モデル」の優等生として生きてきた。一九七〇年代まで、日本の経済白書には「国際収支の天井」という言葉が登場していた。つまり、輸出産業が育っていないから思うように輸入できないという天井が張り付いていた。燕三条の洋食器、クリスマスツリーのランプ、玩具などの雑貨から始まった戦後の輸出は、次第に鉄鋼、エレクトロニクス、自動車など外貨を稼ぐ基幹産業が育ち、貿易立国の態勢が整っていった。

工業生産力モデルを支えたのが、「ＰＨＰの思想」だった。松下幸之助が掲げた〝Peace and Happiness through Prosperity〟は、経済的繁栄を実現することが平和と幸福をもたらすというものである。敗戦を「物量の敗戦」と総括した日本人にとって、復興・成長を駆け抜ける心に響いたのが、この「経済主義、成長主義」の価値観であった。

このパラダイムを転換し、これからの日本人に恩恵をもたらす形での経済産業構造を創造することが、日本に求められる課題といえよう。それは、「豊かさ」と「成長」のための産業創生ではなく、国民の「安全」と国民生活の「安定」のための産業創生へのパラダイム転換である。ひたすら「豊かさのための産業創生」を求めてきたのが、戦後日本であった。アベノミクスは「高度成長再び」の幻想に基づく経済政策の限界を露呈した。これまで検証してきたごとく、金融で水膨れさせても、実体経済は動かず、国民に恩恵をもたらすことはできないのである。我々は視界を転じねばならないのだ。

工業生産力モデルの探求で忘れていたものの象徴が「食と農」である。産業力で外貨を稼ぎ、生産性の低い「食」は海外から買ったほうがいいという国をつくり、カロリーベースの食料自給率を三八％にまで引き下げてきた。米国の食料自給率は一一五％、欧州主要国はほぼ一〇〇％、先進国中で日本に次いで低いといわれる英国でさえ六割近くの自給率となっている。

二〇〇八年に一億二八〇〇万人でピークアウトした日本の人口は、二〇五〇年には一億人を割るかもしれない勢いで減少しているが、世界人口（二〇二〇年、七八億人）は二〇五〇年に一〇〇億人に迫ると国連が予想している。食料の安定確保は地球レベルの問題であり、日本も食と農の安定に真剣に向き合うべき時である。食には「生産」だけでなく「加工」「流通」「調理」というバリューチェーンが存在し、それぞれの次元での高付加価値化が重要となる。統計上、国内総生産における産業別割合において、一次産業はわずか一％にすぎないが、DXを含む先端技術の投入で付加価値を高め、食と農を基点にした産業構造の高度化を図ることは、国民経済にとってきわめて重要である。

「食と農」とともに、日本産業の中核に据えるべきテーマが「医療・防災産業の創生」である。コロナ危機を体験し、何故コロナ病床が増えないのか、国産ワクチン開発は何故遅延しているのか、日本の医療システムには深刻な問題が存在していること、そして、高機能マスク、防護服、人工呼吸器など医療現場を支える資機材を海外に依存していることなどが明らかになった。競争力を失ったものは海外から買うという「国際分業」は、工業生産力モデル（通商国家モデル）の常識だが、国民の安全にとって脆弱なことを示した。また、気候変動を背景に、このところ台風や想定外の風水害の被害に襲われる事態が増えている。さらに、日本列島が特異なプレート上に存在していることにより、宿命的に震災に襲われる危険を抱え込んでおり、「防災力」の強化は、この国の不可欠のテーマである。

そのために、私が会長を務める一般財団法人日本総合研究所は、「医療・防災産業創生協議会」を二〇二一年六月に立ち上げ、日本医師会、日本歯科医師会、土木学会などの支援を受け、日本に医療・防災産業を育てるための具体的プロジェクトの実装を目指し、活動を開始した。この「医療・防災産業創生協議会」を支援する超党派の国会議員による議員連盟(医療・防災産業創生推進議員連盟)も結成され、政産官学の連携体制が整いつつある。

一九九五年の阪神・淡路大震災以降今日に至るまで、民間の事業が防災力を高める実績となった典型的事例がコンビニエンスストアである。全国約五万六〇〇〇店となったコンビニは、情報ネットワークで生もの(弁当、おにぎり、総菜)を六時間で回転させるシステムであり、被災者に食べ物を配付する仕組みとして機能させれば、行政による「炊き出し」よりも有効な社会インフラなのである。また、人口の一・五倍普及した携帯電話、スマホも電源さえ確保できれば、安否確認から被災者の誘導など、やはり不可欠なインフラとなっている。防災力の進化にとって、残された課題は「避難所」(緊急時の住環境)と「医療体制」であり、それ故の「防災拠点」整備なのである。

「医療・防災の産業化」を進める実証プラットフォームの上に、多様な事業プロジェクトが動き始めることも期待できる。工業生産力モデルで蓄積した技術とDXなど先端的情報技術を投入し、国民の安全と安定を踏み固めることが産業の新たな地平を拓くであろう。総合エンジニアリング力が問われている。

(2021・11)

第2章 「新しい資本主義」か「あるべき資本主義」か

1 「新しい資本主義」への視界

資本主義の危機が論じられている。マルクスがエンゲルスと『共産党宣言』を書いたのが一八四八年、『資本論』が一八六七年だから、冷ややかに言えば、一五〇年以上も「危機」を議論してきたことになる。何故、今あらためて「資本主義の危機」なのか、そのことを考えてみたい。

何が「資本主義の危機」なのか

『資本主義と危機――世界の知識人からの警告』(マルクス・ガブリエル他、岩波書店、二〇二一年)、『なぜ、脱成長なのか』(ヨルゴス・カリス他、NHK出版、二〇二一年、原著二〇二〇年)、『地球を壊す暮らし方――帝国型生活様式と新たな搾取』など、現代資本主義の危うさを直視して、資本主義の問題点を提起する論稿が相次いで出版されている。

論点を確認すると、まず「資本主義の原罪論」とでもいえる論調に気づく。資本主義に内在する構造的矛盾とでもいうべき「収奪」「搾取」の構造を撃つものである。大英帝国によるインド、米国支配などの植民地からの搾取の上に資本主義が機能していたのは歴史的事実であり、しかもそれは決して過去のものではなく、本質的に矛盾を内包したシステムとして資本主義を捉えることには一定の説得力がある。北によるグローバル・サウスからの収奪、ジェンダー間・階級間の格差が「国家と市場の「見えざる手」を通じて私的な悪徳(物欲)を公的な利益に転換」する資本主義という差別システムによってもたらされており、「脱・植民地化」(帝国型生活様式からの決別)にこの矛盾を克服する方向を求める議論が生まれるのも頷ける。

ただし、資本主義の本質的矛盾を断罪する視点は新しいものではなく、「原罪」を問い詰めるならば、人間が生きていくことは、本質的に他の生物の犠牲の上に成り立っているともいえ、そのことを抑制する議論は宗教に近づいていく。さらに、他者と生きる社会生活を想定するならば、何らかの「支配＝被支配」の構造が埋め込まれ、それは約一万年前とされる人類の定住革命以降の基本構図ともいえる。J・C・スコットの『反穀物の人類史』(みすず書房、二〇一九年、原著二〇一七年)は、狩猟採集生活から定住・農業革命への転換を「古代国家への人間の家畜化(飼いならし)」であったとする視界を確認しており、人類社会の本質に迫るものともいえる。

また、資本主義の際限なき成長志向が地球環境を毀損してきたことを問う視座として提起された概念が「人新世」である。人新世という言葉は、二〇〇〇年にオランダの化学者パウル・クルッツェンが、地質学における「完新世」(約一万一五〇〇年前の最後の氷河期の終わりから始まる地質年代)

に対し、人類が地球における自らの役割・責任を意識し、地球環境への能動的関わりを模索する時代という意味で用いたのが始まりとされる。ロンドン『エコノミスト』誌(二〇一一年五月二八日号)が「地質年代の新時代」として「人新世へようこそ」という特集を組み、それが、一般にこの言葉が認知される転機になったともいわれる。人新世は超長期的な地質学的時間軸において、人類が「環境破壊と気候変動」をもたらしたという視界を拓くもので、温暖化どころか高温化する地球を「煙を吐く惑星」と捉え、それをもたらした成長志向の資本主義を批判するものである。

こうした資本主義の構造的矛盾を指摘する議論は、「脱成長」にせよ「人新世」にせよ、ほぼ欧州の学者が主導する議論に端を発していることに気づく。新しい時代のマルクスに資本主義の構造変革に繋がる構想を期待したいが、そうした次元の議論にはなっていない。階級矛盾の克服をプロレタリアート独裁に求めた二〇世紀の社会主義の挑戦が、結局は非民主的な専制と非効率によって挫折したことを総括し省察した上で議論を進めるべきで、歴史の教訓のハードルは高い。

一方、現代資本主義の総本山たる米国では構造的資本主義批判の議論はほとんど見られない。ハーバード大学での「白熱教室」としてマイケル・サンデルの『これからの「正義」の話をしよう』(早川書房、二〇一〇年)が話題になる程度である。それも資本主義社会の変革に繋がる議論ではなく、ハーバード的良心とその限界としかいいようがない。この講義に「アフガニスタンのヤギ飼い」の話が登場する。武装勢力タリバンに通報する可能性のあるヤギ飼いの少年の命を「人道」に心が動き助けたために一六人の米兵士が死んだという事例をもとに、その少年を殺すべきかと問いかけるが、アフガニスタンから米軍が全面撤退した今、何とも虚しい正義論である。そもそも米国がアフガニスタンに進駐しなければ起こらない葛藤であり、「正義」以前の政策科学の問題である。資本主義を構造的に捉え、改革する視座が米国から生まれることは期待できない。とくに冷戦後の資本主義の核分裂で現出した金融資本主義の中心たるウォールストリートとデジタル資本主義の中心たるシリコンバレーを抱える米国においては、自らの生業を否定する視界は生まれない。

冷戦後の資本主義の変質——矛盾の深化と複雑化

資本主義の構造的矛盾を指摘する議論も、現代世界を覆う問題がそれまでの資本主義とは異なる性格を帯び始めていることに気づくべきである。前章「これからの経済を考え抜く」において、私は「資本主義の新たな危機の本質は、冷戦後の三つの資本主義への核分裂にある」と論じ、産業資本主義を中核としてきた資本主義が、冷戦の終焉というパラダイム転換を背景として、金融資本主義、デジタル資本主義という新たな特性を有する資本主義を派生させて複雑な構造変化を遂げ、異なる次元の資本主義に我々を巻き込んでいることを指摘した。

あらためて、金融資本主義の変質について考察を加えておきたい。いうまでもなく、人類の歴史とともに金融は存在し続けてきた。これまでの金融の本質は「金貸し」という業態であった。銀行など産業金融の基本機能は、事業と経営者を点検・審査して金を貸し（融資、投資）、その事業が成功して利息、配当を付けて資金が回収されるという構図であった。だが、新しい金融資本主義は、金融工学を駆使したジャンクボンド、ヘッジファンド、ハイイールド債、仮想通貨などの金融派生型商品の多様化を特色とするものである。その性格を一言で表現するならば、「人間の顔の見えない金融」といえる。つまり、人間と人間が向き合ってカネが動く産業金融とは異なり、コンピュータの中をカネが駆けめぐるもので、きわめて無機的な資金の動き、より純化したマネーゲームなのである。これは、金融機能の底流に絡みついてきた「金貸し業」の罪悪感（利潤への欲望の抑制）から完全に解放された金融の登場を意味する。

マネーゲームの当事者と議論して直感することは、金融で儲けることに一切の罪悪感がないということである。かつて、中世の欧州に拡散したユダヤ人が旧約聖書まで持ち出し、利息を取って金を貸す仕事が「神に許された仕事」と正当化を図らねばならなかったストレスは消滅したといえる。パトスとしての欲望の資本主義を制動するものは何もない時代である。「育てる資本主義」の金融から「売り抜く資本主義」の金融へと基本性格が変わったのである。

根底から変わり始めた資本主義

金融の性格が変わっただけではない。前章で言及したごとく、猛烈な勢いでの金融資本主義の肥大化が進んでいる。世界的な金融緩和、金融規制緩和の基調を受けて、あふれ出たマジックマネーの恩恵を受ける人と取り残された人の「格差と貧困」の問題を深刻化させ、分配の公正を求める潮流を生み出していることはあらためて指摘するまでもない。

デジタル資本主義が、冷戦期に米国防総省によって開発された情報通信技術（ＡＲＰＡＮＥＴ）の民生転換で登場したインターネットと、極小化したマイクロコンピュータが繋がることでもたらされたことは既に論じた。そのデジタル資本主義の基本性格とは何か。ネットワーク情報技術革命が、人間の社会生活を効率的で便利なものへと進化させたことは間違いない。日本でも、人口の一・五倍も普及したケータイ・スマホが、常態的に多様な情報に繋がる受発信の端末として定着した。

資本主義は根底から変わり始めた。経済社会を動かす基本要素が変わり、これまでの「資本、労働力、土地」などの有形資産から「情報・データ」(コンテンツ、ソフトウェア、システム、デザインなど)の無形資産の持つ意味が重くなり、それがデジタル資本主義の最大特性というべき「見えざる資本主義」の時代を加速させているのである。

情報空間における無料の情報サービスが、大量のビッグデータのプラットフォームを握り、それを基盤に多様なビジネスモデルを創り上げ、「ビッグ・テック」などといわれる巨大情報企業を登場させた。このデジタル情報空間に生きる一人一人の人間は、誰もがフラットに情報を発信し、受け取れる時代を享受しているという認識の中に浸りがちとなる。

だが、再考すれば、デジタル情報環境は、人間を「自分は主役だ」と錯覚させる危うい幻想でもある。トランプは連日、自分の思うままの情報を発信して大統領にまでなったが、逆にツイッターの呪縛に陥った「奴隷」というべき危うさを示した。ショシャナ・ズボフの『監視資本主義』(東洋経済新報社、二〇二一年、原著二〇一九年)は、デジタル資本主義の負の側面を抽出しており、公全体の仕組みへの極度の無関心の中で「ユートピア」と思い込んだ巣の中に埋没していると、公権力による監視とは異なる次元での「大衆を餌食にする一種の独裁」に引き込まれていく構造を論究している。我々は何時の間にか、きわめて限られた選択肢の中に閉じ込められているともいえる。

また、デヴィッド・グレーバーの『ブルシット・ジョブ――クソどうでもいい仕事の理論』(岩波書店、二〇二〇年)は、「その仕事、本当に必要ですか」という問いかけの下に、現代社会における「仕事」の内実を再考する議論を展開している。コンピュータ開発の基本思想が「人間の苦役、単純労働からの解放」にあったことを確認してきたが、デジタル資本主義の深化の中で、人間は本当に創造的労働に時間を割いているであろうか。コロナ禍のリモートワークの定着で、通勤時間から解放された新しい働き方が見えてきたことも積極的に評価すべきだが、生み出された時間で何をしているのかといえば、多くは「ネットフリックスを見ている」程度のことで苦笑を禁じ得ない。

デジタル環境を創造的に生かすことは簡単ではない。アプリと検索エンジンから情報にアクセスし続けると、関心のあることにしか向き合わない視野狭窄に陥りがちであり、全体知に立って課題を解決する能力はむしろ後退する懸念がある。SNS時代を生きる学生や若者と議論して感じるのは、デジタル環境が人間拡張の契機とはなっていない現実であり、生身の人間として苦難に立ち向かうレジリエンス、心の耐久力は、むしろ劣化しているとさえ感じる。

つまり、新しい資本主義の主題とは、冷戦後の資本主義の核分裂を経て登場した資本主義の主潮というべき金融資本主義、デジタル資本主義という「無機的で顔の見えない」ものを、利潤追求のパトスだけが肥大化しないために、如何に制御するかにある。経世済民、つまり国民の幸福を高める「健全な資本主義」のための新しいルール形成が求められるのである。

日本資本主義の羅針盤——日経新聞の役割と責任

日本資本主義の羅針盤ともいえるのが日本経済新聞だが、その原点は総合商社三井物産の初代社長益田孝が社内報としてスタートさせた「中外物価新報」である。その後、独立して今日の日経新聞に発展してきた。私自身、三井物産戦略研究所会長だった時代、一六歳の益田孝が幕府の訪欧使節の一員となってフランスを訪れた足跡を辿るべく、マルセイユ、パリと動いたことがあるが、何故二七歳で三井物産社長となった彼が、商社活動と並行して「経済新聞」を創刊し、自ら論説の筆を執ったかがわかる気がした。時代認識を的確なものとするための情報基盤を確立する努力の一環であった。

また、一九七〇年代後半、日本経済研究センターのエネルギー戦略に関する研究タスクフォースに参加し、大手町の日経新聞本社に週に二回、夕方から通い、深夜までの熱い議論に啓発された思い出がある。再生可能エネルギー論の嚆矢ともいえるエモリー・ロビンスの『ソフト・エネルギー・パス』などを素材に、エネルギー戦略の幅を広げる議論が既になされていた。視界を広げる大切さを教えてくれた磁場が日経新聞であった。

その日経新聞が、冷戦後という時代にメディアとして果たしてきた役割を確認しておきたい。同紙は一九九九年の正月から「新資本主義が来た」という特集企画を五五回にわたり連載、単行本化して世に問うた。冷戦後の時点でのテーマは、「市場化」(市場に任せよ＝国家の退場)と「グローバル化」（国境を越えたヒト・モノ・カネの移動）と「情報化」（情報ネットワーク技術革命の進行）にあった。冷戦後の「新自由主義」を思潮基盤とする情報・知識を軸にした「新・資本主義」の到来という視界は時代思潮となり、日本の経済人の常識となっていった。

その時代思潮の中で私自身はどう考えていたのか。思い入れのある論稿が、二一世紀劈頭の二〇〇一年一月号『中央公論』に寄稿した「「正義の経済学」ふたたび」である（同名単行本に収録、日本経済新聞社、二〇〇一年）。冷戦の終焉から一〇年、私は国際ビジネスの現場にいて、冷戦期に東側といわれた旧ソ連、東欧をも動き回り、西側から「商業主義とマネーゲーム」が奔流のごとく流れ込んでいるのを目撃していた。欲望の資本主義の現実に深い幻滅を覚えたものである。「資本主義はかくも荒寥たるマネーゲーム状況を実現するために歩んできたのか」という思いが込み上げていた。また、米国流の金融資本主義の世界化を「グローバル化」と錯誤して、異様な金融過剰経済が動き始め、「所得格差」を拡大させている状況に対して、「株主価値最大化」の資本主義ではなく、多様なステークホルダーを重視する資本主義の実現に向けた「分配の公正」や「新しい公共」の必要などを論じていた。私の主張は、その後の「新・資本主義」を支えた新自由主義の潮流に飲み込まれた苦々しい思いはあるが、今日でも私の基本的な問題意識は変わっていない。

ネオ・エコノミーを論じる視点

「新資本主義が来た」の特集から二一年、日経新聞は二〇二〇年正月から「逆境の資本主義」

を特集し、単行本化した。日経新聞は何をもって「逆境の資本主義」というのか。企画・編集の認識を注視すると、「格差の拡大」「気候変動」「新型コロナ」が逆境を意味することがわかる。そして、その淵源について「一九九一年が転機だった」として「目先の利益を至上命令とするいびつな資本主義」、「中国の参入」「デジタル化」が今日の逆境をもたらした要因だとしている。やはり「冷戦後」が転機という認識で、資本主義が構造変化を起こしていることには気づいている。

だが、この一〇年近く、日本経済・産業を方向付けたアベノミクスには不思議なほど言及がない。異次元金融緩和と財政出動を繰り返し、デフレからの脱却を目指したアベノミクスなる調整インフレ政策が、金融資本主義の肥大化のプラットフォームを提供し、日本の経済産業を歪めた構造についての経済ジャーナリズムの面目をかけた解析も論及もない。日経新聞が政権への忖度メディアに化したとは思わないが、「リフレ経済学」なる金融政策に過剰に依存した成長志向の経済学に傾斜したことは間違いない。「リフレ経済学が日本経済を救う」として、「リフレ派」を自認する学者たちがアベノミクスを先導し、日経新聞もそれに同調していたが、アベノミクスが終わった今、客観的総括が求められる。真摯に「新自由主義の脱却」に向かうならば、必然的にアベノミクスを厳しく問い詰めざるを得ないはずである。

二〇二〇年五月、日経新聞は『ネオ・エコノミー――世界の知性が挑む経済の謎』を刊行、デジタル技術の進歩に焦点を合わせ、資本主義社会が「形ある富から姿なき富へとパラダイム転換」しており、新しい経済社会の「豊かさ」が求められるとして、「デジタル資本主義」の到来を論じている。日経新聞自身が「電子版」に比重を移し、紙媒体から脱却したデジタル資本主義時代のメディアとしての態勢を整えている。それ故に、デジタル資本主義の光と影を注視し、新しい資本主義の公正な制御に役割を果たすべきであろう。資本主義社会を支える経済人の誇りとは、本質を直視し、事態を省察する柔らかい復元力である。

（2022・1）

2　公正な分配とは何か

資本主義社会における分配の公正とは何か、そして分配の財源の負担は誰が担うのか。とりわけ日本における分配と負担の公正について思考を研ぎ澄ませてみたい。

東日本大震災とコロナ対応の差

二〇一一年から一〇年の間、日本は二つの災禍に襲われた。二〇一一年の東日本大震災と、二〇二〇年からのコロナ・パンデミックである。この悲劇に日本は必死に立ち向かった。そして、二つの試練へのきわめて対照的な対応は、これからの日本の「分配と負担」を考える上で、重要な先例となっている。

東日本大震災に対しては、日本は「復興特別税」を財源として立ち向かうという決断をした。二〇一三年から二五年間、復興特別所得税（個人所得税額の二・一％）を課すというのである。復興特別法人税は二〇一二年度からの二年間の事業年度を対象としたが、個人所得税を払っている国民はこれからも二〇三八年まで、東北復興のために財源を負担し続ける。二〇一九(令和元)年度までの七年間での復興特別税収は五兆円となっている。つまり、国民が皆で復興財源を負担する形となっており、たとえば、課税所得六〇〇万円程度の中間層サラリーマンでも年間一万七〇〇〇円、二五年間で約四三万円を負担することになっているのである。

一方、経済対策を含むコロナ対応については、表面的には国民個人の懐は痛まない形での対応となっている。安倍、菅、岸田政権は財政出動ということで、総額一一二・七兆円にのぼる補正予算を四回にわたって積み上げ、赤字国債はすべて中央銀行たる日銀が引き受ける形で財源確保している。それは国の債務(借金)の増大を意味し、二〇二〇年度末で一二一六兆円にもなる政府債務をさらに肥大化させながら進んでいるということである。

国民の個人負担を求める「復興特別税」を継続しつつ、コロナについては借金で対応しているわけで、国民にすれば、この間に消費税率は一〇%に上がり(二〇一九年一〇月)、次々と負担増を強いられた先にやがて後代負担がのしかかる借金増という不安を抱える複雑な構造になっている。

コロナ禍への緊急対策として、「国が何とかしてほしい」という国民の不安の心理を背景に、日本は「給付金、補助金、助成金シンドローム」というべき方向に向かい始めた。究極が「特別定額給付金」として、総額一二・七兆円の歳出を投じて全国民に一〇万円を給付したことである。その政策効果については、「考察1 第1章の2」において検証したごとく、ほとんどは貯蓄に向かい、景気刺激策としては不発であり、生活困窮者を支える社会政策としても不十分であった。

岸田政権になっても、「年収九六〇万円以下」と線引きされたものの「一八歳以下の子どもへの一〇万円の給付金」という政策が採られようとしている〔追記：二〇二二年に給付〕。生活保護などの社会政策とは別に、給付金型の政策を拡大していくことの問題を熟慮すべきである。つまり「分配と負担」のあるべき姿を整理検討することなくポピュリズムに流れれば、健全な資本主義の自殺に至るであろう。

既に議論してきたごとく、冷戦後の資本主義は、それまでの産業資本主義を主軸とする局面から、「金融資本主義」と「デジタル資本主義」が核分裂して自己増殖する複雑な局面に入っている。そこから生じる「格差と貧困」の制御のために、国への期待という心理が芽生え、安易な国による分配、再分配への介入が生じがちとなる。そして、「国の判断」の実態は、経済現場への知見に欠ける政治家がリードすることになり、その判断基準は「選挙で票になるか否か」に傾斜しがちとなる。我々は、冷戦後という時代を省察する必要がある。

つい先日まで、冷戦後の世界の基本思潮であった「新自由主義」のバイブルたるM・フリードマンの『資本主義と自由』〔一九六二年〕には、「資本主義社会の政府が絶対にやってはならない一四の政策リスト」が明記されていた。そのリストとは、①農産物の買い取り保証価格制度 ②輸入関税または輸出規制 ③産出規制、農産物作付面積制限 ④家賃統制、物価・賃金統制 ⑤法定の最低賃金や価格上限 ⑥産業規制、銀行規制 ⑦ラジオ、テレビの規制 ⑧社会保障制度、とくに老齢・退職年金制度 ⑨事業・職業免許制度 ⑩公営住宅、住宅建設補助金制度 ⑪平時の徴兵制 ⑫国立公園 ⑬営利目的での郵便事業の法的禁止 ⑭公有公営の有料道路、である。

つまり、フリードマノミクス〔原理主義的自由主義〕には「市場に任せよ」という絶対自由主義が貫かれていた。だが、「新自由主義の時代」を経たはずの日本の現状を検証するならば、新自由主義に基づく構造改革は実はそれほど進展していない。規制改革の「一丁目一番地」と興奮していた郵政民営化も、二〇二一年一〇月の売却で国の日本郵政株の保有率は六〇%から三分の一超に下がったが、現実的に重要事項否決権を有する形で国営企業的体制を持続しており、すべてが中途半端なままである。にもかかわらず、何故か「脱・新自由主義」と「新しい資本主義」が語られる。現実を直視するならば、日本では国家による介入・規制が加速しているのである。

アベノミクスは、冷戦後の金融規制緩和を背景にした米国流金融資本主義の掲げる新自由主義の潮流に乗って始動したものの、「異次元金融緩和」と財政出動という形で、政府主導の「官製資本主義」へと複雑骨折していった。政治主導で「デフレからの脱却」を図る調整インフレ政策は、成果を挙げないままコロナに直面した。コロナという緊急事態をテコに経済への政治の過剰介入が加速した。財政規律という制約を無視した財政出動により「政治は何でもできるし、やっていい」という空気が醸成されてしまったのである。

二一世紀日本の分配構造——企業の付加価値配分

財務省の法人企業統計調査をベースに、二一世紀の日本の企業経営における分配の構造変化を確認しておきたい。企業規模の大中小に関係なく日本に存在する法人企業すべての創出付加価値の配分である。次ページの図のごとく、法人企業の経常利益の総計は、二〇〇〇年度の三五・九兆円から一七年度には八三・六兆円へと増加し、二〇二〇年度にはコロナ・インパクトもあり六

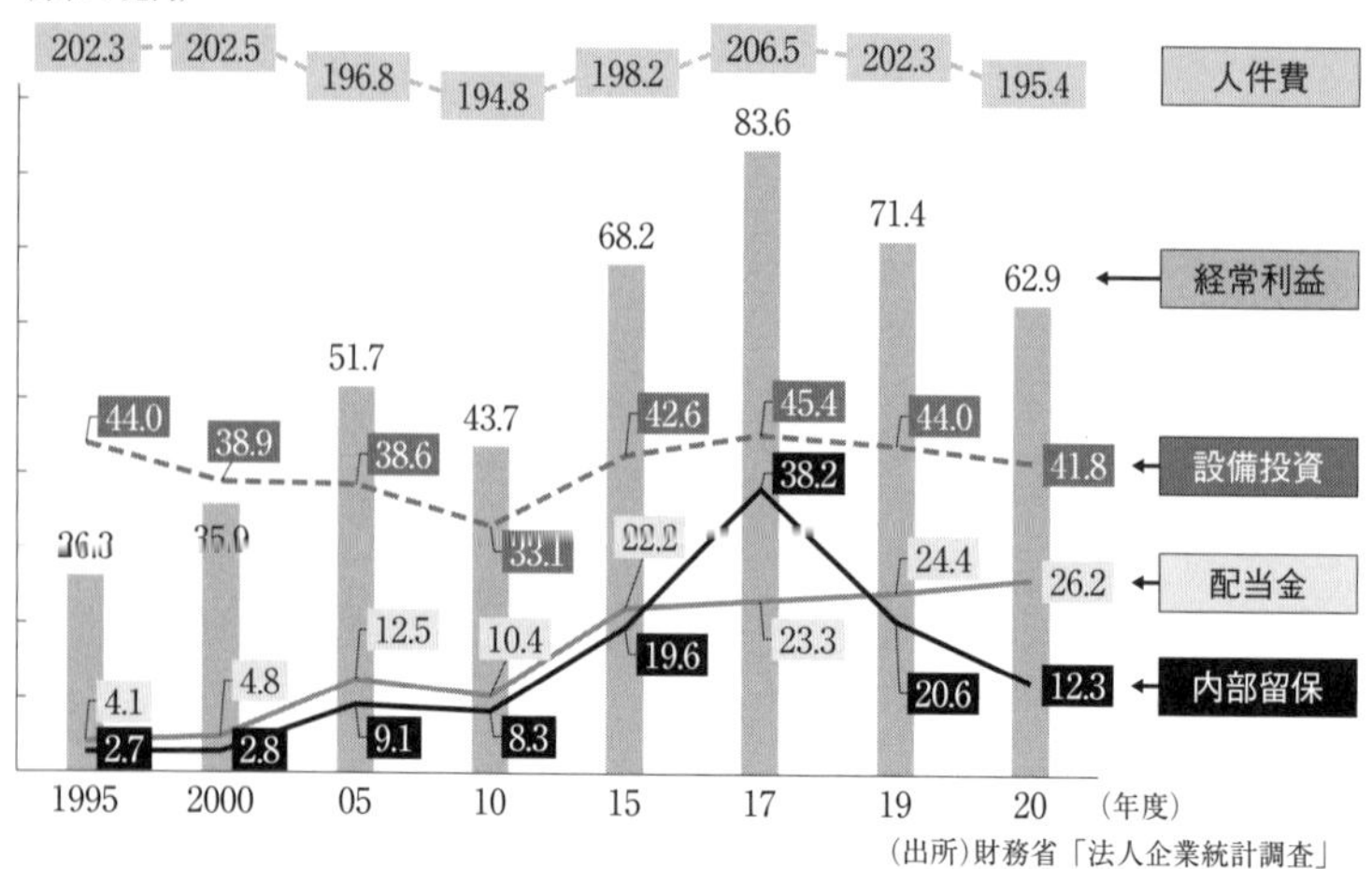

21世紀日本企業の分配の構造

二・九兆円となった(図)。これに対して企業は創出付加価値をどう分配したであろうか。

まず、人件費に注目したい。法人企業が支払った人件費総額は、この二〇年以上も二〇〇兆円前後に張り付いており、二〇〇〇年度の二〇二・五兆円から二〇二〇年度の一九五・四兆円と、むしろ実額ベースで減少しているのである。

企業の設備投資も、二〇〇〇年度の三八・九兆円からほぼ一直線の横ばいに近い動きを示し、二〇二〇年度にも四一・八兆円とそれほど増えていない。設備投資は、企業にとって未来への投資であり、このところDX関連投資が増えてきたとはいえ、日本企業の慎重さが目立つ。この間、増えたのは配当金である。二〇〇〇年度四・八兆円にすぎなかった配当金は、二〇二〇年度には二六・二兆円となっており、株主への配分は五倍以上に増えた。背景には外資による株式保有の比重が上場株式の三割を超え、外資は必ずしも「ハゲタカ」ではないが、配当性向に圧力をかける傾向があり、日本企業も「株主価値最大化」を目指す株主資本主義の性格を強めてきた。また、二〇一七年度まで急増していたのが内部留保であり、「将来不安で、とりあえず資金を留保しておこう」という傾向が見られたが、業績の下降によって二〇二〇年度には一二・三兆円にまで圧縮された。ただ、二〇〇〇年度の二・八兆円と対比すれば、四倍以上になったともいえる。

つまり、人件費と設備投資は横ばい、配当金と内部留保が増大というのが二一世紀日本企業の分配の構造ということである。背景には二つの要因がある。一つは、雇用環境の変化であり、非正規雇用比率（総務省「労働力調査」）は二〇〇〇年の二六・二％から二〇二〇年に三七・二％となり、働く人の四割近くが正規雇用者ではなくなった。労働組合組織率（厚生労働省「労働組合基礎調査」）も二〇二〇年には一七・一％まで下がり、働く人の八割以上が労働組合に入っていないのである。もう一つは、企業経営のグローバル化であり、製造業の海外生産比率は四割（二〇一九年度三七・二％、経済産業省「海外事業活動基本調査」）に迫り、企業はグローバルベースでの人件費コストを柔軟に管理する状況になっている（追記：二〇二一年度に四〇・七％となった）。

岸田政権は、二〇二二年度の税制改正において、「雇用者の給与総額の増額分を法人税額から差し引く控除率を大企業は最大三〇％、中小企業は最大四〇％とする」方針を決めた。また「収益が拡大しているのに賃上げも投資も特に消極的な企業への投資減税の優遇を停止する」という。企業の付加価値分配に対し、国が大きく踏み込み、介入するというのである。政府介入の「お仕着せ賃上げ」に、経済界から資本主義社会の正当性に立った激しい論議は起こらない。ここに資本主義リーダーの堕落を見る。これでは生産性の低い企業を温存するだけで、資本主義のエトスである「競争を通じた自己変革」を見失わせることになる。

企業経営者が、公的資金（年金基金、日銀ETF買い）で株価の買い支えを期待し、従業員への給与の引き上げにインセンティブをつける税制を喜んで、税理士・会計士と向き合う時間を増やすことは資本主義の堕落である。経営者は、真剣に技術開発、ビジネスモデルのエンジニアリングに向き合うべきであり、実際、従業員を大切に処遇し、人材育成に注力している企業ほど成功しているという検証もあり、政府が介入するテーマではない。現代日本の資本主義を支える企業経営者の矜持はどこにいったのであろうか。

アベノミクスなる時代を通過し、日本の経営者の眼差しはすっかり下を向いてしまった。異次元金融緩和で金融をジャブジャブにし、公的資金まで投入して株価を引き上げる政治に馴化し、経済界のリーダーたちが物を言わなくなった。株価が上がれば、経営責任を問う圧力が鎮まるからである。また、異次元金融緩和で円安が誘導されたことは、国際競争のハードルを下げ、輸出産業にとって追い風とする認識があった。だが、それによって技術革新や未来への投資、人材育成に立ち向かう日本企業の緊張感が弛緩した面も否定できない。つまり、資本主義を支えるエトスとロゴスが後退したといわざるを得ない。

究極の議論――MMTとベーシックインカム

金融資本主義の肥大化が、その正当化のために登場させた貨幣理論がMMTといえよう。現代貨幣理論（Modern Monetary Theory）の略である。財政については「入るを量りて出ずるを制す」という財政規律の遵守が基本であり、常識であった。だが、「自国通貨で債券を発行できる国家においては、現実に債務不履行になる可能性は低く、積極的に国債を発行して景気を刺激すべきだ」というMMT議論が登場した。徴税力と自国通貨での国債発行力を背景に、国家主導で「お札を自由に刷る」ことを景気拡大のテコにしようというのである。

誰がこういう理屈を言い始めたのか。金融資本主義のプロモーターと金融学者、つまりニューヨーク・ウォールストリートを舞台とする人々である。この理論の代表的三人の主張者、ウォーレン・モスラーはファンドマネジャーであり、ステファニー・ケルトンとL・R・レイはニューヨークの大学の金融経済学者である。実体経済の現場に生きる人ではなく、マネーゲーマーの仲間たちの主張で、その要諦は「借金をしてでも景気を拡大させるべし」と集約できる。

アベノミクスを進めてきた政治家が「一万円札の原価は二〇円、いくらでも刷れるよ」と語るのを耳にしたが、日本も驚くほど自堕落な経済学に埋没したものである。皮肉にも「MMTの先行モデル」とされ始めているのが日本であり、経済産業の実力以上に財政出動を積み上げ、生じた財政赤字を赤字国債の発行で支え、低金利が続く限りは問題ないという判断で突き進んでいる。国債の信認を不安視する見方に対しては、日本国債の外資による保有比率は一五％前後で、これも心配はないと説明される。だが、財政の悪化で国の借金はGDPの二倍を超し、日本国債の格付けランクは先進国中最下位の二四位にまで下落、韓国（一六位）、香港（一六位）、中国（二三位）よりも下というのが現実である。もし、米国の金融政策が「正常化」に向かい、金利引き上げという局面を迎えたならば、日本国債への不信感が顕在化し、「金利上昇―利払い急増―財政のさらなる悪化」という負のサイクルに陥り、「悪い円安」の呪縛に苦しむことになりかねない。

財政規律を軽視する思考の中から登場する究極の分配論が「ベーシックインカム」という考えである。この分配論を主張する論稿を注視すると、MMTとの親和性があることに気づく。『世界』も「ベーシックインカム・序章」という特集(二〇二〇年九月号)を組み、「コモンズを取り戻すための制度設計」として、「労働要件や資力調査を課さず、無条件で国民に給付されるベーシックインカム」の議論を紹介していた。公的扶助(福祉)が、個々人の労働能力と所得・資産の有無の確認を前提とするのに対し、現代資本主義の構造問題たる格差と貧困を克服しようとする視界から、全国民へのフラットな分配という政策論が浮上することも理解できる。「公正と平等」を志向する論者が、「支え合いと分かち合い」の制度設計を模索する心情もわからなくもない。ベーシックインカムを主張する論者は、日本国憲法が保障しているという論点を語る。確かに憲法第二五条は「すべて国民は、健康で文化的な最低限度の生活を営む権利を有する」とし、第二項で「国は、すべての生活部面について、社会福祉、社会保障及び公衆衛生の向上及び増進に努めなければならない」とする。

だが、仮に一人月額一〇万円のベーシックインカムとして、国民全員に配付するとして、年間一五二・四兆円の財源が必要となる。過去三年間の一般会計、特別会計を合わせた国家の財政規模は約五〇〇兆円であるから、その約三割を意味する。財政にそれだけの余力があると思えないし、何よりも財政の基盤である日本経済にこの構想の実現を支えられる展望はない。生活保護を含む福祉・社会保障政策全般の構造を体系的に見直す必要も生じるであろう。

何よりも重要なのは、資本主義社会を生きる人間として、自分自身への問いかけが必要だと思う。つまり、「自分はベーシックインカムで生きたいか」という真剣な自問自答である。私自身は教育に関わる者として、ベーシックインカムを受け取る気持にはならない。教育の基本は「自立自尊」を教えることであり、努力と研鑽のもたらす価値の重要性を認識させることにある。国から供与されるベーシックインカムではなく、自分で努力した仕事の対価として得たカネで飲む酒がうまいことにこだわりたい。また、ベーシックインカムは社会的人間関係を変えることを懸念する。辛く厳しい環境でも親ががんばって育て、学校に行かせてくれたことが子どもの背筋を伸ばしてきた例を、私は世界中で目撃してきた。

政治とは価値の権威的配分をめぐる力学である。肝心なのは、如何なる価値基準によって配分するのかである。菅前首相の定番は「自助、共助、公助」であったが、その政治リーダーとしての非力さは、どこからが公助とすべきか、線引きする価値基準を語りえなかったことにある。

歴史の進歩とは何か

では、格差と貧困を正す価値基準は如何なるものであろうか。ベンサム流の功利主義「最大多数の最大幸福」に代わるとされるのが、ジョン・ロールズの『正義論』(一九七一年、改定版一九九九年)である。ロールズにおける「公正としての正義」という概念、すなわち「個人のかけがえのなさと自由が認められること、社会が誰にとっても暮らしやすいものであること」を重視する価値基準は、そうした社会を実現するための努力目標としては示唆的である。

「他者の同様な自由と両立できる最も広範な自由に対する全員の権利の実現」が正義とするロールズの考え方、そして「生まれつき恵まれた立場に置かれた人々は、誰であれ恵まれない人の状況を改善するという条件によってのみ、自分たちの幸福から利得を得ることができる」とするロールズの誠実さ(エトス)は心を打つものがある。だが、現実の経済社会における分配、再配分の政策となると、どのように線引きするのか、ロールズ流の「正義の哲学」では不透明で、結局は誰にでも公平に配分するベーシックインカムを正当とする議論に向かうことになるであろう。

資本主義社会の本質に迫る議論として思い起こしたいのは、哲学者、市井三郎の『歴史の進歩とは何か』(岩波新書、一九七一年)である。人間の歴史に進歩などあるのかという問いは永遠のテーマといえるが、市井は「歴史の進歩とは、不条理の組織的・制度的軽減である」という視座を示す。不条理とは、「本人が責任を問われる必要のないことで苦しむこと」として、そうした不条理を組織的、制度的に軽減することが歴史の進歩だというのである。たとえば、「生まれながらに貧困でメシも食えない、教育も受けられない」という不条理を制度的に軽減すること、それが政治の役割ということである。結果の平等ではなく、「競争を通じた研鑽」「誠実な努力」というプロセスを忘れない視座であり、近代資本主義社会のエトスに立つ議論でもある。

冷戦後の資本主義の新局面に迷いながらも、我々は原点を見つめて、新たな資本主義社会を制御する「ルール形成」に立ち向かわねばならない。

(2022・2)

3　新次元のルール形成へ

資本主義の歴史とその現代的変質を考察してきた。考察の基軸は、私自身が一九七〇年代から資本主義社会の現場に身を置き、東西冷戦期から今日までの米欧、ロシア東欧、アジアなど世界の変容を目撃してきたことである。気づいたのは、冷戦の終焉を境に資本主義はパラダイム転換したことであった。「新自由主義」を通奏低音として、情報技術革命（IT革命）と金融技術革命（金融工学の台頭）を起爆剤として資本主義は核分裂を起こした。その起点ともいえる金融資本主義の総本山たるニューヨーク、そしてワシントンに冷戦の終焉を挟んで十数年間生活し、もう一つの起点となったデジタル資本主義の本陣たる西海岸シリコンバレーの動きも継続的に目撃してきた。

そして、その展開がもたらした新局面に、我々は当惑しつつ巻き込まれている。二〇二二年初めに流れた「アップル社の株式時価総額が三兆ドルを超した」（一月三日）という報道が事態の複雑さを象徴している。金融とデジタルの相関の中で、途方もないエネルギーが蓄積されつつある。ビッグ・テックと言われる米国のITビッグ5の株式時価総額は二〇二一年一二月末時点で九・七兆ドルと、日本のGDPの二倍に迫る（表）。その意味を熟慮し、的確に制御する視界が求められる。

新局面に入った資本主義には、新しいルールが必要なのである。

表　ビッグ・テックの株式時価総額の推移

	2020年初時点	2021年12月末時点	
ビッグ・テック【米国IT 5社】Alphabet(Google) Apple Meta(Facebook) Amazon Microsoft	4.8兆ドル（約523兆円）	9.7兆ドル（約1117兆円）	【Apple】2兆ドル突破（20年8月19日）➡3兆ドル（約343兆円）一時突破（22年1月3日）

（参考）

日本【東証一部】（現・東証プライム）上位5社	2020年初時点		2021年12月末時点			
	トヨタ自動車	25.2兆円	トヨタ自動車	34.4兆円	オリエンタルランド	7.1兆円
	NTTドコモ	10.1兆円	ソニーG	18.3兆円	ファーストリテイリング	6.9兆円
	ソフトバンクG	9.9兆円	キーエンス	17.6兆円	日立製作所	6.0兆円
	ソニーG	9.4兆円	リクルートHD	11.8兆円	日本製鉄	1.8兆円
	キーエンス	9.4兆円	東京エレクトロン	10.4兆円	東レ	1.1兆円
	合　計	64.0兆円	合　計	92.4兆円	三菱重工業	0.9兆円

国際連帯税からグローバル・タックスへ

冷戦後のグローバル化の潮流、すなわち国境を越えたヒト、モノ、カネの移動の加速の中で、実際に最も移動が増幅されたのが「カネ」であった。税関もパスポート・コントロールもなく、同時進行した情報技術革命によって、コンピュータの中をカネがグローバルに瞬時に移動することが可能になったためである。ヘッジファンドなどによる為替・金融商品への投機的取引が急拡大し、行き過ぎたマネーゲームが金融資本主義の影の問題とされるようになった。こうした動きを制御するため、ノーベル賞経済学者ジェームズ・トービン（一九一八〜二〇〇二年）によって提案されたのが「トービン税」である。「短期的な為替の取引に低率で課税し、投機的動きを制御しよう」

との考え方で、実効性に疑問が持たれながらも欧州で共鳴者が増えていった。

トービン税は、国境を越えた金融取引の制御という意図で「国際連帯税」構想に進化し、二〇〇六年三月にはフランス、ブラジルが提唱して「国際連帯税に関するリーディンググループ」が五三カ国参加のもと結成された。日本でも二〇〇八年二月に超党派の「国際連帯税創設を求める議員連盟」(初代会長・津島雄二)が、国会議員五〇人以上の参加で発足、同年九月には日本も五五番目のリーディンググループとして参加を正式に表明した。二〇〇八年はリーマン・ショックの時期であり、ハイリスクの金融派生型商品が金融危機を招くことを危惧する意識が高まっていた。

こうした動きを背景に、日本でも二〇〇九年に研究者、NGO、国会議員、市民団体、労働組合などからなる「国際連帯税推進協議会」が結成され、私自身が座長を引き受けることとなった。この協議会は二〇一〇年九月に報告書をまとめ、通貨取引税、航空券連帯税などの導入に向けての提言をおこなった。さらに、その後の欧州での動きを踏まえ、二〇一四年になって「グローバル連帯税推進協議会」(第二次委員会)が設立され、外務省、財務省、金融庁、環境省をオブザーバーとした議論が積み上げられ、二〇一五年一二月には、フランスや韓国など一四カ国で先行導入されていた「航空券連帯税」に焦点を合わせ、日本でも導入可能な制度設計を提案する報告書をまとめ、議員連盟を通じて政府税政調査会などに提言をした。

フランスで導入されている「航空券連帯税」とは、フランスを離着陸する国際線搭乗者に対して負担(エコノミークラス五五〇円、ビジネスクラス五五〇〇円程度)を求め、UNITAID(国際医療品購入機構)への寄付などを通じてアフリカ等への援助に向けるというものである。米国でも「国際通行税」（出国、到着に一七ドル程度課税）、英国でも「航空旅客税」などを徴税しており、日本も二〇一九年一月から観光先進国を促す財源確保を主眼として「国際観光旅客税」（出国一回につき一〇〇〇円徴収）を導入したが、国際連帯税は国際的課題（感染症、地球環境、南北格差と貧困など）に立ち向かう目的税であり、主権国家の財源確保とは主旨が違うといわざるを得ない。

何故、国際連帯税構想は一部でしか実現しないのか、とりわけ日本での導入が進まないのか、推進協議会に参画してきた立場から再考するならば「国際連帯税は理想論だが、実現には壁が厚い」とする見解が重くのしかかってきたといえる。国民国家、とくに税務行政の当事者からは、国家の課税権が揺らぎかねない議論には賛同できないという本音が強く存在している。また、実際に導入するとなると、たとえば金融取引税などは、国境を越えた取引を正確、公正に捕捉する上で、技術的限界があるとされてきた。

しかし、この数年の経年変化の中で、国際連帯税は「グローバル・タックス」というべき方向へ進化し始めている。つまり、国家間の連帯で実現する税制度という次元から一歩踏み出し、地球全体を一体として認識し、その秩序を制御する税制という視界が拓け始めてきたのである。理由は二つある。一つは情報技術革命の進展で、ビッグデータ、クラウド、IoTといったデータリズムの技術基盤が整い、国境を越えた金融取引を的確に捕捉する可能性が高まったことである。DXが新しいルール形成の技術基盤になることが検証され始めたのである。二つ目は、英国のEU離脱によって、これまで英国の反対で合意形成に至らなかった国際連帯税について、大陸側の欧州の結束が固まり、金融取引税などを実現する可能性が高まったことである。

これまで自国のバイタル産業たる金融への縛りを嫌い、自国系の多国籍企業の国境を越えた活動を規制することを拒む傾向の強かった米国と英国だが、欧州主導のグローバル・タックスの動きを無視できなくなってきた。世界はグローバル企業の「税逃れ」を公正に捕捉する方向に動きつつあり、米バイデン政権も「国際的な法人税の最低税率を規制する」方針を明らかにし、二〇二一年一〇月のG20財務相会議で、「二〇二三年に、国際的に法人税の最低税率を一五%にすること」に合意、確実に「ニュールール形成」に向かいつつある〔追記：二〇二四年四月より国際課税の新ルールが日本で始まった〕。

グローバル・タックス導入には三つの原則があるとされる。一つは、「受益者負担の原則」であり、グローバル化の恩恵を受けるセクター、たとえば金融、国際交通、多国籍企業、情報通信、エネルギーなどの分野に公正に責任分担を求めること、二つ目は、「負荷者負担の原則」で、グローバル化に負の影響を与えているセクターや組織に課題解決のための負担を求めること、三つ目は、「担税力原則」で、税を支払う能力の高い企業、組織、人に課税することである。この原則の上に、国民国家を超えた新しい資本主義のルールを形成しようというわけである。

パンデミックの教訓——ウイルスとの共生の深化

ロンドン『エコノミスト』誌は、「二〇二二年の展望」(The World ahead 2022)で「パンデミックからエンデミックへ」というキーワードを提示している。エンデミックは風土病を意味し、コロナ・パンデミックが風土病のような形で終息するのではという可能性を示唆している。だが、南アフリカ由来とされていたオミクロン株が一気に世界に拡散したように、一国完結型の対応では問題は解決しない。今後想定される「アフリカ熱帯感染症」の蔓延などを考えるならば、グローバルな協力と制度設計で立ち向かわざるを得ないのである。

二〇一九年の訪日外国人は三一八八万人、日本人出国者二〇〇八万人、交流人口は史上最大を実現し、人流面でのグローバリズムは最高潮にあった。ところが二〇二〇年、コロナ・パンデミックが襲いかかり、日本は突然、鎖国時代に戻った。二〇二一年は、東京五輪開催にもかかわらず、訪日外国人二五万人、日本人出国者五一万人と、出入国の人流は二〇一九年比で九八・五％減少した。日本の社会心理は「鬼は外、福は内」へと回帰し始めている。民俗学的に振り返っても、島国日本では、忌まわしいことは常に外からやってきた。外敵も疫病も、伝来した文化も、潜在意識としては「拒否すべきこと」であった。国際化・グローバル化と騒いでみても、不都合が生じると、一気に「内向する日本」に逃げ帰るのである。気がかりなのは、日本の指導者もメディアも一段と内向し、視野狭窄的な状況に陥っていることである。落ち着いて、広く深く物事を考える視座を取り戻さねばならない。

コロナ禍の二年間、我々が学んだ最大のポイントは、「ウイルスとの共生」という認識の深化であろう。それは、外敵としての病原体ウイルスとも共存していかなければならないという視界だけを意味しない。「ヒト内在性ウイルス」（山内一也『新版 ウイルスと人間』岩波書店、二〇二〇年）という存在に気づかされ、自分自身がウイルスとの共生で生きているという認識を深めた。また、人類を含む胎盤哺乳動物の進化をウイルスが加速させたという検証（英国の進化生物学者フランク・

ライアン『ウイルスと共生する世界』日本実業出版社、二〇二一年)は、ウイルスとヒトの相互関係を認識させるものであった。こうした認識は人間理解の重心を下げ、我々を謙虚にするものであった。

病原体ウイルスは、国境、国家、民族、人種を選ばない。社会階級、権力も関係なくフラットに取り付いてくる。もちろん資本主義も社会主義も関係ない。国家レベルでの「行動制限」はできても、本質的課題解決にはグローバルな結束と制度設計への努力が求められるのである。たとえば、病原体ウイルスの危険度を示す基準たるBSL(バイオ・セーフティ・レベル)で、最も危険な致死率七割ともいわれるエボラウイルスなどに対する「BSL-4レベル対応研究施設」(高度安全実験施設)は、世界に二四カ国五九施設(日本には、国立感染症研究所と長崎大学に建設中の施設の二カ所)であるが、これを少なくとも倍増する必要があるとされ、途上国へのワクチン供与の制度拡充なども含め、グローバルな行動計画が不可欠なのである。人間が地球上のバイオ生物圏の「賢い霊長類」として生きるのであれば、WHO的枠組みを超えたウイルスとの共生を図る制度設計が求められていると思う。コロナは虚構のグローバリズムを吹き飛ばしたが、真のグローバル化の覚悟を問うているといえる。

デジタル資本主義の制御のための巨大IT企業規制

私は考察3　第1章の1において、「デジタル資本主義が資本主義社会の地平を拓く光となるのか、影となるのかはまだ誰にもわからない」と書いた。データリズムを牽引するビッグ・テックの株式時価総額の肥大化は加速し、前述のごとく二〇二一年末には日本のGDPの二倍に迫る規模になった。資本主義社会における「株式の時価総額」の意味は重い。上場会社は時価総額（市場価値）を超すリスクはとれないし、時価総額を超すプロジェクトには取り組めないのである。

このデジタル資本主義の肥大化は、金融資本主義との相関によってもたらされたといえる。ＩＰＯ（市場価値をテコにした市場からの資金調達）とＭ＆Ａ（競合事業を買収する事業拡大）が、ビッグ・テックを巨大化させたのである。フェイスブックは二〇二一年「Ｍｅｔａ」と社名を変えたが、メタバース（仮想空間）への志向を鮮明にしたということである。アバターを通して仮想空間での体験の幅を拡大する世界に向かっている。我々は次第に仮想空間の中でのロボット的思考回路に誘われている。生身の人間としての「身体性」を保つこと、つまり人間としての正気を維持することが重要になりつつある。

軋みが新しい課題となって浮上しつつある。既に触れたごとく、デジタル資本主義の最大の特性は「見えざる資本主義」という点にある。これまでの資本主義社会を動かす要素とされてきた「資本、労働力、土地」などの有形資産に代わって「情報、データ」などの無形資産の重要性が高まり、無料の情報サービスと思われるものが「ビッグデータ」のプラットフォームを作りあげ、それを基盤に多様なビジネスを創り出す巨大情報企業が台頭したのである。そして、その見えざる力を人間社会がどう制御するかが、時代の大きな課題になってきた。

軋みの第一章が巨大情報企業対国民国家の戦いである。まず、プラットフォーマーズへの「デジタル課税」であり、フランスは先行して二〇一九年七月から導入、二〇二一年七月にはＧ20の財務相会議が二〇二三年の導入を目標とすることを合意した（追記：その後二〇二三年に多国間条約が締結され、二〇二五年の発効を目指すことで合意した)。また、EUは「反トラスト法」でグーグルに約一〇〇億ドルの制裁金を科すことを決定、欧州委員会は「デジタル市場法」によって巨大情報企業への監視を強めている。また、中国は「国家資本主義」ともいえる歪んだアプローチだが、中国発の巨大情報企業(テンセント、バイドゥ、アリババ)への縛りを強め、格差是正を狙った「共同富裕」政策の財資を強制寄付に求めるなどの動きを見せる。

さらに、軋みを制御するためのより重要な課題が「デジタル・デモクラシー」、すなわちデータリズムの民主的管理である。我々は便利で効率的な情報環境に身を置くが、いつの間にかデータリズムに埋没している。いたるところに顔認証技術を搭載した監視カメラが配置され、携帯電話やカーナビを利用すればGPSの位置情報システムに行動を掌握されている。治安のためには「やむなし」という判断もあるが、人権に関わる情報の民主的管理についての「ルール形成」はこれからの大きな課題である。その意味で、『世界』連載の内田聖子「デジタル・デモクラシー——ビッグ・テックとの闘い」は重要な調査報告である。

本来、人間を「苦役としての労働」から解放するために開発された電子計算機(コンピュータ)、そして、冷戦後の軍事技術の民生転換のシンボルとして、「インターネット」が登場、開放系・分散系の情報ネットワーク技術革命が「IT革命」、さらにデータリズムの上に「DX時代」へと進化したが、人類の生活は本当に創造性の高いものになっているだろうか。人間としての価値は守られているのであろうか。我々は新しい局面を迎えた資本主義と民主主義の関係について、考察を深めねばならない。

(2022・3)

おわりに　一九九四シンドロームを超えて

日本は「一瞬だけ繁栄した奇妙な国」として歴史に残るのであろうか。明治期を迎えた頃、世界GDPに占める日本の比重は三%程度だったと推計される。その比重の戦前期のピークが「建国二六〇〇年」という高揚感の中にあった一九四〇(昭和一五)年で、約五%であった。翌年が真珠湾攻撃である。敗戦後の一九五〇年、日本の世界GDPに占める比重は三%であった。翌年がサンフランシスコ講和会議で、その後、復興・成長という軌道を走った日本は外貨を稼ぐ産業群(鉄鋼、エレクトロニクス、自動車など)を育て、「工業生産力モデルの優等生」として一九九四年には世界GDPの一八%を占め、ピークを迎えた。敗戦から半世紀を迎える頃であった。日本の比重はその後の三〇年間で縮小を続け、二〇二三年は四%になった。マクロ統計だけではない。国民の経済生活を注視するならば、全国の全世帯消費支出(月額)がピークだったのは一九九三年の三三万五〇〇〇円で、三〇年を経た二〇二三年においても二九万四〇〇〇円と、長期にわたり水面下を続けている。

経済と政治の埋没は相関している。一つの指標にすぎないが、国連分担金における日本の比重を見ると、二〇〇〇年の二一%が二〇二三年には八%となった。日本が国連に加盟した一九五六年は二%であり、一九九四年は一二%だった。分担金が多ければ発言力が強いということではないが、分担率を超えた国際秩序への筋道だった主張なしに、存在感を高めることはできない。ちなみに、中国の国連分担率は、二〇〇〇年は一%にすぎなかったが、二〇二三年には一五%になっている。

大江健三郎がノーベル文学賞をとったのも一九九四年であった。川端康成の受賞が一九六八年であり、二六年ぶりの日本人の受賞であった。大江が『われらの狂気を生き延びる道を教えよ』を書いたのが一九六九年、『洪水はわが魂に及び』が一九七三年であったが、経済的に復興・成長を遂げる戦後日本を生きる日本人の内的葛藤に世界が関心を抱いていたことが大江の受賞の要素でもあった。経済と政治と文化は微妙に相関している。

繁栄のピークといえる一九九四年の状況において、危うさは忍び寄っていた。一九九五年、一月に阪神・淡路大震災が襲い、三月には地下鉄サリン事件を起こしたオウム真理教なる存在が経済大国の脆弱性を炙り出した。また、世界的にも、「冷戦後の一極支配」を実現しているかに見えた米国に二〇〇一年同時多発テロの脅威が迫り、「アメリカの世紀」とされた二〇世紀の晩鐘が鳴り始めていた。それは、二〇世紀システムを主導した米国に過剰依存してきた戦後日本の晩鐘でもあった。

一九九四年の自分との対峙

一九九四年、私は米国の東海岸ワシントンにいた。ニューヨークの摩天楼の谷間で「冷戦の終焉」を目撃しながら四年を過ごし、ワシントンに回って三年目だった。三井物産ワシントン事務所長として、ホワイトハウスの斜め前のビル(1701 Pennsylvania Ave.)の窓から、冷戦後の世界に向き合うクリントン政権とワシントンの動きを凝視していた。あくまで、日本の企業組織の歯車として動いていたにすぎないが、冷戦後の世界を見つめようと、機会を見つけてはソ連崩壊後のロシア、そして東欧圏、欧州を訪れていた。

この年、私は「新経済主義宣言——政治改革論議を超えて」という論稿で第一五回石橋湛山賞を受賞した。基底にあった問題意識は、冷戦後の世界を目撃しながら、「こんなことで資本主義は勝ったといえるのか」という疑念であった。旧社会主義圏に怒濤のごとく流入する商業主義と過剰なまでのマネーゲーム(拝金主義)に、イデオロギーの対立を終えて「経済の時代」が到来したといわれながら、繰り広げられる欲望と格差の資本主義に対する怒りにも近い感情であった。日本では細川護熙政権下の「政治改革」ブームが繰り広げられ、小選挙区比例代表並立制導入などの政治改革四法が成立した。私はあまりにも硬直的な政治改革の限界を指摘し、現在も主張し続けている「国会議員の定数削減」など、より本質的な政治改革と政策の選択肢の柔軟化の必要を論じていた。今日から見て、一九九四年の政治改革は的確なものではなかったが、それでも「土光臨調」をはじめ、政治に緊張感をもたらす経済人の迫力があった。現在の政治は、「経済とのもたれあい」の中にあり、改革に向かう機運はない。

IT革命といわれる情報通信技術におけるパラダイム転換が加速していた。ニューヨークのミッドタウン(120 W45th st.)のヘッジファンドにいたジェフ・ベゾスがアマゾンを設立したのが一九九四年であった。インターネットの基盤技術は、冷戦期にペンタゴンが開発した情報通信技術

（ARPANET）であり、冷戦後の軍事技術の民生開放で商業ネットワークと繋がったのが、一九九三年であった。プリンストン大学を卒業後、ベゾスは一九八八年までの数年、東京で仕事をしていた。ネットでの株取引を目指す米企業の出先で、データリズムのビジネスモデル化を模索していた。

イラン・イラク戦争下の中東を動いて

その一九九四年から遡ること一〇年の一九八四年、私は中東を動き回っていた。一九七九年のイラン革命（イスラム原理主義革命）によって、当時私が勤務していた三井物産がイランで展開していた大型石油化学コンビナートのプロジェクト（IJPC）が暗礁に乗り上げた。さらにイラン・イラク戦争の勃発で、現地の建設サイトがイラクの空軍機に二十数回も爆撃されるという事態に直面し、革命と戦争に襲われた事業の打開を求めて、イラン革命政府との交渉に向けた情報活動の末席に連なり、イスラエル、湾岸産油国、イラクなどを動いていた。資源小国日本の運命の一端を担って、中東のプロジェクトに参画するというささやかな使命感が自分を突き動かしていたように思う。

忘れられない体験だが、灯火管制下のイラクのバグダッドを訪れたことがある。戦時下の緊張感の中、現地で働く日本人建設労働者の宿舎を訪ね、タコ部屋のような環境に衝撃を受けた。万年床、古新聞と読み古した日本の週刊誌の山、そして積み上げられた古本の中に五木寛之の『青年は荒野をめざす』があったことを鮮明に記憶している。あの時代の青年にとって、海外の建設現場で働くという状況も荒野の一つだったのかもしれない。帰りがけに一人の男から葉書を託された。日本の娘へ宛てた、「今度の正月も帰国できないけど元気でがんばれ」というもので、東京でポストに投函してくれという頼みだった。イラク政府にパスポートを取り上げられていて、出国できないというのが本当の事情だった。その後、イラクは湾岸戦争、イラク戦争という過酷な運命に襲われるが、「あの人は無事に帰国できたのだろうか」と今でも思い出すことがある。

歴史を前に進める力とは

いうまでもなく、二〇二四年は一九九四年から三〇年という節目である。世界のメディアにおいても「日本の経済的衰退」という表現が定着している状況において、あらためて日本人の叡智が問われている。

戦後日本人の歴史認識に大きな影響を与えた国民的作家、司馬遼太郎が亡くなったのは一九九六年であった。私自身、『坂の上の雲』の主人公である秋山真之のワシントンでの足跡を追うなど、司馬の近代史観の影響を受けた一人でもある。彼は一九八〇年代末に「二一世紀を生きる君たちへ」と題する論稿を書き、小学校高学年の教科書にも掲載されていた。これを読んだ子どもたちも既に四〇歳代となって、二一世紀を生きていることになる。司馬は子どもたちが生きることになる日本の「未来」を輝かしいものと意識し、社会は支え合う仕組みであるとして、「やさしさ・おもいやり・いたわり」を大切にし、人類が仲良く暮らせる時代を創ることを期待するという、きわめてまっとうなメッセージを書き残している。

やはり戦後日本人の思想に影響を与えた経済人、松下幸之助(一八九四〜一九八九年)と司馬は、一度だけ雑誌(『中央公論』一九七六年八月号)で対談している。その中で、松下は「日本という国は当分の間、何世紀かの間は発展の一途をたどるだろう。事あるごとに発展するだろう。そういう国やな、そういう国なんだ」と、日本の未来に自信を示している。つまり、戦後日本の成果に胸を張り、経済的繁栄の継続を暗黙の前提とした未来への楽観が、あの頃の日本人の共通認識であった。

司馬は歴史を振り返りながら「この国のかたち」を模索していた。今、我々が向き合わねばならない課題は、まさに二一世紀の世界潮流の中での日本のかたちであり役割なのである。

日本の二〇世紀は、第一次大戦後の二〇世紀システムの形成期において迷走し、戦争・敗戦という悲劇に至った。戦後は、米国が主導する国際主義と産業主義(フォーディズム)に同調し、一定の成功体験をした。基盤としたその状況が激変し、世界が多次元化していくと思われる未来圏へと日本は踏み出さねばならない。そのためには、近現代史と正対し、その教訓を吸収する真摯な姿勢が求められる。

残念ながら、日本は「近代」に学ぶ意志が弱く、簡単に「前近代」に回帰する思考に至る。明治近代化は、欧米列強との軋轢の中で、「近代の超克」を掲げながら簡単に国権主義に回帰し、敗北した。戦後民主主義も、真摯に民主主義に向き合うことなく、ナショナリズムの誘惑に引き戻されがちとなる。もう一度深呼吸して、「歴史の進歩とは何か」を熟慮したい。「本人の責任を問われる必要のないことで苦しむこと」を不条理というならば、私は不条理の軽減を歴史の進歩とする視界に共鳴したい。それこそが「公共性と合理性」の理念の実現を目指した「近代」の主題でもあり、なお立ち向かうべき未来への課題である。

そして今、情報環境が激変し、データリズム、人工知能に依存する時代へと向かいつつある。気をつけないと、生身の人間としての主体的判断や行動を見失い、「思考の外部化」が常態化しかねない。日本人の「忘れやすい」「考えようとしない」とされる民俗学的特質を土壌に、時代状況に受け身で同調する方向に向かいつつあるように思える。「分配」にのみ関心を向けるのではなく、「創造」に情熱を向ける未来圏を拓かねばならない。

コロナ・パンデミックと苦闘する時代と並走し、ロシアのウクライナ侵攻、そして一段と鮮明になった日本の政治・経済の迷走と埋没とに正対しながら、二一世紀の日本はどこに向かうべきかを熟考してきた。

――*――*――

二一世紀の未来圏、日本はどこに進むべきか。固定観念と過剰同調を脱し、柔らかく未来を模索する視界を拓きたい。この本と向き合った問題意識はこの点に尽きる。日本には多様な選択肢とポテンシャルがあることに目を向ける素材にしてもらいたい。

二一世紀初頭の日本は、東日本大震災とフクシマの衝撃、コロナ・パンデミックと苦闘する時代となり、「理念の共和国」だった米国の分断、中国の強大化と強権化、ロシアのウクライナ侵攻という地政学的構造転換期に直面した。苛立ちと焦燥の中で、日本の政治・経済の迷走と埋没へと吸い込まれ、重い閉塞感の中で、日本人の叡智が試される局面にある。「ミネルバのフクロウは黄昏時に飛ぶ」のである。

私は、活動拠点である東京・九段下の寺島文庫の一階のカフェを「みねるばの森」と名付けて楽しんでいるが、幸い、私の周辺には面白いインテリジェンス・ユニットが形成されつつある。寺島文庫の全国戦略経営塾に集う全国の中堅企業経営者、二五年におよぶ経団連研修の参加者が力を発揮しつつある。また、会長を務める政策シンクタンクとしての一般財団法人日本総合研究所の活動（医療・防災産業創生協議会、都市型農業創生推進機構、経営創造型未来圏人材養成プログラムなど）による人的ネットワーク、多摩大学・早稲田大学などの教壇に立つことによるアカデミズムを支える学者・研究者との結節点、メディア・ジャーナリズムを支える人たち、弁護士や官僚などの専門職者、さらには世界のインテリジェンス・ユニットのプロフェッショナルとの相関ネットワークが形成されつつあり、「課題解決型の情報活動」の基盤となる機能も充実してきた。この本もそうした知的相互刺激の産物であることを痛感する。

また、連載「脳力のレッスン」を支えてくれた歴代の岩波書店『世界』編集長、岡本厚、清宮美稚子、熊谷伸一郎、堀由貴子の各氏、編集担当の中山永基氏、そしてとりわけ長く小生を担当してくれている中本直子氏の理解と支援には感謝したい。また、寺島文庫の発信の企画、制作、データベースを支えてくれる林美紀、鈴木敬子、林遼太郎をはじめスタッフ陣にも感謝したい。論稿の書き手は、最初に論稿を読んでくれる存在の励ましと指摘を受けて進み出すのである。

寺島文庫から発信している東京メトロポリタンテレビジョン（首都圏の地上波テレビ・チャンネル）の月一回の情報番組「寺島実郎の世界を知る力」も三年半が経ったが、ユーチューブでの見逃し配信へのアクセス数が実に一〇六〇万回を超した。三割は海外からのアクセスで、時代認識を深める体系的情報が求められていることを実感している。

我々一人一人は小さな歴史の歯車にすぎないが、私自身が世界の現場を動き回りながら、体験・目撃してきたことを文献研究で体系化し、一筋の燈明として残すことも意味のあることだと考える。そして何よりも、状況を解説することを超えて、「あるべき時代」を求める意思を見失いたくない。

寺島実郎

二〇二四年春・九段下、寺島文庫五階「北辰学舎」にて

寺島実郎

1947年北海道生まれ．早稲田大学大学院政治学研究科修士課程修了後，三井物産入社．米国三井物産ワシントン事務所所長，三井物産常務執行役員，三井物産戦略研究所会長等を経て，現在は(一財)日本総合研究所会長，多摩大学学長，(一社)寺島文庫代表理事．国土交通省・国土審議会計画部会委員，経済産業省・資源エネルギー庁総合資源エネルギー調査会基本政策分科会委員等を歴任．
著書に『脳力のレッスンI〜V』『日本再生の基軸』『シルバー・デモクラシー』『人間と宗教あるいは日本人の心の基軸』(以上，岩波書店)，『ダビデの星を見つめて――体験的ユダヤ・ネットワーク論』(NHK出版)，『中東・エネルギー・地政学』(東洋経済新報社)，『世界を知る力』(PHP新書)他多数．

21世紀未来圏　日本再生の構想
――全体知と時代認識

2024年5月16日　第1刷発行
2024年9月25日　第3刷発行

著　者　寺島実郎（てらしまじつろう）

発行者　坂本政謙

発行所　株式会社 岩波書店
〒101-8002 東京都千代田区一ツ橋2-5-5
電話案内 03-5210-4000
https://www.iwanami.co.jp/

印刷・三陽社　カバー・半七印刷　製本・松岳社

ISBN 978-4-00-061640-9　Printed in Japan